ロシアより愛をこめて

あれから30年の絶望と希望

集英社文庫

ロシアより愛をこめて　あれから30年の絶望と希望

目次

1992

1993

1994

ロシアより愛をこめて

あれから30年の絶望と希望

まえがき

世界地図を眺める。昔、これらの国はソ連という1つの国だった。ソ連という国は1991年に消滅したことになっている。だがその亡霊が今も地球上に彷徨（さまよ）っているのではないか。いや、もっと言えば、ソ連がこの地球上に存在した理由は、自分が考えていたよりももっとスケールの大きな滔々（とうとう）たる歴史の流れのひとこまに過ぎなかったのではないか。

30年近く前に出版した『ロシアより愛をこめて』という本を、文庫本として出版してもらえないかと思い立ったのには理由がある。2022年2月24日に始まったロシアによるウクライナ侵攻だ。あれ以降、ウクライナ領内で生起している殺戮（さつりく）・破壊行為が、侵略戦争であることは言を俟（ま）たない。あってはならない事態が目の前にずっと突きつけられているという思いがある。

ふと、30年以上も前に当時住んでいたモスクワからウクライナの農村に旅をしたことを思い出した。そこはとても小さな村で、コルホーズ（集団農場）がまだ営まれていた。ひとり暮らしの老婆の家に泊めてもらった。質素だが心からの親切なもてなしを受けた。その時の記憶が蘇（よみがえ）ってきたのだった。なぜ、ロシアはウクライナに攻め入って、あれらの人々を武力で支配しようとしているのか。

30年近く前の本に登場していた多くの人々がすでにこの世を去っていた。その中の一体誰が今日の悲劇を予期していただろうか。独裁的な国家に生き、暮らしを営んでいる人たちは、独裁的な指導者と同じではない。当たり前のことだが、1人1人が人生を楽しみ、喜び、怒り、絶望し、悲しみ、そして希望ももっている。そういうことが当時、僕はとても大事なことだと思って手紙や日誌に書き続けていた。

このウクライナ戦争のただ中、憎しみとシニカルな傍観が溢（あふ）れる世の中で、ソ連消滅まもない時期のロシアやその周辺（日本も含む）の人々の、理不尽で、おかしくて、本音丸出しの生き方を伝え残すことは意味があると思っている。若い読者の方々には信じられないかもしれないけれど、これらは本当にあったことだ。筆者が最近、翻訳したアメリカの絵本のタイトルを掲げておこう。

〈じじつはじじつ、ほんとうのことだよ〉

ロシアより愛をこめて

（モスクワ特派員滞在日誌　1991-1994）

モスクワ支局の面々

●金平茂紀——かねひら・しげのり。1953年12月、北海道旭川市生まれ。1977年、TBS入社。以降、報道局社会部記者、「ニュースコープ」副編集長、外信部記者を経て、1991年3月〜94年6月までモスクワ特派員。

●ヴォロージャ——ウラジミール・カルポフ。1952年生まれ。ビデオエンジニア。機械の分解大好き。今は頭髪がかなり後退しているが、昔はロングヘアでベースギターを弾いていたらしい。性格温厚にして支局のショック・アブソーバー。休日はまめにダーチャに通い、家庭菜園でイチゴやトマトをつくっている。

●ガーリャさん——ガリーナ・フミチョーバ。1934年生まれ。支局の母。1975年以来、モスクワ支局に勤務。モスクワ大学歴史学科卒でゴルバチョフの後輩にあたる。日本語は独学で身につけた。女性らしく上品で大変お洒落。ブルー系統の色が好み。娘さんはポーランドに住んでいる。

●セルゲイ——セルゲイ・マチュールスキー。1959年生まれ。助手。端整な顔立ちで女性が放っておかない男とはこういう奴のことかと実感。しかもスポーツ万能でクラシック・ギターを奏でる。全く神は不公平である。冷静沈着かと思いきや突然大胆な行動をとったりもする。ロシアの激動と重なり彼の人生も転機を迎えたのだ。

●アンドレイ——アンドレイ・フェシュン。1957年生まれ。助手・通訳・肉体労働・コンピュータ、何でもこなす。支局の主力打者。ウクライナ系。身長190cm、大食、鯨飲、ロマンスを歌わせると聞く者はホロリとさせられる。熱血漢かつ誇り高き好人物。

●ミーシャ——ミハイル・コレトビーノフ。1948年生まれ。カメラマン。支局に勤めだしたのは1990年の末頃から。以前はゴステレ(ソ連の国営テレビ)の国際部(ブルガリア部門)にいたが、東欧の激変で失職し支局に。大変な家族思い。

●マリーナ——マリーナ・クズネツォーワ。1962年東京生まれ。父親が旧ソ連時代の新聞『トルード』東京特派員だった関係で、9歳まで東京で過ごす。一児の母にして仕事も完璧にこなす。いつも笑顔を絶やさない。

●マーシャ——お昼の給食のおばさん。

●アンドルーシャ——運転手。

1991

1月13日● リトアニアのビリニュス「血の日曜日」事件
3月10日● **モスクワ支局正式赴任。ウクライナホテルに2週間投宿**
3月27日● **モスクワ支局からの映像伝送、可能になる**
4月16日● ゴルバチョフ大統領来日
5月24日● **グルジア大統領選挙取材。**ガムサフルディア当選
6月12日● ロシア大統領選挙でエリツィン圧勝
7月15日● G7プラス1ロンドン・サミット
7月30日● 米ソ首脳会談
8月19日● 保守派によるクーデター事件。国家非常事態委員会樹立
最高会議ビル等に戦車出動。ゴルバチョフ軟禁される
8月22日● エリツィン、勝利宣言
9月6日● **エリツィン、TBSと単独会見**
9月16日● **ゴルバチョフ、TBSと単独会見**
10月某日● **支局車前部座席丸ごと盗難事件発生**
10月30日● 中東和平会談(マドリッド)
12月8日● スラブ3国のミンスク合意。エリツィン、CIS構想提唱
12月12日● ゴルバチョフ、辞任の用意あると言明
12月17日● エリツィン・ゴルバチョフ会談でソ連消滅確認
12月21日● CIS創設議定書に各共和国署名(アルマアタ)
12月25日● ゴルバチョフ辞任テレビ演説
クレムリンからソビエト国旗降ろされロシア国旗に

*太字は著者周辺の出来事。その他はロシア(旧ソ連)の出来事。

これが社会主義というものさ

1991年6月

前略。

早いもので、ここモスクワに住み始めて3カ月が過ぎてしまいました。今、モスクワは緑が鮮やかでとてもいい季節です。

今実感しているのは僕たちがいかにソビエトのことを知らないかということです。別の言い方をすれば今までいかに「知ったかぶり」をしてきたか。ソビエトに関する数えきれないほどの言説と出会っていたのにそれらが何と空虚に感じられることか。ペレストロイカ。グラスノスチ。急進改革派。保守派。社会主義革命。チェルノブイリ。KGB。ゴルバチョフ。エリツィン。これらの記号を組み合わせて何かを言ったような気がしても次の瞬間に「だからそんな解釈がさ、何だっていうの？」という声が聞こえるような気がするんですよね。現地の重みというか、そう、言葉以前の生活のリアリティーとでもいうか、うまく表現できないんですけれども。

例えば最近モスクワの街角で物乞いをよく見るんですよね。それから都心をツィガン（＊1）と呼ばれている浮浪児たちの集団が闊歩（かっぽ）していたりする。僕も一度彼らに取り巻かれてポケットに手を突っ込まれるわ、腕時計を引っぱがされそうになるわ、思わず力を込めて彼らを振りほどいたんですが、よく見ると、彼らはまだ小さな子供なわけです。裸足だし、髪はボサボサだし、でもものすごく力は強い。何か社会主義という言葉とそういう現実がやっぱり頭の中でどうもうまく噛み合わない。悲惨な現実がこんなに露わでいいのかな、などとつい思ってしまうのです。

　さて、こちらの食料事情は飽食日本とは比べる術もないのですが、やはりあるところにはある。けれどもモスクワの市民が正直に公営商店にだけ通っているとろくな食物が手に入らないという目に遭ってしまうみたいですね。今は夏だから、自由市場（ルイノク）なんかに行くと結構ものが豊富ですけど、ロシア人の収入を考えるとメチャ高です。でも僕らは外国人しかも日本人（ヤポーニェッツ）ですから、こちらじゃ特権階級です。大体の外国人は（といっても出稼ぎに来ているベトナム人とか北朝鮮の人なんかは別ですけど）ハードカレンシー・オンリーの外国人専用のスーパーマーケットで生活用品を買い込んでいます。ロシア人たちはどこへ行っても長い長い行列を作ってものを買うわけですが、外国人はドルとかクレジットカードを持っているがゆえにそういうところでものが買える。

　ちょっと前、この種の外貨スーパーのウインドーに誰かが投石して、ガラスがメチャクチャに壊されたことがありました。スイスとの合弁企業の「サトコ」というスーパーは、この春からドルさえ持っていれば誰でも買い物ができるというふうに規則を改めたんですが、その途端、2軒あるこの「サトコ」の前にはロシア人たちの長い長い行列ができるようになりました。ロシア人たちはさまざまなルートで手に入れたドルを片手に握りしめながら公営商店では絶対売っていないコーラとかウイスキーとか靴とか肉・野菜のたぐいを買うわけです。でもドルを入手できるロシア人はほんの少数でしかない。モスクワへの外国人観光客を狙うタクシーの運転手とか外国企業で働いている人とかそれくらいなわけです。1回の買い物量を見ると、アメリカ人それから、日本の商社もすごいです。ロシア人の運び屋を連れてきて、一度にコーラとかビールなんか10ケースとか20ケースとかでまとめて買って持っていかせる場面なんか見たことがあります。

行列で思い出しましたけど、東京の街ならどこにでもあるマクドナルドというのがモスクワに1軒だけあって、ここには「アメリカを食べたい」というロシア人たちが信じられないくらいの長い行列を作って待つわけです。ビッグマック1個の値段が10ルーブル。日本円に直せば50円ぐらいですけど、こっちの大卒の初任給が180ルーブルくらいですから、これはメチャクチャに高い代物なわけです。ピザハットというピザ屋さんもあるんですが、こちらの方ではロシア人はもっと残酷な目に遭わされる。入口がハードカレンシーを持っている者とルーブルしか持っていない者とで別々になっていて、僕らはもちろんすぐに入れて座って食事ができる。けれどもロシア人たちは雨が降ろうが雪が降ろうがカンカン照りだろうがまた行列を作らなければならない。でも、こちらの社会は独特のコネ社会があって、そういうつてをロシア人たちはうまく利用しておいしいものを手に入れているみたいです。

ここモスクワで見ている限り、通貨は実質的にドル本位制みたいなもので、マールボロ1個が大体今30ルーブルくらいの価格で取引されている。平均的なアパートの家賃が1カ月15〜20ルーブルくらいですから、マールボロ1個さえあれば、家賃2カ月分になる。何という理不尽。でもそのアパートがほとんどもう見つからない状態だというから超大国が聞いて呆(あき)れるというものです。

「ベーソ」という語感があるでしょ? 米ソ、つまりアメリカとソ連ですけど、二大超大国なんていう冷戦構造下のウソっぱちをよくもまあ無理やり突っ張ってもちこたえてきたなと思うんですよね。だって、モスクワ市民の平均的な生活水準はとてもアメリカの比じゃないし、そうですね、アジアのNIES諸国(編注/シンガポール・台湾・韓国など)よりもずっと下というのが実感ですよね。まあ、1940〜50年代というのはちょっと別だったんでしょうけど。全く人間というのは観念で生きる化け物だと思います。「ベーソ」という観念が結構生きながらえていたんですから。

何人かの学生と話をしたんですが、彼らは西側の価値観を100%礼賛していて、できるならば亡命したいとまで言う。アメリカは難しいと思うが、オーストラリアはどうか? いや、南アフリカやイスラエルでもいいが、などと本気で聞かれると、ちょっと何と答えたらいいのか困ってしまいます。

例えば日本の常識じゃ考えられないような理不尽な目に遭うとするでしょ。そうすると「どうしてだ?」と若い人たちに聞くと、決まって「これが社会主義というものさ」(エータ・ソツィアリズム)と答える。

アエロフロートで国内を移動すると、各空港では大抵イヤな経験をする。機内への荷物持ち込みの重量制限が極端に厳しいため、僕らの場合大体が重量オーバーになる。そういう時、空港の職員は必ずと言っていいほど、「タバコ持ってるか?」とワイロ(＝タバコ)を要求する。

「こういう不正を誰か咎めたりチェックしたりする奴はいないのか?」と言うと、「仕方のないことだ。彼の責任ではない。これは社会のシステムが悪いのだ。エータ・ソツィアリズム」と諦めたように言うわけです。彼の説明はこうです。空港職員の給料だけでは家計が苦しい。もともと機内持ち込みが極端に厳しい法律自体が理不尽なのだ。あの場で職員とケンカをすると正規のバカ高い(といっても日本で考えると安い)超過料金を支払ったうえ、預けた荷物が届く保証はない。「そうすると、あのようなことが変わるきっかけとして誰が一体最初に異議を申し立てるのか?」と興奮気味に尋ねると「さあね。知らない。これが社会主義だから。彼のようにワイロをとって生きようがクソ真面目に働こうが給料は同じだからね。家族のことを考えるとワイロを要求する彼の方がエライと思うよ」。

＊　＊　＊

最後に最近経験した話を1つだけ報告しときます。こちらへ来てまもなくの頃、うちの大型冷凍庫が突然ぶっこわれてしまい、東京から持ってきた生鮮食料品がほとんどダメになってしまいました。途方に暮れて新しいのを買おうと思ったんですが、モスクワで新品の冷凍庫を購入するのは至難のわざ。ところが、ある外貨ショップに1台だけ置いてあるのを見たという人がいて、すぐに車で駆けつけたところ何とちゃんとあるではありませんか。それで買ったのはいいんですが、こちらには品物を配達するシステムというのがないんです。だから、買ったものは全部自分で運ばなくちゃならない。大型冷凍庫なんて乗用車に入るはずもない。困ったもんだと思案していると、そこの女店員が「隣の病院へ行け」と言う。「どうしてか?」と思ったら、病院の救急車にチップを渡せばいつでも運んでくれると言う。「みんなやっていることよ」と彼女はこともなげに言うわけです。どうも僕はそれ以来、街中で救急車と出会うたびに、あのサイレンを鳴らしながら猛スピードで走っている救急車の中身は冷蔵庫に違いないと思うようになりました。

では、お体に気をつけて。ロシアより愛をこめて。さようなら。

＊1　ツィガンというのはヨーロッパ各国で通称「ジプシー」と呼称されている流浪の民と同じと考えてもいいかもしれません。彼らは寒い冬の間は南の地方に流れ、暖かくなるとモスクワなどの都市部に戻ると言われています。

一体何が豊かさなんだろうね？

1991年7月

その後お変わりありませんか？　モスクワも夏は結構暑いですよ。東京ほどじゃありませんけどね。長い長い冬のことを考えると、まさに一瞬の夏なのかもしれませんが。夏休みはもう取りましたか？

その夏休みについてなんですけど、さすがと言うか何と言うか、ロードーシャの国ですね、ソビエトは。平均1カ月は当たり前、というより労働者の権利なわけです。僕らのモスクワ支局でも夏休みの相談をしようとミーティングを開いたんですが、いきなり「26日間は、権利です。法律で決められているのです」と宣言された時には、ちょっと面食らいました。

「ロシアの人はみんなそんなに夏休みを取るのか？」と尋ねたら、支局員諸氏は「ノルマ－リナ（普通はそうだよ）」と、こともなげに答えるわけです。その場は、「ちょっと考えさせてね」と切り抜けて、他でもいろいろと聞いてみると、やっぱりみんな夏は最低1カ月は休んじゃうんですね、これが。ソビエト外務省の某高官なんかは2カ月近く休んじゃってるんです。「モスクワみたいな気候で夏の間そんなに休んじゃったら、いつ働くんだろう？」と、日本人的に僕は考えてしまうんですね、正直なところ。でも、モスクワの人たちから見ると、日本人は何が楽しくてあんなに一生懸命に働くのか？

という感じだと思うのです。もっともこういう印象は大体の欧米人から抱かれているようですが。

で、モスクワの人たちはその夏休みをどう過ごしているのかというと、遠方へ（と言ってもソビエト国内ですけどね）旅行したり、サナトリウムという保養所へ行ったり、それともう1つ、これがモスクワの人たちにとって大変重要な生活の要素だと思うんですが、ダーチャへ行って静養する。

このダーチャというのは日本語に訳されると「別荘」ですけど、要はセカンドハウス、別宅みたいなものとイメージした方がいいのかもしれません。夏休みばかりじゃなくて、土曜・日曜といった週末も、よくダーチャで過ごすといった会話も聞きます。正確な数字じゃありませんが、モスクワの世帯数の15％ぐらいがこのダーチャを持っていると聞きました。

もう1カ月以上前ですが、あるロシア人のダーチャに招かれました。祖父母の時代からの所有で、1940年代、第2次大戦前から持っていたのだそうです。モスクワから車で飛ばして、せいぜい40分ぐらい。大きな沼が近くにある静かな村です。で、そのダーチャですが、敷地が何と3000平方メートルくらい！　建物自体は決して大きなものじゃないし、立派な造りでもない、むしろ、ひなびた農家の感じなんですが、この古い素朴な建物が何とも風情があるわけです。電話なんかもちろん引いていない。敷地には菜園があり、そこでイチゴや野菜を作っている。緑の木々がうっそうと繁（しげ）っていて、鳥の鳴き声しか聞こえない。芝生の庭にテーブルと椅子を持ち出して、太陽の下でボーッとしていると、もう何の矛盾もなくなるわけです。

このときはみんなでシャシリク（串刺しの焼肉）を作って食べたんですが、肉は前日ルイノク（自由市場）で買ってきて、ワインで下ごしらえしてあるのを焼くわけです。芝生の庭の一角に全く素朴ないろりを作る。赤いレンガで長方形に囲んだだけのもの。燃料がまたこれが白樺の木炭。この炭をまず自分たちで長い時間をかけて作ることから調理は始まるわけです。白樺のでっかい薪をまず鉈で適当な大きさにする。適当な大きさになった薪をじっくり燃やして木炭にする。かれこれ2時間ぐらいで木炭の床が出来上がり、いろりが完成するわけです。そして赤いレンガの上に大きな串に刺したシャシリクを10本ぐらい並べてジュージュー焼く。焼き上がるまでそんなに時間はかかりません。肉が焼ける香ばしい匂いがしてきます。焼き上がりのシャシリクを頬ばりながらその場に一緒にいた僕ら日本人4人は「一体何が豊かさなんだろうね」と強い陽射しを浴びながら充足感に浸り、ワインとビールの酔いに時間の流れるのを忘れてしまいました。デザートには、ロシア人のおばさんが菜園からイチゴを摘んでその場ですぐにおろしてイチゴムースを作って出してくれる。何という贅沢でしょうか。

もちろんモスクワの人たちの皆が皆、こんなダーチャを持っているわけじゃないのですが、もっともっと小さなダーチャでも、彼らがそれこそ日曜日ごとに大工仕事をして自分たちのセカンドハウスをこつこつと作り上げていく姿は、一生かかってマイホームを求める日本人の姿の対極にある気がします。全く豊かさなんて相対的なものです。G7とかいうリッチ・ブランドに日本が入っているなんて呆れてしまいますよね。

＊　＊　＊

とうとうソビエトもマルクス・レーニン主義をはっきりと否定するところまで来ちゃったですね。もっともペレストロイカ以降、ソビエトは実質的に社会主義の放棄路線を進んできたわけですけどね。市場経済への移行、私有制の導入とかを公言してきてるんですし。こないだ、A・ヤコブレフが、マルクス・レーニン主義を選択したことが誤りだったみたいな発言をしました。かつての党の重鎮までがこんなこと言い出したわけですから、あとはゴルバチョフがいつ党を離れるか、ということになるのでしょうか。来年は大統領選挙がありますから、党にへばりついていたんじゃ落選確実ですもんね。

今後ソビエトで起こることが予想されるのは「レーニン殺し」かもしれませんね。レーニンの思想のこの部分が誤っていたとか言い出すんじゃないでしょうか。東欧の激動の際必ずレーニン像が引き倒された過程がソビエトでも起こるのでしょう。

ここのところ、ゴルバチョフの同行取材で西側へ出る機会が多かったんですが、何というか、今のゴルバチョフを見ていると、したたかだと思う反面、気の毒になってくるような気もします。西側に物乞いに行くんじゃない、と強調すればするほど、物乞い外交の本質をさらけ出すことになってしまっている。可哀相（かわいそう）なソ連を助けてあげなくちゃ。

こんな素振りに期待して施しを乞うような真似は、屈辱以外の何ものでもないはずです。ゴルバチョフ本人、及び彼の周囲にいるロシア人たちが西側世界で抱く劣等感というのはきっと凄まじいのじゃないかと思います。物＝商品が溢れかえっている西側世界の真っただ中で、彼らは自国のことをどんなふうに考えているんでしょうか。モスクワの街ではどこへ行っても行列、行列、行列。G7サミットの際、ソビエト代表団の宿舎となっているロンドンのホテルのロビーにしばらくいた時のことです。代表団のメンバーたちが次々と外出先から帰ってくるんですが、彼らの両手には買い物袋がいっぱいぶら下がっていました。モスクワでは手に入らない商品が山のようにある。抑えつけられていた欲望が一気に解放されたようなその買い物の衝動。実は僕自身も恥ずかしいくらい、こういう衝動にかられてたくさんの買い物をしてしまいました。ダメですね。

まあ、とにかく今のソビエトの政治家たちは西欧・アメリカに対する強いコンプレックスを持っていると思います。その点で、ちょっと日本と似ているようなところがある。日本は、欧米に対するコンプレックスを糧に、「追いつき、追い越せ」の自転車操業路線で、補塡を重ねてきた。日本株式会社も実はこのコンプレックス、その反動としてのアジア人蔑視（脱亜入欧）の心性みたいなものがあるでしょ。

それでも「西側経済への統合」をあたかも自らの権利であるかのように要求するゴルバチョフのもの言いは、僕ら日本人からは「虫のいいこと言うんじゃないよ」という感じで受けとめられるでしょうね。ここまで日本が成り上がってきたのは、やっぱり第一には、僕らの両親世代なんかが無茶苦茶に働いてきたからなんで「働いてこなかったお前らがそんなこと主張するのはおかしいぜ」というような弱肉強食の論理みたいなものがある。そうですね、中小企業の叩き上げの社長のおっさんのイメージでしょ、日本って。一番カネがありそうで、苦労してきて、でもまあかなり一生懸命働いてきてここまで成り上がった。そういう家族のもとへ、長い間どこかの宗教団体か何かに入ってた親戚のおじさんが突然舞い戻ってきて、「やっぱり俺の考え方は間違ってたみたいだ。家族の一員なんだから養ってくれ」とか言われても、それは虫のいい話ですよね。そうですね、菊池寛の『父帰る』に近いイメージかな。

＊　＊　＊

今のソビエトは国が傾いているので、経済の面で西側の支援を仰ぐという情けない状況にあるわけですが、そういうのが文化の面でもあらわれていて、西側礼賛、ロシア的な土臭さの否定みたいな現象になっているようです。ちょっと前にラジオで聞いたんですが、ロシア語のラップ・ミュージックというのがあって、これが何とも珍妙な印象を受けるんですね。歌詞がよくわからないんですけど、ロシア人に聞くと、要するに今のソ連に対して不満をぶちまけてるんですね。

ペレストロイカ、ペレストロイカ
そいつが一体何だってんだ？

っていうようなノリみたいです。今度機会があったらカセットテープでも送ります。ところで日本はレコードがもう滅びる寸前で、CD全盛のようですけれども、ソビエトではCDなんか持っている人はきわめて少ないです。モスクワ市内に「メローディア」というレコード屋さんがあって、そこは唯一「ソビエトの」CDを売ってるところなんですが、これも実はフィンランドで製作しているそうです。メローディア・レーベルのCDはクラシック音楽がほとんどで、あとロシア正教の教会音楽とか、民謡なんかもあります。値段は30ルーブル（＝90円ぐらい）なので、メチャ安です。このメローディアの1階のテープ売り場にはいつも若い人がたむろしていて、レジの後ろの方には、モスクワ版のヒットチャートみたいな紙が貼ってあります。こっちの人は一般的に音楽は好きですね。メローディアにいても、老若男女を問わず熱心にレコードを探している姿が目を引きます。僕らの支局で働いているロシア人も皆音楽が好きです。ロシア語で歌われたビートルズの『キャント・バイ・ミー・ラブ』なんか妙な感じですよ。

さて、モスクワの街も、「市場経済への移行」とやらのかけ声で、拝金主義がはびこり、何をするにもお金、お金（ジェーニギ、ジェーニギ。このロシア語が日本語の銭公、ゼニコウと聞こえるから不思議です）。要人のインタビューも多額の謝礼を支払う悪習が一部に定着しつつあるようです。そういう影響は確実に若い世代をむしばんでいて、子供なんかもお金の力を非常にシビアに認識している。最近モスクワもストリート・チルドレンが出現し始めました。前に物乞いとかツィガンの子供が多くなっていることをお話ししましたが、最近目につくのがロシア人の子供たちです。外国人居住区のゴミ箱を漁るロシア人の子供たちの姿もたまに見ます。使い捨て文化に慣れ親しんでいる外国人は何でもゴミ箱に捨てる。そういうものの中にはまだまだ宝物がある。信じられないかもしれませんが、例えばコーラの空き缶があるでしょ。ああいうものがこっちじゃ宝物なんです。イズマイロフスキー公園で毎週土・日にバザールが開かれます。まあ、のみの市みたいなもんで、絵や雑貨やら、どこかから盗み出してきたようなイコンやらマトリョーシカ人形やらいろいろ売っているんですが、その中には単なる空き缶も売っているわけです。コカコーラ、ペプシ、スプライト、この空き缶に水を入れて飲むと西側の味がするんでしょうね。1缶5カペイカ（編注／1カペイカは1ルーブルの100分の1）くらいですけどね。

先日、ゴーリキー通りを車で走っていて大きな交差点で信号待ちしていた時のことです。突然道路脇から4、5人の子供たち（小学校の高学年から中学生くらいかな）がワッと出てきて、ガラス磨きのスプレーをいきなり車のフロントガラスに吹きかけて拭き始めるわけです。な、な、なんだ？と思ったのですが、要するに、ガラス磨き代を稼ぐ集団だったわけです。こっちとしては頼んだわけでもないし、何しろ突然のことだったので「ニェ・ナーダ！（必要ではない！）」と車の中から呼びかけたんですが、そんなことには一切おかまいなしに、せっせ、せっせとガラス拭きをする。どうしていいのかわからない何か恐怖感に似たような感情に襲われて僕は何も払わないまま発進しました。後ろの方で少年たちの罵るような声が聞こえたような気がします。何とも後味の悪い時間を過ごしました。社会主義も何もあったもんじゃない。考えてみればこれがまさしく市場経済ですよね。彼らはジェーニギを稼ぐのに必死なわけです。どこかの国の闇市の時代の少年たちの姿に似ているのかもしれません。こんな少年たちに向かって相変わらず「ヤー・コムニスト（私は共産主義者だ）」と公言している人たちが生き残っている事態は滑稽を通り越して悲惨ですらあります。

＊　＊　＊

実はこの手紙はスペインで書いています。夏休みでこちらに来ているのです。今、僕はスペインの時間の中でソビエトのことを書いているので、妙な気分です。イタリアのバーリという港にアルバニアの〃難民〃がびっしりと乗り込んだ船が到着して、港にどっと降り立つシーンがスペインのテレビで何度も放送されていました。日本でも放送されたと思いますが、すごい映像ですよね。最後の東欧社会主義国、アルバニア、ユーゴスラビアの現状にソビエトが責任を負っていないはずはないでしょ。残酷な表現を承知で敢（あ）えて使うのですが、まるで夥（おびただ）しい数の虫がたかっているような感じの船でした。このアルバニア「難民」に対してイタリアの官憲は警棒で殴りつける行動に出ました。社会主義の破綻で西欧諸国が最も恐れている悪夢の映像がここに示されているような気がしてなりません。数十万数百万というソビエト難民が東欧を越えて西欧になだれ込む事態。仮にその時が来たとしたら、今、ソビエト支援を口にしている国々の官憲が、イタリアの官憲と同様に警棒を振るわないという保証はどこにもないでしょう。そして、そういう時が来ても、僕らの国の政府は相変わらずこんな言葉を口走っているのでしょう。

「我が国固有の領土である北方領土は……」

スバボーダ！　スバボーダ！（自由！　自由！）

1991年8月

お元気ですか？　前回の手紙をマドリッドで投函してからわずか5日後に、まさかモスクワでクーデターが勃発するとは……。この間僕が体験した事柄が、まだ頭の中でマグマみたいに不定形のままグツグツしていて、今回の手紙がちゃんと文章の体をとるかどうかも不安です。4週間ほどたった今もまだ興奮しているのです。

その日、8月19日の月曜日、朝の6時15分頃でしょうか、東京の小池デスクから電話が入ったのです。タス通信がゴルバチョフの病気による大統領降板を打電したというものでした。びっくりしましたね。実は夏休みが終わってモスクワに戻ったのが17日。クーデターの2日前ですから。それで何しろ支局まですぐに駆け出したわけです。自宅のアパートの前であたふたと出社してきた読売新聞の記者氏と出くわしました。「クーデターですね」「ああ、クーデターだよ」お互い一言だけ言葉を交わして支局へと急ぎました。

支局はというと、先月の手紙で書きましたけど、ほとんど全員長い長い夏休みなんですよね。東京から長期出張で来ていた田中信輔記者が1人いるだけで、他は全員ダーチャかどこかにいるはずだと。これはとにかく人を集めなければならない。その日のことは何がどうなったか、もう今となってはディテールを思い出せません。しかし幾つかの幸運が訪れたことはしっかりと覚えています。アンドレイという優秀な助手が前日18日に休暇先からモスクワに戻っていたこと。同じく支局の協力者のジーマ夫妻が駆けつけてくれて不眠不休で働いてくれたこと。僕の前任者の小池デスクのビザが残っていて、翌20日の夜にはモスクワに駆けつけてくれたこと等々。僕らはクラシック音楽と非常事態宣言を読み上げるアナウンサーの映像しか流れない国営テレビをいまいましげに眺めながら、信輔記者と「いいかい、これはクーデターなんだからね」と大声でどなり合っていたことを覚えています。

支局の横を通るクトゥゾフスキー大通りを戦車がクレムリンの方向へ進軍していく。地響きっていう言葉があるでしょ。それが体に伝わってきたんですよね。何と表現していいのか、重い振動みたいなものが音と一緒に支局にいる僕らに伝わってきて、アンドレイと僕は夢中で道路に駆け降りていったのを覚えています。階段を降りながら、これでソビエトは一気に冬の時代に逆戻りしてしまうのか、また鎖国が始まるのか、と思いました。ところが戦車に乗っている兵士の顔を実際に見ると、まだ本当に子供の顔をしているんですよね。幼さが残っている。こいつらが本当に「武力制圧」といった事態を引き起こすんだろうか、とも思いました。

幸いなことに支局の窓からはロシア共和国の最高会議の建物が見える。通称ホワイトハウスと呼ばれている建物です。ここが今度のクーデターそしてそれに触発された「市民革命」の主舞台になってしまったんですが、そこに市民がどんどん集まっているんですね。市民が立ち上がった。これは下手をすると内戦になるな、と思いました。エラそうに、「ロシア人は底知れないニヒリズムを抱え込んでいる」なんて知ったかぶりして話していた自分が恥ずかしいです。正直言って感動しましたね。市民たちが今、身をもって守っているものがある。それは例えば食料とか服とかウォトカとか、そういう具体的な物のためではない。では何を守ろうとしたんだろうか。言葉で表現してしまうとその途端陳腐になりそうでこわいのですが、市民たちが、そう、組織なんかされていないあの市民たちが自然に歓呼していたのは「スバボーダ！　スバボーダ！（自由！　自由！）」という言葉でした。それから「ロシア！　ロシア！」とも叫んでましたね。それが彼らが守ろうとしていたものだったんだと思います。

　ホワイトハウスの周りにどんどんバリケードができ始めました。若い人がいっぱい駆けつけたんですよね。「ソビエトの若者は醒めている」なんて知ったかぶりするからいけないんですよね。モスクワにも実は暴走族というのがいるんですが、彼らはクーデターのさなか、モスクワ近郊及び市内を縦横無尽に走り回って軍の動向をキャッチして、それをホワイトハウスの周りに陣取っていた仲間たちにどんどん情報として知らせたそうです。

　信輔記者はどんどん最前線へと突っ込んでいきました。アンドレイも憑かれたように突っ込んでいきました。クーデターが挫折するかどうかのギリギリの攻防が行われていたんですが、東京サイドの反応とのギャップを感じ出したのもこの頃からだと思います。

クーデターが失敗して東京サイドは「三日天下が終わった、めでたし、めでたし」といった雰囲気が感じられたんですが、いや、これはむしろ、ものすごく大きなプロセスの始まりなんだと思いました。今度のクーデター事件というのが将来歴史の中でどんなふうに位置づけられるのか知りませんが、僕は、クーデターは単なるきっかけ、これはイメージで言うと、あのイルカの集団自殺ってあるでしょ、方向感覚を失っちゃったイルカが大挙して浜にうち上がるやつ、あのイメージなんですよね。保守派が集団自殺した。で、その後に起こったプロセス、例えば、共産党の解体、官製マスコミの総崩壊、旧来の政治機構の解散といった動きの方が本当はすごい出来事なんだと思いました。それを主導したのは確かにエリツィンというカリスマの存在であったということは否定できないんですけれど、やっぱり真の推進役は市民だったと。だからこれは明らかに「市民革命」なんだと思います。そして今でも思っています。壮大な解放のイメージ。

それにしてもホワイトハウスという無機質の建物にはバリケードがよく似合いましたですね。何かこう前衛芸術みたいなんですよね、あのバリケードのかたまりが。それで「異化作用」というか、そのバリケードの中には違う空間が生まれちゃっているんですよね。美術評論家の先生方なら「祝祭空間」とでもいうんでしょうね。評論家で思い出しましたが、東京とのギャップということでもう少し言いますと、多分に「評論家」という人たちのコメントにうんざりしたということが正直言ってありました。今後エリツィン独裁の危険はないのか？　ソビエトの保守派が今後巻き返しに出ることはないのか？　クーデター失敗という結果が出た直後という時期に、どうしてこう、僕らは「分析」とか「解釈」とかを求めたがるんだろう。「解釈？　そんなものは評論家にくれてやれ！」手元に本がないのでうろ覚えですが、澁澤龍彦（しぶさわたつひこ）の本の中にそんなセリフがあったように記憶しています。

さて、評論家の次は「マスコミ」です、僕らもその一員であるところの。今回の市民革命でもっとも劇的な変化を遂げたものの1つが「マスコミ」でしょう。クーデター失敗直後ホワイトハウス前で行われた大集会で、市民たちが最も大きな拍手を送ったのは、ソビエト国営テレビのクラフチェンコ議長を解任するとエリツィンが発表した時でした。日本で言えばＮＨＫの「7時のニュース」みたいな存在だった『ヴレーミャ』も残るかどうか、今は視聴者に判断させようという段階です。新聞の『プラウダ』も一時停刊させられ、タス通信、ノーボスチ通信といった大マスコミの社長が全員解任されました。市民の信頼を失ったメディアといったものがいかなる運命をたどるのか、いやというほど見せつけられました。かわりに大活躍したのが「自由ラジオ」と呼ばれる海賊放送で、市民らはここから情報を得ていました。もっとも妨害電波もひどくなって、しょっちゅう周波数を変えてたみたいですけど。

ところで、19日、クーデターの起きた日の夕方、ヤナーエフ大統領代行らによる記者会見がありました。その席でのことです。大方の記者は未（いま）だ正統性の認められていない壇上のヤナーエフに対して冷笑を投げかけながら厳しい質問を浴びせたのですが、その際、農業問題についてヤナーエフに施策方針を質問した記者が1人いました。その記者はヤナーエフに「いい質問だね」と誉められたりしてましたが、それ以来僕と信輔記者の間では「農業問題質問した奴みたい」というとある種の人々を指すようになりました。こういうのも、僕ら「マスコミ」の中にはいるわけです。

19日夜の例の『ヴレーミャ』という番組は、いかに非常事態宣言が正当であるかを延々と訴える番組でした。これも僕ら「マスコミ」のあり方の1つには違いありません。それが状況の変化と呼応して、マスメディアが悶えちゃったんですよね。メディアが身悶えする時というのがあるんですね。悶えて寝返りを打つや、瞬時にしてそれぞれが「解放された」メディアの立ち居振る舞いをとり始めたわけです。逮捕されたKGB議長クリュチコフのインタビューは流すわ、放送中止になった番組は復活するわ、国営テレビは解任されたクラフチェンコ議長のインタビューまで流しちゃうわ、しかも「どうして解任されたんだと思いますか?」とかの質問まで浴びせてるんですよね。

そして、これらの事柄はまさに他人事ではないわけです。マスコミは市民の支持・信頼の基盤の上に成り立っている。僕は放送局の社員ですが、この間自分の会社内でおきていること(1991年に発覚した、TBSの野村證券による損失補塡スキャンダルのこと)がマスメディアの存在基盤に関わることだという認識を持ちながら仕事をしてきました。それでソビエトのマスメディアの状況の推移を見ると、どうしても自分の会社の状況とダブってしまい、やりきれない気持ちになる。けれど「やりきれない」なんて言っているんじゃダメですね。だからちゃんとものを言わなくちゃダメですね。そうじゃないと「農業問題質問した奴」と大して変わんないです。

この市民革命において、モスクワではたくさんの音楽が立ち現れました。〈商品〉ではない音楽が現れる瞬間というのがあるんですよね。天安門事件（編注／１９８９年）の直前、あの広場で聞かれたロック。アキノ革命（編注／１９８６年のピープルパワー革命のこと）の際の『バヤンカ』。ベルリンの壁崩壊のとき、壁の両側で沸き起こった歌声。１９８９年に横浜・寿町のフリーコンサートで歌われたＪＡＧＡＴＡＲＡの『もうがまんできない』。間違っても〈商品〉じゃないこれらの音楽は、けれど感動を呼び起こす。クーデターのさなか、ロシア共和国最高会議のバリケードの中では、ヴィソツキーとか、ヴィクトル・ツォイの歌が流れていました。ロストロポーヴィチという有名な亡命チェロ奏者も、何とロンドンから着の身着のままでホワイトハウスに飛び込んできたそうです。すごい人もいるものです。

それでは、お体に気をつけて。また手紙を書きます。ロシアより愛をこめて。さようなら。

祝祭のあとに

1991年9月

その後お変わりありませんか。こちらも何とかやっております。モスクワもさすがにだんだんと気温が低くなってきました。と思ったら、少し暖かさが戻ってきたりして、小春日和ならぬ「バーブィ・リエタ（女の夏）」というそうですが、そんな天気が続いたりしています。

モスクワの人々は、あの8月の記憶の「祭りの後」（＝ハレの後のケ）の寂しさに浸る暇もないくらい、これからの長い長い冬を控えてまるで何事もなかったかのように店先で列を作っています。全く、行列とガイー（交通警察官）だけはクーデター事件の前も後もちっとも変わっていない。いや、正確に言うと行列とガイーは以前よりも悪い状況になったんですよね。行列の異変ですが、クーデター失敗後なぜか西側の食べ物屋、マクドナルドとピザハット（＊1）のことですけど、そこのロシア人の行列がやたらと長くなりました。それからガイーの方は、外国人のナンバープレートの車を見ると、何だかんだとやたらと止めて罰金を取り立てるようになった。まあ、「8月のロシア革命」の感傷に浸れるのはのんきな外国人特派員くらいかもしれないですね。「あの8月の熱い記憶は何だったんだろうか」とかね。

この間、国営テレビでなかなか素晴らしいドキュメンタリーを見ました。タイトルは

『ヴレーミャ・オートプスカ（休暇の時）』というんですけど、テレビのドキュメンタリー作家の創作集団「アフタルスカエ・テレビージェニエ」が制作したものです。8月19日から22日までのモスクワの市民の闘いを記録したものですが、これはよくできてましたね。たくさんの市民たちが並んで手渡しでバリケード用の石をリレーする光景をロシア共和国最高会議ビルの屋上から撮ったシーンがあるんですが、それを見てまいってしまいました。そのドキュメンタリーの中に「エホー・モスクヴィ（モスクワのこだま）」というラジオ局がKGB軍によって制圧される瞬間が撮られている。その際、カメラマンやスタッフたちはドアから外に追い出される。ガラスドアの向こう側にKGBの男たちがいるんですが、カメラマンたちはドアをどんどんたたきながら、「あいつの顔を撮れ！」とか叫んでるんですよね。このドキュメンタリーの中でも迫力のあるシーンの1つです。

さて、今日は朝から不運続きで滅入っていたのですが、そのダメ押しの件についてちょっとお話ししましょう。僕らの支局の入っているアパートはクトゥゾフスキー大通りに面している外国人居住区の一角にあるのですが、アパートの下には「ミリッツィア（民警）」のボックスがあって、一応警備をしているわけです。中にはたちの悪いのがいて、顔を合わせるたびに、「ライターをくれ」「日本製の時計をくれ」とせびってくるのがいる。今夜も夜11時過ぎに支局を出て帰ろうと思っていたら、そのミリツィアの1人が呼び止めるわけです。「あなたは車をぶつけた。重大な過失である」。全く身に覚えがないので、「知らない。何を言っているのかわからない」と言ったのですが、「私が目撃していた。ガイーに通報しなければならない」とか何とか言っているのです。

相手の言っていることが十分に理解できないので、明日の朝話をつけようと申し入れてもダメだと言う。そこに知人がちょうど通りかかったのです。ロシア語堪能の彼に理不尽な目に遭っていると説明すると、二言三言話したのち、そのミリツィアはこんなふうに切り出したのです。「私ともう1人の友だち（ミリツィア）のためにライターをくれないか」。かれこれ1時間余りこんなことに付き合わされて、怒りで震えてきました。「もともとこれが目的なんだから相手にしない方がいいよ。こいつは少し飲んでいる。ライター渡すか、それともガイーまで行って全面対決するかのどっちかだよ」。知人にそう言われて、僕はガイーまで行く気の遠くなるような手続きの面倒臭さを思い浮かべて、ライター1個をそのミリツィアに渡してしまいました。「これがロシアの現実なんだから」知人はぼそりと呟きました。警察官にしてこのざまですから、一般の役人はどうか、想像がつくというものでしょう。それにしても、自分のとった態度も情けなくて、どうも……。

これはモスクワ在住のある日本人とも意見が一致したのですが、クーデター失敗の後、何かやたらと物をせびられる経験が多くなったような気がするのです。先日も部屋の修理を頼んだら、ウポデカ（＊2）という役所からやってきた小役人は、「日本製のカメラが欲しい」と別れ際に言って帰りました。露骨に物をせびるわけです。それは共産党の崩壊とかKGBの失墜とかいった事態と深く関係があるんじゃないかと思うんですよね。市民を長い間抑圧してきた重しみたいなものが一気になくなってしまった。それまで強いられてきた秩序とかモラルみたいなものがなくなった。かと言って、それにかわるモラルみたいなものはまだ出来上がっていない。信じられるのはカネとモノという弱肉強食の論理。そんな場ができつつあるんじゃないかと思うんですよね。これは市場経済の導入とかいうキレイ事の世界じゃないですよね。今も支局のバルコニーから下の駐車場を見ていたら、またロシア人の少年たちがゴミ箱を漁っています。

10月6日（日）。8月、モスクワに応援取材でずっと来ていたウィーン支局の小原・宮組が、内戦状態にあるユーゴスラビアのクロアチアで取材中に撃たれたとの一報が、夜東京から届く。激しい動揺。

　それにしても、社会主義の全般的敗北と資本主義の全面的勝利という図式でこれからの世界が整序されていくとしたら、これは新たな不幸の始まりだと思いませんか？　あのアネクドート（政治風刺小話）はかなり気に入りました。いわく、「共産主義は空想ではなく科学である。ではそれは自然科学か、人文科学か？　人文科学に決まっているじゃないか。だって自然科学なら、人間がやる前に動物実験やってるよ」。こんなアネクドートがロシア人の口からポンポン飛び出してくるというのが今の状況ですよね。たとえ虚構だったにせよ、社会主義大国という精神的支柱を失ったロシア人たちが、これから信じる唯一のものは「金っきゃねえ！」ということになるのなら、悲しいことですよね。そして社会主義の七十余年というのが「壮大なる徒労」だったと総括される時、それに「?」を挟むことすら許されない事態というのもヤバい状況だと思います。『アサヒグラフ』の「浮かばれぬ死霊の群れをモスクワは想像できるか」という小文(*3)と、毎日新聞の「記者の目」でモスクワ支局の石郷岡(いしごおか)記者が記している思い(*4)に共通するテーマは、これからのソビエトを見ていく時にどこか頭の片隅から離れない種類のものでしょう。

最近、自分がこのモスクワの地で暮らしていて、いかに閉鎖社会の中に安住しているかということを切実に感じ始めています。閉鎖社会の中ですから、人間関係はおのずと濃密なものになる。結構疲れることも耳に入ってきます。僕はこの地では外国人ですから、ここの人と本当の意味で交わるのはなかなか容易ではない。もちろん言葉の問題がありますが、それ以前に心を開いていくのが難しい。本当に外国で暮らすというのは大変なことです。

ニッポンも大変でしょうが、お元気で。ロシアより愛をこめて。ああ、言い忘れました。8月のあの出来事の後、モスクワ市内のボリショイ劇場の裏手にあるマルクスの像にこんな落書があったのは知ってますよね。「万国の労働者よ、ごめんなさい」。

*1 『ロサンゼルス・タイムズ』紙の「失敗したクーデターの日記」という長大なルポルタージュ記事によると、クーデターのさなか、エリツィンがロシア共和国最高会議に立てこもって市

民に抵抗を呼びかけていた際、マクドナルドとピザハットの両社は、エリツィンの本部にいる人々のために食料を送っていたということです。全くアメリカ資本というのはちゃんとやるときにはやっちゃっているんですよね。

＊2　ロシア外務省付属外交団世話総局。旧ソ連時代から、在留する外国人に対して管理及びサービスの提供を行う国家機関。KGBの統制下に置かれていたことは公然たる「秘密」。

＊3　『アサヒグラフ』1991年9月13日号。連載コラム・石川真澄（いしかわますみ）の目「浮かばれぬ死霊の群れをモスクワは想像できるか」。もちろんモスクワは想像なんかこれっぽっちもできないでしょう。

＊4　毎日新聞1991年9月19日朝刊。記者の目「『社会主義』は何だったのか――素直に喜べないソ連『8月革命』」石郷岡建。記事の一部「なぜこんなに多くの人が社会主義に希望を託したのか。いまとなっては、まるでピエロのように見える。『万国の労働者よ、団結せよ』のあの有名なスローガンも、『立て、飢えたる者よ……』で始まるインタナショナルの歌も、いまとなっては嘲笑の対象でしかない。しかし、私は『本当にそうなのだろうか』という疑問が消えない。平等と公平さを求め、ユートピアに人生をかけた人々の思想が誤っていたのだろうか。日本を含め、世界では何十億という人々が社会主義のために人生を費やした。そのすべての人々の生き方が壮大なムダだったとはどうしても思えない。社会主義体制は崩壊した。しかし、社会主義に夢を託した人々の思いはなお残る。社会主義とはいったい何だったのか。ソ連の社会主義革命の破産という歴史的大事件を前に、いまこそ深く考える時ではないだろうか」

冬のモスクワからモノもココロも消えて行く

1991年10月

お元気ですか。モスクワはもう冬がすぐそこまで来ています。10月24日には初雪が降りました。初雪なんていう言葉にはどこかしら日本的な風情みたいなものも感じられるんですが、モスクワでは、そんな呑気（のんき）なもんじゃなくて、何か一気に気候が厳しくなって冬になだれ込んでいっちゃうというリアルな兆候なので、「あーあ、とうとう冬になっちゃったね」というのが正直なところですね。

ところで、今、この手紙はマドリッドからモスクワへ向かう飛行機の機内で書いています。窓からは明るい陽射しが差し込んでいます。歴史的といわれる中東和平会議に出席したゴルバチョフ大統領の同行取材ということで5日間ほどマドリッドにいたのですが、前にも書きましたけど、僕は例のクーデター事件の直前まで夏休みでマドリッドにいました。クーデター劇を挟んでのマドリッド滞在。今度はクーデター劇の主要登場人物の1人ゴルバチョフと一緒です。偶然のめぐり合わせみたいなものでしょうか。

でも、はっきり言ってマドリッドでのゴルバチョフは悲惨でしたね。やっぱりアメリカという唯一の超大国を頂点とする一極構造へ向けて世界が収斂（しゅうれん）していく速度は速まる一方なんでしょうか？　湾岸戦争でのあの完膚なきまでのアメリカ的正義の勝利と、社会主義ソビエトの崩壊によって、もう中東では何の発言力もないはずでしょ？　ソビエトは。それが何で中東和平会議の「共同主催国」なんかに仕立て上げられてしまったんでしょうか。社会主義超大国という看板をおろしてしまったソビエトは、もはや世界最大の発展途上国に転落するしかないというのに。こういう現実の中で、しかし、のこのこと出て来ざるを得ないゴルバチョフは本当に悲惨です。将来『ゴルバチョフ――その栄光と悲惨』という本が仮に出版されるとしたら、僕らがこれから見なければならないのはその悲惨篇（へん）の方でしょうね。

　ブッシュとの共同記者会見でも、ゴルバチョフは国内の惨状をあからさまに突かれ、「お前の代わりに今誰がモスクワの留守番をしているんだ？　もう副大統領はいないんだろ？」みたいな意地悪な質問を、よりによって自国の新聞『イズベスチヤ』の記者から受けていました。そしてブッシュから「いや、あなたがマスター（主人）なんだから」と励まされたりしている姿をさらしていました。中東和平会議の開幕スピーチでも、「ソビエトは今とんでもない危機に直面しているんだ。ソビエトも頑張るから、君ら、つまり宿敵同士のアラブとイスラエルも困難を克服しなくちゃダメだ」みたいな捨て身の説得をするゴルバチョフの姿がありました。同乗のモスクワ特派員の1人がマドリッドのプレスセンターで会った際にこう呟きました。「悲惨だよなあ。でも、何で僕らまでこうみじめな気持ちになっちゃうんだろうね」。ゴルバチョフという人は、一定の歴史的役割を終えたかな、というのが実感ですね。だけども、その役割というのは途方もなく大きなものだったことは間違いない。1つの支配的なイデオロギーを終焉（しゅうえん）させちゃったんだから。

それにしても、やっぱり中東で言えば、あの湾岸戦争でアメリカの行った殺戮行為は冷静に評価されなければならないと思います。ブッシュが中東和平会議の開幕演説でこんなふうに言っていました。「湾岸戦争で知ったように、近代兵器は境目のない攻撃を可能にし、罪もない男女や子供たちの命を危険にさらす。それは市街や学校、子供たちの遊園地を戦場に変えてしまうのだ」。まるで他人事みたいに何言ってるんだという気持ちに若干なりましたけどね。それは近代兵器のせいじゃなくて、それを使う人間（もちろん正義の使者アメリカも含めて）のせいだろ、とでも言いたくなります。

ところで、スペインって食べ物がおいしい所ですよね。海の幸も豊富だし、野菜や果物もたっぷりある。何もモスクワから行ったからそう感じるんじゃなくて、本当においしい料理が食べられるはずなんですけど、今回はダメでしたね。というのは、モスクワで歯を抜いちゃったんですよね、マドリッド入りする3日前に。今、僕の体には一個余分に穴があいている。口の中に結構デカい穴が。歯を抜いた痕の穴ぼこです。その歯は奥から2番目のやつなんですけど、もともとモスクワ赴任前にTBSの診療所の歯医者さんから「アンタ、これ絶対もちませんからね、絶対に」と妙に強く念を押されていたダメな歯だったんですが、それがズキズキし出して、もう、世界の全存在とこの歯の痛みを等価交換してもいいと思うくらいになったんです。それで、「モスクワでは歯医者に行くな」という日本人社会に流布している掟（おきて）を破って、インツーリストの20階にある歯医者へと、秘書のガーリャおばさんとともに駆け込みました。

歯医者氏はロシア人の男性でした。ロシア語だけを話す妙にサバサバした感じの人でしたが、そのあたりは歯痛のためよく覚えていません。それで何か二言三言言葉を交わすと、敵は口の中に麻酔の注射を打ってきました。それでグラグラしている歯をつついて、「痛いか?」と聞く。もちろん痛いに決まっているから、「ダー」と答えると、敵はまたもう1本麻酔注射攻撃に出てきた。意識が朦朧(もうろう)としてきてボーッとしているうちに、目の前に血まみれの物体がピンセットに挟まれてかざされたのでした。歯です。「えー?　ぬかえてひまっは（抜かれてしまった）」。血がどくどくと口の中に溢れてくるのがわかりました。この歯科医院、治療室のスペースは結構近代的で器具もちゃんと揃(そろ)っているようです。でも、口の中をゆすぐコップには本当に少ししか水が満たされない。結局口の中をゆすいだのは3回だけ。で、歯を抜いてしまった後、どうするのかと思って黙っていたら、敵は「フショー（おしまいだ）」と事務的に言ってのけるわけです。「えー?」だって、消毒とか、抜いた痕の穴ぼこの処置とか、この後の歯をどうするのとか、いろいろあるはずなのに。不安に思ってガーリャおばさんを目で探したのですが、彼女は抜歯の瞬間が恐ろしいらしく、待合室に避難してしまっていたのです。ガーリャおばさんを呼んで何とか事情を聞くと、敵はこう言いました。「モスクワには今薬はない、義歯を作るのは時間が大変かかるし、原料も不足している。ここしばらくは酒もダメ。食べ物も辛(から)いものや酸っぱいもの、刺激のあるものはダメ。お風呂もダメ」。何と言ったらいいのか、僕は絶望的な気分になりながら歯医者をあとにしました。

その日の午後から片頬が腫れ始め、ちょうどアメ玉1個をしゃぶっているような顔になったのですが、マドリッドに出発する当日には何とか腫れも少しはおさまりました。インツーリストの比較的ちゃんとしているといわれている歯医者がこの程度ということは、モスクワの人たちは歯が痛くなったらどうしているんだろうか？　この惨状を見て、支局のミーシャとヴォロージャはニコニコしながら「ウォトカでうがいすると絶対治るよ」と言ってくれるんですが、彼らは半分くらい本気みたいなので困ってしまいます。

そのウォトカもこの頃街から姿を消しつつある。予想される値上げにそなえてマフィアが買い占めているのだというのがミーシャの解説ですが、本当にモノが消えていく。薬がないというのは歯医者で体験済みですが、日用品の中では、牛乳がない、砂糖がない。こうモノがなくなるとモスクワも本当に治安が悪くなるんですよね。ちょっと前もアメリカのＡＰ通信の記者が自宅で風呂に入っている間に泥棒に入られて現金（米ドル）を盗まれたんですよね。それから韓国のテレビの女性レポーターも、強盗に跡をつけられて、夜アパートに戻ってドアの鍵を開けた瞬間、そのままつけてきた男たちに押し入られ、椅子に縛りつけられ、アパートの中の一切合財、それは見事なほどゼーンブ持っていかれたということです。

　で、僕らもそういう被害に遭ったんです。支局の下の駐車場に停めてあった車（セドリック）の前部運転座席が丸ごと（！）盗まれちゃったんですよ。誤解されると困るんですけど、座席のシートとかじゃなくて、運転席と助手席丸ごと持っていかれちゃったわけです。座席を車体に固定している金属ネジを外して持ってっちゃった。もちろんカーステレオも持っていかれました。助手のアンドレイいわく「ミリツィアがやったんじゃないでしょうかね、修理に出そうとしているのを察知して」と根っからの警察嫌いの彼らしい推理をする。僕の方は、持っていかれてしまったショックの方が大きくて、犯人探しの余裕なんかない。まあ、呆れたというか、まいったですね。で、修理に来た青年が言うには「大丈夫、大丈夫。ジグリ（ソビエトの大衆車）の座席がある。それを付ければいい」。がーん。僕は頭の中に一瞬、前の座席がセドリックの立派なやつに変わったジグリが悠々とモスクワの街を走っている姿と、座椅子みたいにウスッペラなジグリの座席に変わっているセドリックを中腰になりながら運転している自分の姿が浮かんできて、おかしさがこみ上げてきました。

例えばここモスクワでも、あれだけの政変劇があると、つい昨日まで共産党万歳の旗を振っていた人間たちが今度は、共産党は世の中で最も忌むべき存在だったと声高に言いまくる側に転身する。それと同じような光景を僕らはごく身近でも見ているわけですが、そういう連中の、その〈身のこなし〉がいやですね。井上ひさしの戯曲『人間合格』を東京で見たのは、ちょうど東欧圏の体制崩壊直後だったんですが（＊1）、その中に〈8月15日まで軍事劇を得意然とやっていたのに、8月15日以後はＧＩをたたえる芝居を売り物にする〉中北という、まあどこか愛すべきキャラクターが登場してきます。

しかし、僕はあの芝居の中のセリフのように寛容にはなれそうにありません。

では、人間の欠点に乾杯

乾杯！（＊2）

さて、おしまいに最近同僚記者から聞いたアネクドートを1つ。

「サハラ砂漠のど真ん中にソビエト型の社会主義国家を創った。それが結構続いたが74年目にして突然消滅した。蜃気楼（しんきろう）だったのだ――」

＊　＊　＊

飛行機はもうモスクワの上空に来ています。機内アナウンスではモスクワの気温はマイナス6度だということです。空から眼下を見下ろせば、もう雪が部分的に地表を覆っています。もうすぐまたモスクワ支局での忙しい生活が始まります。では、ロシアより愛をこめて。

（11月1日記）

＊1　1989年12月22日。紀伊國屋（きのくにや）ホール初演。

＊2　井上ひさし『人間合格』（集英社）より。

瀕死のモスクワに日本のジャズトランペッターが来た

１９９１年11・12月

元気でお過ごしのことと思います。モスクワにもとうとう本格的な冬がやってきました。一気に厳冬です。窓の外の寒暖計を見ると、マイナス14度です。今日は日曜日で天候も穏やか。でもモスクワの人々の生活は穏やかではありません。物不足は相変わらず。牛乳を手に入れるのに、この寒空の下2時間以上並ばなくてはならない。そして「ルーブルの交換性の確立」という気の遠くなるような目標に向けて、ロシア政府が価格自由化に踏み切る方針を決めたため、通貨体系がメチャクチャになってしまいました。旅行者レートも廃止され（まあ、このこと自体は当たり前のことなんでしょうけど）、ルーブルは日に日に紙くず化しています。ものの値段が1週間かそこらで5倍や6倍になるのは当たり前。一体どうなってしまうんでしょうか。モノ不足・通貨体系の混乱に加え、この冬はエネルギー事情も最悪の状況になると見込まれており、「2月暴動説」がまことしやかにささやかれています。もはや解体している「ソビエト連邦」の大統領であるゴルバチョフも断末魔の状態に追い込まれています。今年中に辞任せざるを得ないのではないかとの観測が強まっています。

さて、今回の手紙は、そんなモスクワにやって来た日本のミュージシャンについて書くことにします。僕のとても好きなミュージシャンです。それは近藤等則（こんどうとしのり）とＩＭＡ－Ｂ

ANDというJAZZ-FUNKのグループです。近藤等則という人は、京大卒のインテリできわめてテンションの高いミュージシャンで、天安門事件の際にも曲を作ったりしてました。好きなトランペッターです。彼らがモスクワで公演するという情報は随分前から知っていたので、「よし、これは一発組んで何かやろう」と企(たくら)んでいたのですが、忙しくて結局モスクワ入り直前に簡単な企画書を1枚作っただけで、あとは現場のでたとこ主義でやることになってしまいました。しかし、やるからにはちゃんとしたものを作りたい。近藤等則という個性に、この混乱のるつぼにあるモスクワを見てもらい〝吹いてもらいたい〟というのが狙いでした。近藤さんとは個人的には初対面でしたが、モスクワの某レストランで、僕が調子に乗って「音楽にはやっぱり国境がありますよね」と不用意な言葉を発したら、「マスコミの奴らはステージに立ったこともないから、そういういい加減な言葉が簡単に吐けるんだよ」とまっすぐな反応がすぐに返ってきました。

ロシア共和国最高会議前、「8月革命」の名残りをわずかに残すバリケード跡に行くと、近藤さんはどんどんバリケードの上に登って行って何やら郷愁めいた感慨にふけっている。レーニン像のそびえる十月革命広場では、地下鉄の駅名の改名話で一席ぶつ。駅名は「十月革命駅」から「ヤキマンカ」になるとの情報が報じられていたんですよね。そのヤキマンカという語感を面白がって、「マンカ、マンカ」と繰り返していました。ルイノク（自由市場）では漬け物売りのおばちゃんたちにすっかり気に入られて、近藤さんは上機嫌になってましたね。例の路上の車の窓拭き少年たちの中にも気軽に入っていく。思った通りの魅力的な人でした。それで肝心のコンサートですが、招いた側の不手際などで初日の国際関係大学会場は客の入りが悪く、気の毒でしたね。もっとも近藤さんは「おカミに頼ったんじゃダメに決まってるよ」とか何とか言って元気に吹いてましたが。

2日目の方は客の入りもまあまあで演奏の方もノリがよかったですが、もっと事前に彼らのキャラクターを考えて会場設定やプロモーションをやれば、モスクワっ子たちに相当なインパクトを与えられたことだけは間違いありません。まあ、普段あれだけの音量に慣れていないロシア人の中には、演奏が始まった瞬間に耳をふさいで帰っちゃった人もいましたけどね。けれど、残った観客たちはみんな満足してたですね、ホントに。

＊　＊　＊

音楽をテーマにこの手紙を書こうと思っていたら、ソビエト連邦の消滅を宣言したスラブ三国の独立国家共同体の創設が発表されるという歴史的な動きが起こってしまったのです。今日はアメリカのベーカー国務長官がモスクワにやって来て、エリツィンやゴルバチョフと会談したのですが、ソビエト連邦の解体が確定したこの1週間、事態の推移を追いかけるのに疲れ果ててしまいました。今起こっている事態は、ゴルバチョフ外しのクーデターという側面もあるのですが、スラブという民族の概念が前面に登場してきたことに何か危ないものを感じます。

サーシャというモスクワ大学の学生に、このスラブ主導の独立国家共同体構想についての感想を聞いたら、彼はこう答えました。「とてもいいことです。これで本来の形に戻れる。アゼルバイジャンとか中央アジアの共和国は要らない。ロシア人は彼らのために今まで犠牲を払ってきたんですから。これからはロシア人はスラブのためだけに働くのです」「うーん。そうかな。いろんな民族が一緒にやってきたのがソビエトだったんじゃないのかい？」「ソビエトはなくなったのです。民族は消すことができないのです」「うーん。でも俺はアジア人だぜ。何かそういう言い方はさ、民族の間に優劣をつける発想があるような気がするんだけどね」「そうではありませんが……」。社会主義の看板をおろした途端に噴出してきたこの「民族」なるものが、血を流す根拠にもなるし、共同体を統合していく原理にもなるという歴史を僕らは見てきたはずですよね。

*　　*　　*

この手紙がそちらに届く頃にはゴルバチョフという偉大な人物も政治の表舞台から退場しているかもしれません。しかし、彼が途方もなく大きな変動をこの数年間にわたって世界に引き起こしたという事実は消えないでしょうね。偉大な人物が去っていくのを見る時は、さびしい気持ちに襲われます。今はその去っていくさまをしっかり見届けることにします。

それでは年末年始の挨拶も兼ねて、ロシアより愛をこめて。さようなら。そして1992年がよい年でありますように。

（12月16日深夜記）

風よ吹け吹け　モスクワの空から

1991年12月〜1992年1月

1991年とともに、74年続いたソビエト社会主義共和国連邦は終焉を迎え、60歳のゴルバチョフは政治の表舞台から去っていきました。ちょうど50年前に日本が真珠湾を攻撃したその日に宣言されたスラブ合意以降のめまぐるしい動きは、アルマアタで調印された合意文書で一応の方向が決まりました。まあ、今回はあわただしい年末と年始をどう過ごしたのかをご報告することにします。

12月18日　きのうのエリツィン＝ゴルバチョフ会談でソビエト連邦の年内消滅が確認される。「消滅」って言ったって、ねえ。ソビエトの国土と人民がパッと消えてなくなるわけじゃないですから、『日本沈没』みたいに。そう言えば筒井康隆の小説のタイトルに『日本以外全部沈没』なんていうパロディーがありましたよね。だから「ソビエト消滅」なんていうリアリティーのない見出しよりか、「ソビエト以外全部消滅」なんていうほうが想像力をくすぐられそうな気がしませんか？　ただ日本からファックスで送られてきた新聞を見ると、一面の大見出しで「ソ連邦、年内に消滅」とかデカデカと掲げられているので、何か戸惑っちゃうんですよね。マスコミの関心はゴルバチョフの運命、つまり正式辞任の発表がいつか、ということなんですけれど、彼はもう、政治生命ということで言えば完全に仮死状態にあるわけです。あとは「葬られ方」の問題ということになるんですよね。それがどれだけ残酷なものになるのか、あるいは何らかの「尊厳」を保たせつつ静かに去ることになるのか。

午後、クレムリンにシャフナザーロフ大統領補佐官を訪ねました。例のクーデター事件以降はゴルバチョフの右腕といってもよいほど側近中の側近に位置する人物ですが、10分ほどの待ち時間の間、執務室を見ていると、彼の秘書らが書類を片っ端からシュレッダーにかけて忙しく処分していました。あまりに量が多いからでしょうか、シュレッダーが何度も故障し、秘書氏がいまいましげにそのシュレッダーにケリを入れていました。さて、その「お茶の水博士（ちゃのみず）」然としたシャフナザーロフ氏の口から実に静かな口調で「ゴルバチョフは終わりました。彼はしばらく休暇を取るでしょう」という言葉を聞いたとき、「ああ、本当にこれでゴルバチョフは大統領を辞めるんだ。終わったんだ」と実感しました。クレムリンからの帰り、車を運転しながら頭の中が何かボーッとなってしまいました。ゴルバチョフはもう仮死状態にあると何度も放送原稿に書いてきたし（ついさっきもこの手紙で書きましたね）、レポートもしてきたけれども、心のどこかの部分に「万々が一かもしれないけれども、ゴルバチョフは辞めないかもしれない」みたいな秘（ひそ）かな思いが残っていたんですが、それがその言葉で確実に溶け去っていくのがわかりました。

12月21日　カザフスタン共和国のアルマアタで独立国家共同体の指導者たちが一堂に会して共同体創設の議定書に調印する。この「アルマアタ会議」なるものが将来の歴史の教科書では太字で書かれることになるんでしょうね。まあ、いわば「建国宣言」に近い性格のものが調印されたわけです。それと同時に参加共和国の首脳は、ソ連大統領機関を廃止するという旨の文書を採択してゴルバチョフ宛に送りつけたということで、「大統領のこれまでの貢献に感謝する」との文言まで添えられていたというんですが、まあ政治権力の委譲のドラマの露骨なことといったらこの上ない。支局から大統領府に電話を入れると、「ゴルバチョフ大統領はまだ執務室にいる」との返事。独立系のインターファクス通信は、「今日ただちに辞任することはない」との大統領報道官のコメントを伝えてくる。そう、ノミというのは寄生している動物が死にそうになると、あるとき一斉にパーッとその動物から離れていってしまうんですってね。

12月23日　ゴルバチョフ正式辞任演説の情報。すでにゴステレ（ソビエト国営放送）の中継車がクレムリンに入っているとの情報。けれども、結局、この会見は「未遂」に終わる。日本の〈天皇誕生日〉の辞任劇はなくなった。

12月24日　またまた正式辞任演説の情報。一体いつ演説が行われるんだ？　緊張状態が持続するのでひどく疲れる。午前11時からゴルバチョフはクレムリンで大統領府のスタッフたちとお別れ会を開いた。そして大統領副報道官が25日夜から国営テレビで国民に向けた辞任演説を行うと言明。だから今日のテレビ演説はなくなった。モスクワ市内の街頭で市民たちの声を聞くと、どれもこれもゴルバチョフに対してきわめて冷たい。こんなに冷たくていいのかなと思ってしまうくらい。けれども少なくともゴルバチョフは衣食住のために寒空の下で行列したことはないでしょうね。

12月25日　ゴルバチョフ正式辞任演説。モスクワ時間の午後7時から。ということは、日本時間の26日午前2時から。日本の大体の人は寝静まっている時刻かもしれない。けれども演説の時間が刻一刻と近づいてくるにつれ、やっぱりこの演説は歴史的なものになるかもしれないな、という感慨のようなもので胸がだんだんと満たされてくる自分に気がつく。東京サイドの演説に対する価値判断と僕のその感慨のようなものとの間のギャップをどう処理していいのかわからなくなる。つまり東京サイドのリアクションがあまりに冷たいと感じてしまったのです。午前2時から演説が始まるんですから、夜のニュースを延長しちゃうとかね、あるいは少なくとも30分前くらいから特別番組を立ち上げるとかね、勝手に期待しちゃったんですよね。でもダメでしたね。「常軌を逸してるよ」と一蹴されちゃいました。

演説自体は12分しかなくて実に淡々としたものでしたが、独立国家共同体に対してはゴルバチョフはあくまでも懸念を表明してましたですね。でも最後の演説としてはやっぱり寂しいものでした。で、今日起こったことはこの演説がメインではなくて、実はクレムリンの赤の広場で見られたのです。この日に備えて東京から応援取材に来た西崎組と大原組のチームがそれぞれ別個に動いていて、モスクワの表情を追っていました。午後7時32分。クレムリンから赤旗（ソビエト連邦旗）が降ろされ、代わってロシア連邦の三色旗が掲げられたのです。この象徴的な出来事は当初大晦日に行われるだろうと言われていたのですが、ゴルバチョフの演説が終わるや否や旗が降ろされたわけです。その歴史的な場面を取材チームがカバーしていました。今日が実質的にソビエト連邦が終わった日です。そのことを僕らはまず「常軌を逸しない」人たちに伝えなければならない。

12月26日　辞任演説から一夜明ける。ソビエトが終わっても世の中は全然変わらないよ。そういう考えがロシア人の中でも支配的になっているような気がします。夜、ゴステレを観ていてブッたまげました。アメリカのABCが、きのうのゴルバチョフの1日（大統領最後の日）をぜーんぶ（！）撮っているではあーりませんか！　ABCはこれを特別番組として放映しました。ゴステレとの共同制作の形をとっていますが、実質的にはABCの人気キャスター、テッド・コッペルがインタビューや進行を務めるというもので、まさにABCのABCによるABCのための番組です。何しろゴルバチョフが朝クレムリンに到着するところから、廊下を歩く姿、執務室での様子、側近たちのインタビュー、辞任演説の際の前後の様子、ブッシュ大統領との電話会談の様子（この時のゴルバチョフが一番嬉々としていた）、赤の広場に出ての「市民との交流」（こんなことはきわめて稀だ）まで何から何まで撮らせているのです。

ABCの力にただただ脱帽するばかりですが、しかし、こういうものを見せられると、自分がゴルバチョフに対して抱いていたイメージのかなりの部分に変更を強いられるような気がしてきました。自らの大統領としての最後の日をこうしてすべてテレビカメラの前にさらす神経、精神構造というものに何かイヤなものを感じます。そして致命的にイヤだと思ったのは、ゴルバチョフがこの映像を通じて、一体誰に向けて話しかけているのかという点です。彼は、クレムリンのすぐ外の市民に対してではなく、ソビエトの外の外国の市民、いや、もっとはっきり言えばアメリカの市民に向けてメッセージを送っているのです。ブッシュ大統領との電話会談の際の嬉々とした表情と親しみを込めた物言いがすべて映し出されているのを見て、政治家の職務の厳粛さというものを単純に信じ込んでいた自分がバカに思えてきました。この番組を僕はゴステレで見たわけですが、その際に起きた奇妙な現象について書きとめておきましょう。

この番組はアメリカで放送するために、ロシア語には英語の同時通訳の吹き替えがほどこされているのですが、それをソビエトで放送するときには、さらにそれにロシア語の吹き替えをほどこすという信じられない作業が行われているのです。つまり〈ロシア語→英語→別人によるロシア語〉ということになるわけです。ゴルバチョフはこの番組を見て満足しているのでしょうか？　そしてロシア人たちはこの番組を見て何を思うのでしょうか。

12月31日　赤の広場の年越しを見るために支局の取材チーム2班、家人、それに1月中旬で任期を終えて帰国する共同通信の吉田（よしだ）夫妻と一緒にクレムリンへと赴く。1月1日午前0時まであと30分という段階ではそれほどの人数でもなかったのですが、15分くらい前になるとわんさかわんさか人々がシャンペンを片手に集まってきました。レーニン廟の真ん前にはだいぶ前から赤旗やレーニンの肖像を掲げた奇妙な一団が陣取っています。赤旗は連邦旗です。いまだ社会主義ソビエトを信奉し、レーニンの偉大なる思想を信じているこれらの人々は、旧東ドイツのホーネッカー議長の国外追放に反対して、在モスクワ・チリ大使館前に「ホーネッカーを救え」と訴えていたあれらの一団と同じ集団でした。その奇妙な一団の周りには、パンクのトサカ頭の若者やモスクワ在住の西側外国人たちが大勢います。

さてそろそろ時間です。衛兵の交代の儀式が始まります。あちこちで歓声が沸き起こります。この激動の1年を送るのにふさわしい盛り上がりになってきました。僕らはレーニン廟の真ん前で吉田夫妻持参のシャンペンを飲み、記念写真を撮ったりしていました。いよいよ午前0時。と、その時、スパースカヤの塔の方角からドドーンと花火があがりました。ワー！　歓声が一斉に沸き起こりました。豪華な花火です。「ありゃ日本製だね」「そうに違いない。ロシア政府も粋なことをするもんだなあ」「よくそんなカネがあるよなあ」。僕らがそんなことを言い合っている間に、周りは歌えや踊れのお祭り騒ぎになってきました。ドドーン。花火が実に場を盛り上げる。来てよかったと思いましたですね。

1992年1月2日　今日からロシア共和国で価格の自由化が実施される。といっても、まだ店はほとんど開いていないんですよね。まだ休みのところが多い。で、今日聞いたところでは、あの1日午前0時の赤の広場の花火。あれは何とドイツのテレビが寄贈したものだそうな。そのテレビ局はその時間帯に赤の広場から生中継をやっていて、それで盛り上げるために寄贈したわけですよね。まあ、何というかこれは広義の「ヤラセ」みたいなもんでしょ。お祝いだからいいってもんじゃないと思うんですよね。感激して損したという感じ。

1月10日　年末年始のバタバタから何となく解放されたような気分になりました。送られてきたグリーティングカードを見ながら、今年は年賀状を書く余裕もなかったことを反省しました。おしまいに拙い詩をいいわけのために書きました。ではさようなら。ロシアより愛をこめて。

風よ吹け　モスクワの空から

風よ吹け吹け　モスクワの空から
きのうの君の　そのとるに足りない悲しみを
吹き散らせ
風よ吹け吹け　モスクワの空から
きょうの君の　そのちっぽけな分け前と満足を
吹き散らせ
風よ吹け吹け　モスクワの空から

あしたの君の　その予約済みの成功と功名心を
　吹き散らせ
颪よ吹け吹け　モスクワの空から
決してCNNではみられなかった
おびただしい血の流れたイラクの空へ
銃声がすべてを圧し殺した
天安門広場の空へ
日本ではない日本への
〈返還〉から二十年たった沖縄の海と空へ
五百年前コロンブスが発見する前から
ほんとうはあったはずの〈勝者〉の国
アメリカの空へ
いつのまにか反逆の心を喪失し
自己弁明にすらなりえない内向けの
番組しかつくらなくなった
すべてのテレビ局の人間たちの上に
そして　颪よ吹け吹け　モスクワの空から
勇気ときびしさを呼び起こす　あなたの上に

反逆のこころをうち震わせる　あなたの上に
やさしさの衣を大きく広げる　あなたの上に

1992

1月2日 ● 価格自由化実施
1月27日 ● 中東和平会議(モスクワ)
1月31日 ● エリツィン、国連演説
2月10日 ● 岡田嘉子さん死去。享年89歳
3月 ● **自宅引っ越し**
6月6日 ● **アゼルバイジャン大統領選挙取材**
6月16日 ● 米ロ首脳会談(ワシントン)
6月29日 ● **岡田嘉子さんの嘆願書発見のニュース**
6月30日 ● **ニュース23第2部「世紀末モスクワを行く」第1回放映**
7月6日 ● G7プラス1ミュンヘン・サミット
8月29日 ● 渡辺美智雄外相、訪ロ
9月9日 ● エリツィン、訪日を一方的に中止
10月7日 ● エリツィン、ゴルバチョフ財団の建物接収
11月7日 ● 革命75周年記念日に革マル派現れる
11月18日 ● エリツィン、韓国訪問
12月3日 ● 第7回人民代議員大会で乱闘
12月13日 ● **支局屋上のマイクロ送信機盗難事件**
12月14日 ● 新首相にチェルノムイルジン選出

すべて夢候よ　岡田嘉子さん逝く

1992年2月

お元気ですか？　今は真夜中。誰もいない支局の机に向かっています。外の気温はマイナス11度。書きたいことは山ほどあります。でも頭の中でそれらは無秩序にぶつかり合っていて、全然まとまった形になってはいません。さて何からご報告しましょうか。

2月10日午後、元女優の岡田嘉子(おかだよしこ)さんがモスクワ市内のアパートでその波瀾(はらん)に富んだ89年の生涯の幕を閉じました。一報は東京からの時事通信の打ち返しで知ったんですが、その日のことをちょっと書くことにします。

とりあえず事実関係だけを確認して『ニュース23』用の原稿を書いてから、さて岡田嘉子さんの住んでいたアパートに向かおうかどうか迷いました。亡くなったばかりでまだ何時間もたっていないところに押しかけるのはやっぱり気が進まない。でも記録する意味があるかどうか現場にだけはとにかく行ってみよう。こんなふうに思い直してモスクワ河畔の古いアパートへと、カメラマンのミーシャと2人だけで向かいました。アパートに着くと同業他社の車がすでにとまっていました。部屋のベルを押すとドアが開けられ、中から見知った顔の女性2人が現れました。時事通信名越(なごし)記者夫人とNHKの田中記者夫人でした。彼女たちが岡田嘉子さんの身の回りの世話を何かとしていることは知っていました。ほかにも2人のモスクワ放送関係者（岡田さんはモスクワ放送のアナウンサーもしていた）、そして42年間お手伝いをしてきたロシア人の女性アナスタシアさんらが部屋にいました。

その場にいた人たちと少し話をして、今の状況がどんなものなのかがボンヤリとわかってきました。すでにほとんどの社が撮影を終えて引き上げてしまったということ、NHKを除いて、どうやらTBSがどんじりにここに来た社であること、岡田さんのなきがらの脇で記者レポートをしていった社があるということ、髪の毛だけでも撮影させてくれないかと言った社があったということ等々を知りました。そこにいたある人が言いました。「金平さん、もう各社みーんな撮っていったんですよ。全部何から何まで撮っていったんですよ」。その言葉からは、もう非難めいたニュアンスというより、悲しみのようなものが感じられました。ミーシャを外で待たせたまま部屋の中へ入ると、目についたのはたくさんのぬいぐるみと人形たちでした。岡田さんが生前一緒に暮らしていたその人形たちやぬいぐるみを見て、僕はこの部屋の中を撮影したいと思いました。ミーシャを呼び入れて、部屋の撮影をするように言いました。もちろん中にいたモスクワ放送の関係者の了解を求めてから撮影したのですが、もとより岡田さんを除いて、だれもその部屋の撮影を許可する人間などいないのです。そして逆に、撮影を拒否できる人間も岡田さんを除いてはいないのです。

＊　＊　＊

人間の死に接するときに抱くあの厳粛な気持ちを、やっぱり僕らは決して失いたくない。僕とミーシャが岡田さんの部屋で見たものを、僕は記録としてきちんと伝えたいのです。部屋には故滝口新太郎氏の写真が何枚か貼られていました。岡田さん死去の新聞記事では、ほとんど登場さえしていなかったモスクワ放送アナウンサー時代の結婚相手です。件の杉本良吉氏の写真などは部屋にはもちろんない。滝口氏の写真の中の1枚はシベリア・エニセイ河下りをした際の岸辺での2人のスナップ写真でした。微笑みに満ちていて幸せそうな2人の写真です。日本の浮世絵とか竹久夢二の絵もクリップで壁に留められています。そしてたくさんの人形、ぬいぐるみ。どれも今の日本から見れば粗末なものばかりです。購読していた新聞は朝日と赤旗。息を引き取ったときかけられていた布団には、1964年の東京五輪のマークの柄の布が縫いつけられていました。文学全集など幾らかの蔵書も残っていましたが、主なものはすでに早稲田大学の演劇サークルに寄贈されたということでした。本棚に故宇野重吉の写真。そして戦後日本に帰国していた時代（1972～1986）のいつごろかに行われた日本共産党の宮本顕治氏との対談の際の写真。別の部屋にはレーニンの写真が置かれていました。

部屋にいたモスクワ放送時代以来の岡田さんの友人清田彰さんはモスクワ在住の70歳。岡田さんと同様長くモスクワ放送に勤めてきたそうです。岡田さんの死について話を聞くとこんなふうに噛みしめるように話してくれました。

「国そのものが崩壊に近づいていくことに岡田さんは非常に失望されておられたと思う

んです。それは私たちみんながそう思っているんですが、私なんかでも結局あれでしょう、助けてくれというんでこの国へやってきたわけですけれど、40年間もです。国がなくなっちゃって、なくなったときも、今になってみるとさっぱりわからないんですよ。自分の国がなくなっても。一体国というのは人間にとって何なのかということを、私はここでもって非常に強く考えさせられました。どうしてなんだろう。日本で、例えば国がなくなると、日本国民はどういう反応を示すんだろうか。ここの人は国がなくなっても何の感慨もない。岡田さん自身がこの間病院に見舞いに行った時に『清田さん。私は何のために苦労をしてここへ来たのかしら』こうおっしゃったんですよね。それはやっぱり後悔されたんだと思います、最期の瞬間に。夢を持っていらっしゃった国がつぶれてしまった。何のために一体私は来たのかと考えられたんだと思うんですが……」

最近岡田さんは周囲のごく一部の人に、「日本に帰りたい」と漏らしていたそうです。日本のわけ知りの評論家が、モスクワで死ねて本望だったのではないかとか言っているのを見るにつけ、ヒドいもんだなあと思いますよね。

2月12日。葬儀の日。朝から雪が降りしきっていました。ドンスコイ修道院には、僕らマスコミや交流のあった人なかった人を含めて80人が集まりました。着飾った大使館・日本人会関係の婦人連の姿も見られます。オルガンの響きが悲しみを誘うのですが、僕は目の前で進められている葬儀に何か虚構が含まれているような気持ちに襲われて、困惑してしまいました。清田さんは弔辞の中でこう述べました。

「すばらしい芝居の幕がおりた時のように名残惜しい。樺太を越え、ソビエトに亡命するとは何というあなたらしい激しい生き方だったことか。あなたは夢を求めたが、悲しいかな、あなたの夢をかなえる条件はこの国にはありませんでした」

あの日、岡田さんの部屋で話を聞いたときに比べて、実に淡々とした口調で波瀾に富んだ岡田さんの生き方を讃えていました。支局に帰って、取材テープを再生しながら見ていたら、アルバイトの学生サーシャが興味を示してきて、岡田嘉子という人物について僕にあれこれ質問してきました。ひととおり答えるとなおさらこのソビエトに「亡命」した女優に興味を持ったらしく、一緒に亡命してきた杉本良吉が、スターリンによってスパイとして銃殺刑に処せられたことを告げると、サーシャは考え込んだ末、こんなふうに切り出しました。「結局岡田さんは可哀相な人ですね。でもどうして日本大使館は彼女たちを守らなかったのですか?」「だって彼女らは国に逆らったコムニストだったからさ。日本政府はコムニストの命なんか守らないよ」「じゃあ、今日の葬儀には大使館からは誰も来なかったんですね?」「いや、いっぱいいたさ。バスまでチャーターしてね。着飾ってきたよ」。

澤地久枝の『昭和史のおんな』を読むと、「越境」という行為を通して、ある意味では時代の表舞台に駆けのぼった岡田嘉子・杉本良吉のかげに、杉山智恵子という女性がいたことを知ることができます。杉本良吉の妻です。結核に罹っていた病床の妻を置いて、杉本という男は「越境」したんですね。そして幾つか、僕としては意外な事実も発見しました。岡田嘉子という人物が越境したときの年齢が35歳だったんですね。大体今の僕と同じくらいの歳（とし）なわけですよね。もう1つは岡田嘉子という人が、過去にも映画撮影中に失踪事件を起こしたことがあるというのも意外でした。

岡田さんのなきがらは、本人の意思を受けて、日本の墓へと葬られるそうです。この間、岡田さん本人の身の回りの世話やら葬儀の手はずやら、遺品の整理やら、遺骨の埋葬先についての日本との連絡やら、人に見えないところで大変な尽力をされた方々がいることに頭が下がる思いです。

* * *

話は相前後します。もうだいぶ前になってしまいましたが、エリツィンの同行取材と言うことで、ニューヨークとワシントンに行ってきました。国連安保理事会の常任理事国として、ロシアが旧ソビエトの議席を引き継ぐことの認知を得ること、ブッシュ大統領との米ロ協調路線の確認といったところが眼目だったわけですが、まあ、何というか、やっぱりゴルバチョフなんかと比べるとエリツィンは、西側での受けは悪いですね。何というか品格というか、そういうのに欠けてるみたいで、「野卑」に見られてしまう。でもそういう個性は、ロシアでは「男らしさ」とか「強さ」といったロシア人の美徳とみなされる。もうちょっとうまくやればいいのになあ、などと他人事ながら思ってしまいます。
　さてニューヨークは久しぶりだったんですけど疲れますね、あそこは。Russification（ロシア人化）という言葉があるそうですが、僕もかなりそうなっちゃってるんですよね、知らないうちに。『巴里（パリ）のアメリカ人』ならぬ『ニューヨークのロシア化した日本人』じゃパロディにもならない。何しろ街を歩いている人が、やたらと攻撃的に見える。速度も速い。ワシントンは田舎町という気がするけれど、ニューヨークは疲れる気がします。ホームレスというのも増えましたですね。向こうで買った新聞に一コマ漫画が出ていて、ホームレスがゴミ箱を漁っているのを２人の子供が見ながら、年長の方の子供がこう呟く。「僕も成長したもんさ、彼らを見ても何も感じなくなったよ」。

　何しろ買い物に走りましたですね。ショーウインドーを見ても目がチカチカするくらいモノが目につく。恥ずかしい話ですが、いろいろ買いましたね、食物を。その辺のところはあまり書きたくないです。

　それでね、一緒に行った助手のアンドレイと、両手いっぱいに買い物袋をぶら下げて、もう夕方だったんですけどね、ちょうど川岸にあるその大型スーパーマーケットからですね、対岸の高層ビル群を見ると、きれいなんですよね、実に。２人で茫然（ぼうぜん）と立ち止まって、その対岸の夜景を口をあけて見ていると、アンドレイがぼそりと呟きました。
「きれいだなあ。一体ロシアの病気はいつ治るのかなあ……」

ごく平均的なロシア人がニューヨークの真ん中に放り出されて感じるであろうそのコンプレックスの塊みたいな感情がロシアに蔓延したら、何か本当に惨めな気がするんですよね。ニューヨークの帰り、夕方ジョン・F・ケネディ空港を離陸する際、飛行機の窓から眼下に広がる美しいイルミネーションを見ながら、「そうだ、この魅力というのは圧倒的な力の美しさだな」と思いました。こういうのはヨーロッパとも違う。ましてロシアには絶対にない種類の美だと思います。しかしこいつを押しつけられたらたまらないな、とも思いました。

おしまいに、レーニンの居宅をそのまま保存した一種の博物館のことだけちょっと書いておくことにします。

生前レーニンが生活していたときの状況をなるべく忠実に再現して保存してあるというそのクレムリン宮殿の中の一角は、ロシア政府のある役人のはからいで見られることになったものです。机から椅子からベッドまで当時の様子をそのままにして保存してあるというのです。これはレーニン廟にレーニンの遺体をそのままにして保存しておく発想と同じものです。その一角にひとりの女性が、１９５５年以来、ずーっと働いておりガイドを務めています。リュドミラ・クニェーツカヤという女性で、彼女はこのガイドの仕事に命をかけているように見えました。彼女の語るレーニン像は完全無欠、欠点のない人格のように見えます。10カ国語以上の言葉を操り、芸術にも理解力があり、革命を成功させた天才。おそらくこれまでにおびただしい数の人の前で話してきたことの内容に、あまり変化はないように思われます。基本的には、レーニン礼賛の作業であり、神格化を進める役割をズーッと果たしてきたんだろうと思います。そのリュドミラさんはきっぱりと言い切っていました。

「私はだれが何と言おうと党員証を捨てることはない。ソビエト連邦の消滅はあってはならない悲劇だと思います」

　エリツィンが君臨しているクレムリンで、今現在もはっきりとこのように公言するリュドミラさんの37年間は一体何だったんでしょうか？　観念とともに生きざるを得ない動物——人間。岡田嘉子さんの夢見た国境の向こうの社会主義ソビエト。リュドミラさんが今も語り続ける天才革命家レーニン。そして１９９１年に消滅したソビエト。その間には無数の死霊の群れが今も漂っているように思います。では、さようなら。ロシアより愛をこめて。


（2月17日記）

DO THE RIGHT THING

1992年3・4月

前略。お元気ですか？

モスクワはもうすっかり春です。これから5月、6月にかけてが1年で最も気持ちのよい季節になります。人間というのはやっぱり生き物ですね。日照時間が長くなると心の持ちようまで変わってくるんですよね。外はさわやかな風が吹いています。最近身辺にいろんなことが起きて若干疲れましたが、大げさに言うと、「ヒトの生き方」というか、手垢のつき過ぎた言葉でいうと「生きざま」とでもいうか、そんなことについて思いをめぐらしました。人種差別というシンドいテーマを、軽快かつ真摯に扱ったアメリカのスパイク・リーの『DO THE RIGHT THING』という映画の中に出てくる「市長」というあだ名のオヤジがですね、渋いセリフをそこできめているんですよね。

EVERYTIME, DO THE RIGHT THING. こういうどうでもいいセリフが心に沁みてしまってどうしようもない。そしてその沁みた心からいろんな思念が沸いてくる。権力とか権威というものに媚びへつらわないこと。自分が疑問に思ったことを言い続けなければならないこと。ものを言う自由とはどういうことなのかを知ることｅｔｃ。

＊　＊　＊

さて、ロシアのことを書かないとね。先月、3月ですが、ウクライナへ行ってきました。キエフで行われたＣＩＳ（独立国家共同体）サミットの出張取材ということで行ったのですが、会議終了後ちょっと足を伸ばして、キエフの北東２２０キロほどのところにある人口２００人という小さなコルホーズ（集団農場）村を訪れました。わずか2日しかいませんでしたが、肥沃な土地柄の一端を垣間見ることができました。サマゴンという密造酒とともに受けたそこでの温かいもてなしは、激しい頭痛と懐かしい思い出を僕に残してくれました。もう一度行ってみたい村です。

「レーニンの思い出」というのがそのコルホーズ村の名前です。そこに暮らしている人たちはコルホーズなしの生活なんぞ考えられないと語っていました。自分の土地を私有して自分の収入のためだけに耕すなんていうことは考えられないと言うのです。村の道のあちこちをアヒルやら鶏やらが賑やかに走り回っていました。穏やかな田園風景です。もちろんその村には宿泊施設なんぞありません。僕らが泊まったのはガリーナさんという65歳のひとり暮らしの年金生活のお婆さんの家です。元気な様子で今も1人で畑仕事をしています。僕らが村に着いたときは、ガリーナさんが大きなバケツをしょって飲料水を井戸から汲んできて自宅へ運んでいるところでした。ほとんど身の回りのものは自給で間に合わせている。日本では考えられないような質素な生活ぶりです。2つある部屋の隅には古びたイコンがひっそりと飾られていました。何というか、このお婆さんの存在感というのは実に確固としていて、ソビエトがどうなろうが、ペレストロイカがどうなろうが、エリツィンが何を言おうが関係ないっていう感じでしたね。ただ対独戦争のころの記憶はしっかりと持っていて、昨日のことのようにとくとくと思い出話をしていました。

キエフへは汽車で行ったんですが、帰りの汽車が全然とれない。キエフの駅で闇屋を探すしかない。モスクワ行きの切符はあっという間に闇屋に買い占められて、駅の構内のあちらこちらで売られている。一緒に動いていたカメラマンのミーシャが「あいつらはコーカサス人だ」と吐き捨てるように言っていました。確かに駅の構内にたむろしている闇屋たちは顔つきから見てもロシア人ではない。

正規の10倍以上の代金で帰りの切符を手に入れたはいいものの、そこからが間が抜けていた。出発時間の10分前に駅に駆け込んで汽車に乗り込もうとしたらですね、ホームにいた逞しい女性の車掌が何やら同行のアンドレイに言っている。一体何の文句があるんだ！　もう時間がないのに。ところがですね、アンドレイが一瞬途方に暮れたような顔をしているではありませんか。「金平さん、すみません。汽車を1本間違えちゃったんですね」「えーっ！」「この切符の汽車はもう1時間前に出ちゃったんですね」「でも、すると今日は帰れないわけ？」なぜか僕は永久にモスクワに帰れないような不安な気持ちに襲われてしまって、「どおーして、そうゆうことになっちゃったの？」などとうろたえていたんですが、見送りに来ていたウクライナテレビのスタッフがその女車掌さんに何か握らせたかと思うと、顎で「乗れ」という合図をする。どうも車掌を買収しちゃったらしい。
我々は一等寝台を諦め、二等寝台の乗り口の方に重い荷物を抱えながら駆け出しました。もう時間が3分しかない。ええい、乗ってしまえば何とかなる。そう思って無理やり乗っちゃったんですよね。ところが事態はそう甘くはなかった。全然座席が空いていないわけです。二等寝台はタコ部屋みたいに雑然としていて、とても入り込む隙間はない。我々3人はトイレのそばの連結車の部分に荷物を置いてどうしようかとかれこれ1時間ばかり考えました。

そのうちに気まずい沈黙が多くなってしまって、何か無性に腹が立ってきちゃったんですよね。これから15時間こうやって徹夜で立ちっぱなしかなあ、トイレのそばで。クソッ。すまないと思ったのか、先ほどの女車掌さんにアンドレイがビール3本を下げてトライしてみたんですが、今すぐには座席は確保できないと言われてしまいました。その答えを聞いて、我々はまたもやあの気まずい沈黙に支配されてしまいました。何か喋(しゃべ)らないとまずいぞ。そうしないと気まずさが増すばっかりだぞ。汽車自体は僕なんかが子供の頃乗っていたようなやつで、ガタンゴトンゴトン、ガタンゴトンゴトンというあの規則的なリズムの音にはどこかしら懐かしさのようなものも覚えたことは確かです。でも、その懐かしさを凌(しの)いだのが気まずさです。

3時間ばかりして、アンドレイが例の女車掌さんと交渉してきたと言って戻ってきました。「車掌のですね、仮眠室があるって言うんですよね。2人しか寝られませんけど、

3人で何とかしましょう」。絶対にこうしてトイレのそばに立っているよりはマシだ。そう思って、我々はその仮眠室とかいうところに、そう4車両くらいですかね、えんやこらどっこいさと重い器材とともに移動したんですよね。その仮眠室というのは、そう、あのタコ部屋状の二等寝台のスペースをさらに縦に半分にしたような狭い空間で身長190センチのアンドレイとともに我々3人が寝るのは到底不可能と思われる空間なのでした。それでもあのトイレのそばで立ちっぱなしよりはマシだ。そう思って2段ベッド（という代物ではないが）の下にカメラマンのミーシャが、上の段に僕とアンドレイが交代で寝る、いや横になることにしたわけです。この空間がまあ、暑くて、狭くて、不潔で、臭くて、五等寝台というのがあればその分類に該当するのでしょうね。でも、あのトイレのそばで立ちっぱなしよりはマシだ。

最初僕が横になったんですが、上を見ると顔の30センチくらい上方に天井板があるわけです。ほかに目に入るものがないくらい窮屈なスペースなので、その天井板をしばらく見つづけているとですね、何か動いているではありませんか、黒いものが。あれかな。僕は目が悪いのですが、わずか30センチ顔の上にあるものですから、それがあれであることはすぐにわかりました。ゴキブリです。やっぱりアンドレイと代わろう。そう決心し、体を静かに横にスライドさせて、「アンドレイ、代わろう」と言いました。ろくに眠りもせずにモスクワのキエフ駅に到着したのは、もう翌日の午前11時近くでした。この車掌仮眠室は記念にカメラにおさめてきましたが、お見せできないのが残念です。

それでは、お元気で。こちらはそんな簡単にはへこたれませんので。では、ロシアより愛をこめて。さようなら。

（4月25日記）

DO THE RIGHT THING Ⅱ
あるいは、タシケントのネギとろ

1992年5月

前略。お元気ですか。

僕は元気ですよ。今、結構興奮気味です。先月の手紙でも書きましたが、今、アメリカのスパイク・リーという黒人映画監督が大変気になっていて、映画の中のセリフが心に沁みるなんていうことを書きましたですよね。昨日（4月29日）東京から届いたばかりの雑誌『ノイズ』（最終号）のスパイク・リー特集を読みながら、彼とセネガルのミュージシャンのユッスール・ンドゥールの結びつきなどに感心していたんですが、そしたら何とアメリカのロサンゼルスで、あの映画の『DO THE RIGHT THING』の1シーンがあちこちで現実になっちゃったのを見て、何か落ち着いていられない気持ちになりました。血が騒ぐというのか。CNNで流れるロスの映像を見ながら、あの映画の中でも効果的に使われていたパブリック・エネミーの『FIGHT THE POWER』という曲がバックに流れているような奇妙な錯覚に陥りました。

今度の黒人暴動のスローガンは「NO JUSTICE, NO PEACE」だそうですが、ことのきっかけが警官の黒人に対する凄まじい暴力で、これを裁判所が無罪としたことにある所まで、何やらあの映画の中の警官の暴力を彷彿（ほうふつ）させます。警官の暴力を撮っていたビデオテープが存在していたことが決定的に重要な点ですが、それにしても、暴動が広がる過程で、スーパーマーケットに押し入って略奪が始まったり、コーリアンの居住区に黒人が押し寄せて衝突が起きたり、何しろそれまで伏在していた矛盾が一気に「暴力」という形で噴出したという感じですね。

＊　＊　＊

5月1日、金曜日。今日はメーデーというやつです。ソビエト連邦が消滅して最初の「労働者の祭典」というわけですが、赤の広場の今日の惨状はどう伝えたらいいのでしょうか？　僕が広場に行ったのは午後2時過ぎですが、「労働ロシア」などの親コムニスト集団たちのいつもと変わらぬ集会が終わりかけ、しめくくりに旧ソビエト国歌とインターナショナルがスピーカーから流れていました。しかし、数はせいぜい千人程度。その周りは休日気分の家族連れやお上りさんや、催し物の見物客でいっぱいです。国営デパートのグムの壁面には一面を覆うようにばかデカいスペインの旅行社の広告。今日1日のためだけに掲げられたもので、メチャ高い料金を支払ったとか。人がたくさん出ている中に、ツィガンの子供たちが裸足で歩いています。異臭と垢だらけの服装ですぐにわかるんです。年齢は10歳にも満たない子供です。コムニストも見物市民も彼らとは目を合わせないように注意している。そのうち「労働ロシア」の連中が帰り始めると、広場に設営されたステージのスピーカーから安っぽい西側のポップスが流れてくる。帰りそこねたコムニストたちがそれに負けじと手持ちのアコーディオンでロシア民謡をがなりたてる。一体この喧騒(けんそう)は何なのか？　レーニン廟のレーニンもまさか自分の死後68年で、このような光景が赤の広場で展開されるとは思ってもみなかったでしょうね。

この光景を見ながらも、何となくロスでの暴動の行方が気にかかって仕方がないのです。支局に帰ってしばらくCNNを眺めていました。人種の違いという歴然たる事実。今のCIS諸国で、この人種とか民族という観念が引っかかり出したらドえらいことになると思います。常々感じていることなんですが、ロシア人のあの優越意識というのは一体何なのか？　彼らのカザフ人、タタール人、チェチェン人、アゼルバイジャン人、ウズベク人、いやいやもっと言えば、ベトナム人、朝鮮人、中国人、そして黒人に対する意識というのは、あまり事情が飲み込めていない僕でも、ちょっと恐い気がします。特に黒人に対する蔑視というのは、日常的に黒人に接していないこともあってか、「黒人＝ジャングル＝未開＝野蛮」という戦前の日本に典型的だった少年ケニヤ的な固定観念ができちゃってるみたいですね。そして、それと表裏一体の関係にあるのが、アメリカ・ヨーロッパに対するコンプレックスです。ロシア人が僕ら日本人に対して持っているごく一般的なイメージはどんなものなのか、じっくり見ていかないと本当のところはわからないと思います。まあ、でもこういう問題で生半可なことを言ってはいけないですね。偏見とか先入観を逆に助長することもあるわけですから。

＊　＊　＊

休暇を利用してワルシャワ、プラハ、ザルツブルクと2日刻みというスケジュールではありましたが、回ってきました。一言で印象を言えば、モスクワがワルシャワ並みになるのには、あと10年以上、プラハ並みになるのには30年以上、ザルツブルク並みになるのには50年以上かかるかな、という感じでした。どう言ったらいいのか、何か「進化論」の過程をたどるような気分に陥ったことは確かです。こういう言い方は、文化とか民族とか習俗の違いを無視して国家の変遷の過程を単線的にとらえるやり方で、非常によくないことはわかっているんですが、それでも実感として残ってしまったんですよね。

訪問地の中でも感動したのは、プラハの街並みでした。何という美しい街なんでしょうか。石畳の歴史を感じさせる旧市街広場の旧市庁舎塔の上からの眺望は、うーん、何と言ったらいいのか、安野光雅(あんのみつまさ)の水彩画を見てるみたいでした。文化のセンスがとても大事にされているというか、あれじゃあ、いくらロシア人が力で支配しようとしてもダメですよね。カレル橋を渡って行く途中には、たくさんの若者たちがたむろして、絵や細工物を売っていたり、歌を歌っていたり。何かモスクワにはない、ゆったりした解放感がみなぎっているんですよね。若者たちがビートルズの『ALL YOU NEED IS LOVE』を気持ちよさそうに生ギターの弾き語りで歌っていました。何だか60年代チックな気分に浸りました。

ホテルに戻って新聞を見ると、今チェコは、共産党政権時代、秘密警察に協力していたジャーナリストのリストの公開をめぐって大揺れに揺れているようです。一部がリークされてすでにクビになったジャーナリストもいるとか報じられていました。戦時中は従軍記者として戦意高揚のために記事を書き、戦後は一転して反戦平和を訴える記事を書き、平和ボケしてくると今度は正義の実現のためには国際貢献が必要だとかいう記事を書く「ジャーナリスト」というのがどこかの国にもいたような気がしています。

＊　＊　＊

あれから時間が経過してしまいました。この間、5月14日から16日まで僕はCIS首脳会議の取材ということでウズベキスタンの首都タシケントに行ってきました。人口160万人もいるというタシケントの市街を行く人たちを見て、とても変な気分になりました。とにかくいろんな人種がいるんですよね。ウズベキスタンの人口の半分以上はウズベク人、20%くらいがロシア人、残りはアラブ系はいるわ、カザフ人はいるわ、タジク人はいるわ、雑多ですが、それらが混ざりながら街を歩いていたりすると、特に日本人に近いアジア系の人が多いせいか、モスクワとは明らかに感じが違う。ウズベク人は小柄で、お年寄りたち（男性）はほとんど頭の頂点のところにあの特有のキャップ（チュベチェイカ）をかぶっている。たまたまチャーターしたタクシーの運転手がいい人で、顔はビートたけしをもっと小柄にして日焼けさせた感じのおっさんだったんですけど、彼はいろんなことを話しながら運転していました。いわく、〈自分の父親はカザフ人で母親はウズベク人。だからカザフ語も話せるよ。都会に住んでる人は大体ロシア語も話せる。モスクワでクーデターが起ころうが、ソビエト連邦が消滅しようが、ここでは関係ないね。そんなに大きな変化はないよ。一番大きくタシケントが変化したのは60年代の地震のときだった。エリツィンもゴルバチョフも好きじゃないね。ウズベク共産党は、モスクワの政変後すぐに名前を共産党から「人民民主党」に変えた。でも中身は何にも変わってないよ。カリーモフ大統領の支持率は60％くらいだと思う。ちょうどいいくらいじゃないか。ほかに代われるものが誰もいないから、当分続くと思うよ。俺はイスラム教を信じているが、長い間寺院から遠ざかっているので、今は礼拝に行きづらいね。今日は金曜日だけど働くよ。モスクワはガソリンが手に入りにくいって？　ここじゃそんなことはないよ。いつでもスタンドに行けばガソリンはあるよ、ちょっと値が上がったけどね。今年の2月、タシケント大学で物価値上げに怒った学生が騒いだって言われてるけど、騒いだのは地方からやって来た奴らさ。彼らは何をどうしていいかわからないからあんなことになっちゃったんだ。俺はいつも娘に言い聞かせてるんだ。政治にはなるべく関わるなってね〉。

　ＣＩＳ首脳会議自体は、やっぱり不協和音が目立ったというか、みんな、かつてのソビエト連邦のような〈一体性〉の幻想なんかもはや持っちゃいない。ヨーロッパに目を向けている国、イスラム圏に目を向けている国、中国に目を向けている国。ＣＩＳの遠心力はますます大きくなるんだと思います。遅くとも今世紀中にはＣＩＳは解体しちゃうんでしょうね。エリツィンの顔が非常に不健康そうなのが気にかかりました。閉会後の記者会見で、エリツィンは、ゴルバチョフのことを口をきわめて罵っていました。「あいつと俺は9時間も話して、もう一生政治の世界には戻りませんと誓ったんだぞ。それなのにシカゴの演説では、やがてゴルバチョフ時代が来るなどとホザいていた。あいつの誓いなんてこんなものさ」ざっとこんな感じでまくしたてていました。日本とかアメリカでの歓待ぶりによっぽど頭に来たんだと思いますね。

さて、翌日、エリツィンがサマルカンドに行くというので僕らもそこまで足を伸ばしてみようと、車でタシケントの南西280キロの彼の地へと向かいました。途中、タシケントから70キロほどのところにある小さな農村チナズのバザールに立ち寄ってみました。バザールといっても、農村の寄り合い市場みたいなもんでしたけど、野菜や果物、肉や魚（川魚ですが）が豊富にありました。

ちなみにそこの値段は、イチゴ1キロあたり40ルーブル。ケフィール（ヨーグルトの一種）1杯3ルーブル。魚（鯉？）の薫製1キロ当たり40ルーブル。ナマズ（35キロの大物）1匹1000ルーブル。牛の臓物の煮込み（これが日本の屋台なんかで出る「煮込み」にそっくりで、ネギなんかが薬味でちょっとちょっとかかっているんです。得体の知れない外見でしたがうまかった）が1皿100ルーブル。今現在1ドルが120ルーブルくらいですから、ちょうど1ルーブル＝1円くらいの計算です。バザールはちょうど土曜日ということもあってか家族連れも多く、とても賑やかでした。再び車（おんぼろジグリ）を飛ばしてサマルカンドで古いイスラム寺院を見て、ああ、ここらあたりはやがてイスラム圏に帰っていくんだろうなあ、と実感した次第です。

ところで、今回は首脳会議のマスコミ各社の滞在先は、タシケント市中央にあるウズベキスタンホテルというふうにウズベク外務省から指定されていたんですけど、その最上階17階に何と日本食レストランがあるというので、早速僕らは勇んでそのレストランへと駆け上がっていったわけです。一体中央アジアの一小国ウズベキスタンのホテルに何で日本食レストランが存在し得るのか？　不思議不思議の世界です。シルクロードで迷子になった日本人がここまでたどりついて定住しちゃったのか？　ウズベク進出の日本商社の駐在員の奥さんが、超気まぐれを起こして日本食レストランなんかをおっぱじめちゃったのか？　変だ。妙だ。まあいい、日本食が食えれば。

かのレストランに着くと、案の定日本食レストランとはいってもちょっと様子が違う。ウェイトレスたちはどうも日本人に顔だちは似てるけどちょっと違う。メニューを見ると、何と寿司（すし）まであるではないか！　かっぱ巻きまであるぞ。そして何と驚いたことに「ネギとろ」というローマ字があるではないか！　タシケントのネギとろ！　およそこの組み合わせはミシンと蝙蝠傘（こうもりがさ）なんですよね。一緒にテーブルについていた新聞記者は「ネギとろではなくて泥ネギの間違いに違いない。こんなところにネギとろがあるわけがない」と言って退（ひ）かないのです。うーむ。

メニューを見ると、ほかにも、すき焼きやらウドンやらいろいろと取りそろえてございますという感じなのです。この不思議はメニューを熟読するうちに徐々に解けてきたんですよね。メニューには日本食のほか、プルコギとかキムチとか冷麺とかもある。つまり朝鮮料理もあるわけです。いや大体日本料理と同じくらいある。つまりこのレストランは実は朝鮮レストランらしいのです。さっきは書きませんでしたが、タシケントの街では朝鮮族の姿もかなり見かけました。彼ら朝鮮族はスターリンの民族混淆(こんこう)政策によって強制移住させられた人々の子孫です。かつてかなりの数の朝鮮人たちが中央アジアに強制移住させられたという歴史的事実がありますが、その彼らの子孫がタシケントで日本食を作っているわけです。意を決して2日目に「ネギとろ」に挑戦してみましたが、これが結構ちゃんとした「ネギとろ」だったので驚きました。タシケントでも「ネギとろ」が食べられるんだ！　妙な感心をしていると、そのレストランのステージでカラオケの演奏に合わせて歌が始まりました。「ねえ、これどっかで聞いたことある歌じゃないか？」同席の記者に尋ねましたが、いま一つはっきりしない。でも、やがて耳が慣れてきてわかったんですけど、あの『釜山(プサン)港へ帰れ』を歌ってるんですよね、必死に。歌ってる若い女性もどうやら朝鮮系の女性です。同席者の注文したすき焼きは、およそすき焼きとは似ても似つかない「牛肉入り野菜スープ」でした。それにしても、やっぱりスターリンって変ですね。よくあんなこと（強制移住）力ずくでやったもんですね。

（5月20日記）

新明解主義によるロシア報告、あるいは、サラ金と物乞いの歪んだ関係

1992年6・7月

前略。お元気ですか？　すっかりご無沙汰しています。6、7月は何やらやたらと忙しくて、いつものペースより2週間遅れで今手紙を書いています。最近思わずほくそ笑んでしまったことの1つは、三省堂『新明解国語辞典』（第4版）なるものの存在です。詳しくは月刊『文藝春秋』7月号の赤瀬川原平の文章を読んでいただきたいのですが、この辞書の精神ですね、今必要なのは。攻撃的、実感的、ファウルぎりぎりの逸脱精神、真摯にして滑稽……。僕もこの精神を目指しながら今後ロシア報告をしたいものだと、秘かに心に誓ったのでした。「新明解主義」。

＊　＊　＊

6月6日。大統領選挙の取材でアゼルバイジャンのバクーに行ってきました。アゼルバイジャンはナゴルノカラバフ地方をめぐって今もアルメニアと戦争をしている国ですけど、つい最近もムタリボフ元大統領が復権を企てて市街戦が起きたりして、やたら血の気の多い回教国だくらいの知識しかなかったんですが、モスクワの空港で乗り込んだバクー行きの便からして雰囲気がすでに違うんですよね。何かやたら攻撃的で殺気立っ

ている。アゼルバイジャン人の乗客が、あの〈サービス〉という概念の極北にあるアエロフロートのスチュワーデスの出すお茶の量が少ない、もう一杯出せ、とか何とか言って機内で喧嘩が始まる。スチュワーデスも負けてはいない、怒鳴り返す。5時間ほどの飛行でバクー空港に降り立ってみると、やっぱり雰囲気はもろ中東って感じでしたね。12年前に降り立ったベイルート空港と似ている。わけのわからない無秩序と喧騒とエネルギー。ホテルのチェックインでいきなりトラブルに巻き込まれました。先方はドルで宿泊費を払えと言うのです。自分は日本の特派員でモスクワに常駐している。今までもCISのあらゆる国でルーブル払いで通してきた、と言うと「お前たちは我が国とアルメニアの戦争のことを正しく伝えていない。我々は多数の犠牲者を出しているんだ。なのに何も力を貸してくれない」だの「我々はCIS加盟を最高会議で批准していない。これから離脱しようとしているのだ」だのやたらわめくわけです。「それがドル払いとどういう関係があるんだい！」思わず日本語で怒鳴ってしまいましたが、先方は「とりあえずチェックインだけはさせてやるがよく考えろ！」と捨て台詞を吐いて奥へ引っ込んでしまう始末。後で特派員仲間に聞いたらみんな同じようにやられたようでしたが、結局頑張ってルーブル払い（ドル払いの10分の1以下）で通したそうです。

さて選挙自体は、エルチベイというイスラム系人民戦線の指導者が実権を掌握した後の信任のための儀式みたいなもので、投票率も得票率も一体どれだけ本当なのかわかったもんじゃないというのが正直なところでした。けれども何か熱気がみなぎっていたことだけは確かです。人民戦線本部前には夜中まで支持者たちが集まってワイワイお喋りを続けていました。バクーの街は南に位置しているわりには、カスピ海からの海風が終日そよぎ、全然蒸し暑くない。緑もわりかし多いし、なかなかいい街だなと思いましたが、その辺を歩いている一般の人の性格というか人柄みたいなものがエラくモスクワなんかと感じが違うんですよね。何か攻撃的というか。こりゃロシア人とは合わないなあ、と直観的に思ってしまいました。

バクーでテレビを見ていると何とトルコの放送を流しているんですね。つい最近始まったばかりということでしたが、地元ではすでに結構人気があるそうです。よく見ると、それはアメリカの古ーい劇映画をトルコ語に吹き替えたのをそのまま垂れ流してるんですね。キスシーンなんかも出てくる。これでアゼルバイジャンは決定的にトルコと近くなるなあ、と思いました。彼らもロシア人よりか、むしろトルコ人に親近感を感じるんじゃないでしょうか。一緒に取材に動いたタクシーの運転手も言っていました。「トルコはいいが、イランはやだね」。それにしても、ここもかつてソビエト連邦の一部だったんですかね。よくもこんなに文化も人種も生活慣習も違うところまで「社会主義ソビエト」の一枚岩にまとめ上げていたもんだなあ、と、逆にその虚構の途轍もなさに驚いてしまいます。

＊　＊　＊

さて、6月15日からは今度はエリツィンの訪米取材のためワシントンに飛びました。今年1月末以来のワシントンです。ワシントンはニューヨークと違って殺伐感がまだ少なくて好きなんですが、ここでのエリツィンを見て失望したのは僕だけじゃないでしょう。

ロシアのマスメディアは今回の訪米を手放しで絶賛したらしく、エリツィンはゴルバチョフの達成したことをはるかに超えてしまった等と伝えていたそうです。確かに核軍縮面では成果はあったのでしょうが、国際社会でのロシアの地位ということに関して言えば、今回の訪米はロシアがアメリカ一家の舎弟の末席に加わる認知の儀式みたいなもんだったんじゃないでしょうか。まだゴルバチョフ時代の方が少なくとも対等に近い関係だった。歴史上初めてのロシア大統領の米議会演説で、エリツィンは「我が領土に共産主義を二度と復活させない。共産主義には人間の顔がない」などとぶち上げて、議会からやんややんやの喝采を浴びていました。この発言はゴルバチョフの「人間の顔をした社会主義」を意識してのものでしょうが、何かもう嬉しくて仕方がないという得意絶頂の顔つきでしたね、エリツィンは。よっぽど嬉しかったんだと思います。

でもですね、アメリカの議員たちがあれほどあけっぴろげに拍手喝采を送るというのは、ロシアにはもう何の恐さもない、つまりこいつはアメリカの舎弟の一員だと認知できるくらい安心したということでもあるような気がするんですよね。よく見ると、何だか議員たちの表情には「この野卑な男は次に一体何を言い出すんだろう？」というような一種蔑みの色が感じられたような気がするんです。「米ロは二大民主国家」だの、冷戦時代のかつての大国意識丸出しのエリツィンの物言いに、共同記者会見の席でブッシュは「この田舎者め、少しは黙れよな」という表情でしたよね。そうした蔑みに似たアメリカサイドの表情を、エリツィン自身はおそらくこれっぽっちもわかっていないのが、また悲劇なんですよね。本当にエリツィンの言うように「共産主義」「社会主義」が諸悪の根源であって「資本主義」が理想の達成形態というのも単純に過ぎるというものです。じゃあ、一体何が悪かったのか？　困ったときには『新明解国語辞典』を読むべきです。

【社会主義】生産手段を社会全体の共有とし、生産物や富を公平に分配することによって、階級差や貧富の差が無い、平等な社会を実現しようとする・主義（社会体制）。

――なるほどね。これはわかりやすい。これに対して

【資本主義】資本家が利益追求のために労働者を使用し生産を行う経済組織。

――うーむ。わかりやすい。新明解による限り、社会主義が諸悪の根源というのは何か変で、資本主義も労働者にとっちゃよくないんじゃないか、と思ってしまいますよね。そんなこと言うと、今のロシアじゃ国賊になっちゃうかな?

【国賊】体制に対する叛乱(ハンラン)を企てたり国家の大方針と反対したりする、いけない奴(ヤツ)。〔体制側から言う語〕

――いいなあ、これ。何度読んでも国賊の具体的なイメージが沸いてくる(??)。ついでに

【ごくつぶし】飯を食う点では一人前だが、ほかにこれといった能力が無く、毎日をむだに過ごしている、しようのない奴(ヤツ)。

――この奴(ヤツ)というのがいいんですよね。実に明解だ。あれ、僕は何を書いていたんでしたっけ? いけない奴ですね。とにかく、エリツィンも少しは目を覚ませ! ということでしたっけ? ちなみに16日のブッシュとの首脳会談の後、エリツィンは「今日は我が人生の最良の日」と言ったそうです。

ワシントンでは、日本のほとんどのプレスの支局が入っているナショナル・プレス・

ビルディングにいることが多かったんですけど、ここはモスクワみたいに昼飯の心配をするということはもちろん想像力の外の出来事です。階下に行けば何でも揃ってる。ピザ、中華、ハンバーガー、寿司、サンドウィッチなどなど。エリツィンも昼食会なんか行かずにここで昼飯をとった方がなんぼか勉強になったというものです。人間の欲望の流れと物流のシステムの相関関係の一端がわかる。それで僕はワシントン3日目はまたもや買い物へと走ってしまったのですが、ここのショッピングセンターの恵まれてることといったら(一体何を感動してんですかね、僕も)。エリツィンはカンザス州ウィチタなんかに行って偉そうなこと言わずにナイナ夫人と一緒にここで終日買い物でもした方がなんぼか勉強になったというものです。

【買う】ほしい・(価値が有ると認められる)物を、代金を払って自分の物とする。「土地・(家)を――:芸者を――〈=呼んで遊ぶ〉・歓心を――」

――うーむ、芸者まで買っちゃうんだ。本当にわかりやすいな、新明解は……。さて、こういう意味では、旧ソビエトにおいては「買う」という行為は資本主義社会とは異質な行為だったんですね。私有の範囲が恐ろしく制限されていたわけですから。今はそういう制限が一気になくなっちゃって、ロシア人も土地は買うわ、家は買うわ、芸者は買うわ(それはないか?)、車は買うわ、ピストルは買うわ、と大騒ぎになってるわけです。冷忍（レーニンのことをこう書く輩がいるそうです）も、自分の胸像がモスクワの街頭で大安売りに出されているのを今や冷たく忍ぶしかないんですね。

それにしても痛感するのは「病めるアメリカ」とか何とか言っても、総体的にアメリカというのは豊かですよね。「西欧の落日」とか何とか言っても、西欧を歩いてみるとやっぱり豊かですよね。豊かというのは物質面、精神面両方のことを言っているんです。日本は今「世界で唯一の黒字国」だの「世界一のお金持ち」だの「GNP第2位」だの「経済大国」だのいろいろ言われていますけど、これ実感ですけど、本当にそんなに豊かなのかい？　と思っちゃうんですよね。日本人1人1人は欧米に比べるとちっとも豊かじゃない。家だって狭いし高い。うさぎ小屋論がかつてありましたが、いや、ゴキブリホイホイだという説もある。精神的な余裕がない。文化が貧しい。夏休みなんて平均して7・51日ということでしょ。ロシアの人々は皆しっかり「権利」として1カ月の夏休みをとりますよね。欧米だって最低3週間はとってる。何のために働いているのかという労働哲学が日本の場合かなり異質なんだと思います。かく言う僕も典型的なニホン人なんですけどね。

今いろんな国際会議が開かれると日本はいつも援助を求められてるでしょ。つまりお金を払わされてる一方でしょ。あれって本当はかなりおかしい気がするんですね。例えて言えば国際社会での今の日本に振り当てられている役割というのは「サラ金」だと思うんですよね。サラ金国家＝日本。何かやたらと金持ってるみたいだけど、その内実は自転車操業で、他人から尊敬されてない。欧米諸国は私のところはもう人に出す金なんてないですよ、と「同盟」を結んじゃっているみたいですけどね。日本はもうちょっと1人1人の国民が豊かになるように金を自国に振り向けるべきなんじゃないでしょうか。これに対してロシアは今、物乞い国家ですよね、国際社会での認知は。もっともプライドの高いロシア人ですから、そんなふうに思っていませんけれども、客観的なロシアの物言いというのは「我が大国ロシアが困っているのにどうして金持ち諸君は援助しないのだ?」でしょう。この感覚の致命的なズレというか、ちょっと理解に苦しんでしまいます。今の日ロ関係というのは、基本的には、サラ金と物乞いの歪んだ関係ということだと思うんですよね。その間にはしかも「北方領土」という質流れ物件みたいなものが介在しているので、話は感情的になってしまう。支援ということで言えば、僕は今のロシアに金をどんどん与えさえすればいい、というのには大反対ですよね。

＊　＊　＊

少し街へ出てみようと思って、今のモスクワの社会面・文化面での変化を映像化する作業を『ニュース23』の第2部という場でやることにしました。特集のタイトルは『世紀末モスクワを行く』。頭の中に漠然とあったテーマは、途方もない貧富の差の拡大とか価値観の喪失とかいったものでしたが、何しろ現場にどんどん出ようと思っていろいろ回りました。結局2回分にまとめたのですが、1本目は「ストリートチルドレン↓雨後の筍のように続々出現したカジノ→西側ブランドに占拠された国営デパート→ザイツェフの最先端ファッションショー→貧しい人たちのための無料食堂→ストリートミュージシャン」という構成になりました。この中では何といってもマクドナルド前の子供たちの取材が面白かったですね。長い行列に並ぶ代わりに子供である利点を生かして列をかい潜り、マクドナルドを買ってきて手数料を稼ぐ彼ら。逞しいです。でも、取材した後に残ったのはどうしようもない荒涼感で、日本の焼け跡闇市世代のように彼らからエネルギー・希望をくみ取ることは正直言ってできなかったですね。

2本目は「モスクワ大学の学生は勉強よりビジネス→ロシア初のストリップ学校→ロシア初のSEXSHOP→ロシアの妙なテレビ番組→ロックコンサート→超能力ブーム」という流れになったんですけど、異様だったのは超能力の集会でした。ウシャコーバという女性がその超能力者なんですが、はっきり言って僕はこの女性は詐欺だと思いましたですね。胡散臭さを通り越して何か犯罪の臭いさえする。でもこの集会自体は「真実」なんですね。彼女の放出する超能力によって救済される、あるいは救済を求めている人々が現に存在している、そして彼らは切実にこの超能力の力を信じているという事実は紛れもない「真実」であるわけです。少なくともあの会場を埋め尽くしていた人々から感じられた宗教的厳粛さは「真実」であってばかにする気は起きませんでしたね。

新明解。

【宗教】心の空洞を医（イヤ）すものとして、必要な時、常に頼れる絶対者を求める根源的・精神的な営み。また、その意義を必要と説く教え。

——うーむ。やっぱり心の空洞なんですよね、今のロシアの人々はそれを何とか埋めようとしてるんですよね。それで、その空洞から空白の話に移るんですが、一連の取材と並行して、以前から追っていた故岡田嘉子さんのKGBの資料の一部が手に入り、この「世紀末モスクワ」のVTR編集を徹夜で終えてから目を通したんですが、何というんですかねえ、この歴史の空白を埋める彼女の肉筆の嘆願書のコピーを見て、実に複雑な思いになりました。

＊　＊　＊

1938年、樺太から越境後、苛酷な取り調べでスパイであると自白してしまい、一緒に来た杉本良吉もスパイであるとの自白に追い込まれた経験などが生々しく綴られていたんですが、岡田嘉子さんがついに生前一言も口外しなかった罪責の念がひしひしと伝わってきて、その純粋さが今のモスクワの現状とあまりにもコントラストをなしていて、一種やりきれない思いにかられてしまいました。嘆願書は「自分のスパイの汚名を晴らしてほしい」と10年の刑のラーゲリ（強制収容所）から切々と訴えているのですが、どうも僕は、この嘆願書から見えてくる杉本良吉という人物の無念さを思うと言葉を失ってしまいます。杉本は越境直後、赤軍兵士のもとに自ら倒れ込んでいき、赤旗を見て感動のあまり涙を流したとか、岡田さんがスパイであると自白した後、隣の部屋で取り調べられている杉本の絶叫が岡田さんの胸を突き刺すようだったという告白を目にすると、「社会主義」ソビエトとは一体何だったのか？　という感を禁じえません。

こういう歴史の中に沈潜した個人の無念の思いということを過去感じた経験が何度かあります。新谷行（しんやぎょう）という人の書いた『アイヌ民族抵抗史』という本を読んだときもそうでした。こういう無念の思いというのは、しかし、歴史の中で地下水のように脈々と流れていくのかもしれないと思うこともあります。そうでなければ困っちゃうんですよね。浮かばれないいんだから……。

それではお元気で。また性懲りもなく手紙を書きます。ロシアより愛をこめて。さようなら。

（7月5日記）

デュッセルドルフの床屋にて

1992年7月

前略。お元気ですか？　今クレタ島にいます。夏休みをとって来ているんです。目の前に真っ青な海が広がっています。蟬の声が頭上で夏の盛りを告げています。こうしてボーッとした時間を過ごしていると、モスクワの生活がはるか昔のことのような錯覚に陥ってしまいます。この距離感——。この1カ月もいろんなことがありましたが（会社から譴責処分を食らったりとか）、つらつらと書いても例の「新明解主義」にはなかなか徹しきれないような明解ならざることが多い。それにモスクワ報告の主旨ともだいぶんかけ離れてしまうようなことばっかりです。

＊　＊　＊

さて、7月の初め、僕はミュンヘン・サミットのG7プラス1の取材でミュンヘンに行きました。これから書くのはその帰途立ち寄ったドイツのデュッセルドルフでのことです。デュッセルドルフには日本人が常住者だけで7000人ぐらいいるということで、1つの巨大な日本人街が形成されています。あそこはまるでニッポンですね。日本のデパートはあるわ、日本食スーパーはあるわ、日本のめし屋はあるわ、日本の本屋はあるわ、日本の銀行はあるわ、日本の床屋はあるわ。もっとも僕も日本食品を買っていこうと立ち寄ったわけなんですが。それでね、時間があったので久しぶりに日本の床屋に入ったときの話です。なかなかおしゃれな店内で幸いなことに予約なしの飛び込みでもOKでした。久しぶりに髪をカットしてもらってウトウトしていると、隣の席に1人の男性客が腰を下ろしました。そうですね、まあ30代半ばくらいかな、色が浅黒くて、スーツを着てましたから、デュッセルドルフ駐在の日本人ビジネスマンでしょうか。この床屋のお店の人たちも関西なまりがあったのですが、その男性客はもろ関西弁でした。髪短めにして多少ギョロ目。そうですね、何となくあの森田健作(もりたけんさく)に似ていなくもない。だから以降この男性客をモリタと記すことにします。そのモリタがですね、実にお喋りなんですね。髪を刈ってもらいながら店の人と世間話をするわけです。最初はウトウトして聞き流していたんですが……口ぶりから言ってどうも常連らしい。

「どうしますか?」

「刈り上げてください、暑苦しいから。すぱーっと」

「お忙しそうですね?」

「ほんまに忙しいわ。この間も南アフリカ出張に行ってたんですわ。あそこはええとこですよ。ニッポン人も尊敬されとるしね。暮らしやすいですよ」

「そうですか? 危ないいうことはないんですか?」

「まあ、黒人スラムとかかね、危ないところもあるんでしょうけど、僕らの行ってたところは快適ですわ。仕事もきっちりできるしね」

「もう出張でいろんなとこ行かれてるんでしょ?」

「そうですね、僕ら1年の半分以上は出張で外へ出てますからね。デュッセル戻ってくるとホッとしますわ」

「最近はどこどこ行かれたんですか?」

「南アフリカの前にソレンに行ってたんですわ」

「はあ。ソレン。モスクワですか?」

「そう、モスクワ。あれはヒドいとこやね」

「テレビとか新聞で言ってますけどね、やっぱりものがないんでしょ?」

「あれはウソですわ。ものはいっぱいある。モスクワ行って驚いたんは、ものがないなんて大ウソやということですわ」

「そうですか? テレビとか新聞では大変や言うてますけどね」

「だからやね。あれはね、騙(だま)されとんのや。あいつらね、援助もらうために、ものがない言うて、それで、あるのを隠しとんのや。僕の泊まったホテルね、何でもあったよ。物価も安い安い。日本と比べたらタダみたいなもんですわ。ただ、ロシア人は全然働かんですからね。援助もらうことばっかり考えとる。それでロシア人は愛想というものが微塵(みじん)もないからね。サービスということを知らんのですわ。街は汚いしね、不潔やしね。あの国は後進国ですわ。ヒドい国やね。仕事の相手なんかでけん国ですわ」

「そうですか?」

「そうですよ。あいつら援助もらうためやったら何でも言いますしね」

こういう会話を隣の席で聞いていて、僕はなぜか拳を握りしめていました。このモリタの関西弁にいちいち腹が立って、よっぽど途中で割って入って殴りつけたい衝動に駆られました。「お客さま。どうぞシャンプーしますから」

僕の方についていたお店の人から促されて、洗髪の席までとことこ歩いていって、髪を洗ってもらいながらこんなふうに口に出してしまいました。

「あのですね、実はですね、僕はモスクワに住んでるんですけど、あの隣の人ね、これ以上聞いてると殴っちゃいたくなると思うんですよね」

「お客さん、それは困ります。穏便に穏便に。喧嘩はいけませんよ」

その店の人はちょっとうろたえたように場をつくろいました。(……そうでっか)心の中で苦笑しながら、僕は再びモリタの隣に腰を下ろして目を閉じました。モリタは元気よく喋り続けていました。

「ソレンなんかまともに取り合ってたらくたびれもうけですわ。あいつら援助が欲しいんですから。あ、もっとパーッと刈り上げてください」

エネルギッシュなこのモリタを残して床屋を出ました。それにしてもこの腹立たしさは何に対する腹立たしさなんでしょうか? このモリタの意見はごく平均的な日本人ビジネスマンのソレンに対する見方かもしれない。何というか、言ってしまうと「身も蓋もない」種類の言葉をもろに聞いてしまったときの感じとでもいうんでしょうか。困った時は『新明解』です。

【身も蓋も無い】露骨過ぎて、含蓄が全く無い。

――明解ですよね、実に。含蓄がない、か。だからモリタに含蓄なんかを期待する方がおかしいのであって、そんな奴は「譴責」ものですね。

＊　＊　＊

このデュッセルドルフの床屋に先立って2日間はミュンヘン・サミットの場にいたんですが、今さらながらG7プラス1で登場したロシアの地位の変化を実感しましたですね。もともとはソ連（ロシア）を仮想敵国に仕立てて成立していたようなG7サミットが、東側ブロックの総崩れによって、G7におけるロシアの扱いもどんどん変わっていったのは周知の通りです。敵（ペレストロイカ以前）↓陰の主役（ペレストロイカ期）↓招かれざる客（ヒューストン・サミット）↓客人（ロンドン・サミットでのゴルバチヨフ）↓新しい友人（ミュンヘンでのエリツィン）。この変化はエリツィンにとっては喜ぶべき変化なんでしょうが、その分だけロシア（旧ソ連）は、かつての冷戦時代に国際政治の上で保持してきた重み＝存在感を喪失しました。これは冷徹なる事実です。ただそのことをどうも当のロシアは認識していないような気がするんですよね。相も変わらず大国意識を持ち続けているような気がするんですよね。

エリツィンも1年前のロンドン・サミットでのゴルバチョフと同じように「物乞いに来たんじゃないぞ」とか何とか言ってましたが、客観的に見て、「金融支援の取りつけ」というのが今回のG7プラス1の最大のテーマだったわけですよね（何だか例のモリタみたいだな）。まるでロシアに対する経済支援がG7各国の義務であるかのようなエリツィンの物言いに接するにつけ「おいおい、ちょっと違うんじゃないの」という気持ちになっちゃう。その辺をG7側でも意識してか、「自助努力に対する支援」ということをしきりに強調していましたが、この「自助努力」ができるくらいなら何にも問題はないんですよね。これは『新明解』に登場してもらうしかないですね。

【自助】他人の力をあてにしないで、自分自身の力だけをたよりにすること。

――ああ、やっぱり『新明解』はいつも正しい。エリツィンに読ませてあげたいくらいです。

今度のミュンヘン・サミットでもう1つ目についたのは、「ヨーロッパ中心主義」とでもいうのか、これは僕がアジア人だから余計目についたのかもしれませんが。G7プラス1終了後、ドイツのコール首相とともに記者会見に臨んだエリツィンは「ドイツは我々の立場を一番よく理解してくれている」とヨイショをした後、「ロシアは今、何千年もの歴史をともにしてきたヨーロッパに立ち返ったのだ」と高らかに宣言していました（そうか、ロシアは自分らもヨーロッパと思っていたのか）。アジア人である僕は改めてそう思ったわけです。

2年前、当時一介の人民代議員にすぎなかったエリツィンが来日した際、TBSのインタビューに答えてこんなふうに言っていました。「ゴルバチョフはアメリカやヨーロッパばかりに目を向けている。我々はもっとアジアに目を向けなくては」。ヨーロッパへの回帰を手放しで祝福するだけというのであれば、エリツィンも結局ゴルバチョフと変わらないじゃないか、ということになってしまうような気がするんですよね、ヨーロッパに対するコンプレックスという点において。まだ、ゴルバチョフの「欧州共通の家」構想の方が、ロシアのイニシアチブがしっかりと保たれていたような気がするくらいです。そんな気持ちを持ちながらミュンヘン・サミットを見ると、アジアのことはどこにも見る影もない。世界は欧米を中心に秩序がつくられている、とでも言うかのような……。

で、そのアジアの経済大国であるという日本ですが、北方領土、北方領土と一体何なのだろうか。政治宣言なる文書に数行文言が盛り込まれたことがそんなに大成果なのでしょうか？　大体ロシアにとっては政治宣言なんていう文書の重みなんてこれっぽっちもないと思うんですよね。今のロシアくらい言葉の重みがない国はない、と言ってもいいくらいで、朝令暮改がその辺にごろごろしている国ですからね。それに「法と正義に基づく問題の解決」なんて言ったって、ロシア人の法と正義は国際社会（及び日本）のそれとは全然違いますからね。ところが僕らのニュースも新聞も通信社も、「北方領土、政治宣言明記」がトップニュースになってしまう。暴論ととられるかもしれませんが、サミット全体の中では「北方領土、政治宣言明記」なんて屁でもない認識のされ方だったんじゃないでしょうか。じゃあ、どうして日本のメディアはああなってしまったのか？

私見を2つばかり挙げてしまいますが、1つは、日本人記者が北方領土問題といういわば「呪詛」みたいなものから自由になろうとしていないことだという気がするんですよね。ありていに言えば、北方領土というテーマにしがみついている限り、記事の扱いが大きくなるという妙な「凭れ合い」の構造があるような気がするんですよね。なるほど北方領土返還は「国民の悲願」だという。国是でもあるという。でもね、北方領土について性根を据えて記事を書く以上、実はその辺の前提から疑ってかかる必要というのがあるような気がするんですよね。本当に国民の悲願なの？　ってね。ミュンヘン・サミット全体の中での七面倒臭い議論よりも、わかりやすい北方領土の方に飛びつくのは僕らの習性でもあるわけですけどね。このあたりは自戒を込めて考えてみる必要があると思います。

さて、もう1つ、北方領土で大騒ぎしてしまう要因は、日本人記者特有の情報収集システムです。今回のサミットでも登録記者数は、ホスト国ドイツ、そしてアメリカに次いで日本が多かったんですが、その大部分は日本からの「同行記者団」というシステムに乗っかった記者です。サミットでは必ずプレスセンターというのができるんですが、今回のサミットではこんな現象が起きました。各国記者団が共同で利用できるインターナショナル・プレスセンターができて、ここでさまざまな便宜（通信手段から無料レストラン、トイレ、記者用のお土産までの一切合財）が提供されたわけです。

その中で日本とアメリカだけは、このインターナショナル・プレスセンターとは別個に、同行記者団用のプレスセンターが作られました。同行記者団用とは言っても、その場所にはかなりの部分の日本人記者が詰めていたりして、ここで会議終了ごとにレクチュアとか貼り出しがある。いわば日本の「記者クラブ」がそのまま空間移動したようなもんです。で、ここがサミット取材の情報の発信源になる場合は、さっき触れたように何となく「北方領土、政治宣言明記」がトップニュースになってしまうような雰囲気になるんですね。G７サミットごとにできる、この日本人記者団の空間移動型記者クラブというのは、他国から見ると奇異に映るらしく、以前CNNとかが日本人プレスセンターの「生態」を取材したことさえあります。実にこれは日本人記者団全体の「力量」に関わる切実な問題なので、これ以上書くと、例の「身も蓋もない」話になっちゃいそうなのでよします。

やっぱり今月は話がとても観念的というか固いですねえ。でも、もうちょっと続けます。それでね、G７サミットの一員である経済大国日本がそんなにいい国かというと、

1人1人の国民にとってはそんなに住みよい国じゃないと思うんですね。前に、ロシア＝物乞い国家、日本＝サラ金国家で、サラ金と物乞いは歪んだ出会いしかできないというようなことを書きましたですよね。それで、サラ金というのは常に自転車操業でしょ。いつもペダルを漕ぎ続けてなきゃならない。疲れますよね。でも、その漕ぎ方のうまい奴とか下手な奴とかいろんな奴がいるんですが、日本という国家が求めているのはいつも「平均より上」といういわば無間地獄みたいなもんだと思うわけです。均一な価値観によって支配された社会というのは、同質性とか均質性を国民に強いる社会になる。ちょっとでも遅れたりはみ出したりする奴を許さない、というか、切り捨てる社会。こういう社会というのはやっぱり息苦しいものです。

さて、ほかにもいろんなことを書こうと思ってペンをとったんですが、今、目の前に広がるエーゲ海の美しい青と白壁の家々を見ていると、書く作業が何だかアホらしくなってきました。テレビのない生活を続けていたんですが、クレタ島に来てから部屋にもテレビがついて、そこでバルセロナ・オリンピックとやらの模様を初めて見ました。旧ソビエトチーム（Unified Team）の選手たちが活躍している映像が次々に目に入りました。知らず知らずのうちに旧ソビエトチームの選手を応援している自分に気づき、ハッとしました。女子の体操で他国の選手たちが最新の華やかなスポーツウェアに身を包んで登場した中で、ウクライナの女子選手が、白のサイドラインの入った古ーい赤のジャージを来て表彰台に上がったときは、「やったね！」と声援を送りたくなりました。

その選手はすごく可憐(かれん)でしたしね。もう3日後にはモスクワに戻ります。また例の何事につけままならない生活が始まるぞ。

それでは、お元気で。クレタより愛を込めて。さようなら。（8月2日記）

「北方領土非返還論」及び「ロシア援助再考論」の立場から。あるいは仮構は崩れる

1992年8・9月

前略。お元気ですか？　この書き出しで始まる手紙もこれで15通目になります。前回手紙を出したのがたしか8月2日でしたから、長いながいブランクがこの間あったことになりますね。いろんなことがありました。というより、今まで伏在していたものがこの間、堰（せき）を切ったように一気に我が身にやってきたと言ったほうがいいのかもしれません。

今回の手紙はこれまで出した14通の手紙のどれよりも余裕のない状況の中で書いています。この手紙は相手に向けて書かれた形であるにもかかわらず、実はそうではなくて自分に向けて書いているという奇妙な手紙かもしれません。

＊　＊　＊

この間モスクワで起きた出来事。クーデターから1周年をめぐる動き。そしてエリツィン大統領の突然の日本訪問延期。

＊　＊　＊

8月19日。あのクーデター事件から1周年の日はあの日と同じように8月とは思えないくらい肌寒く、午後からはとうとう激しい雨が降り出しました。この日、僕らはロシア最高会議前に中継車を繰り出して生中継をやろうともくろんでいたわけです。通称ベールイドーム（ホワイトハウス）の前に行ってみると、職人たちが正面階段のところで淡々とステージを組み立てている。8月22日のお祝いコンサート用のステージです。別に市民が大挙して押しかけているわけでもないし、ただたまにロシア国旗を掲げた小グループなどが三々五々やってくる。静かなものです。一体あの1年前の熱狂は何だったのか？

今になって思えば、あのクーデターは「国家非常事態委員会」などという実体のない機関によって仕掛けられたのではなく、やはりエリツィン派が応じた反転クーデター＝権力奪取劇であったことがますますはっきりしてきたように思います。つまり実質的に仕掛けたのはエリツィンの側だった、と。去年の8月に出した手紙で僕は「方向感覚を失ったイルカのように保守派が集団自殺した」と書きましたけど、その部分はあまり修正の必要がないと思います。1年目の19日は熱狂とはほど遠い状況でした。若者3人が死亡したサドーヴォエ環状道路とカリーニン大通りの交差地点の陸橋の上には、1週間ほどで作った急拵え（きゅうごしら）の慰霊碑が建てられていました。いかにも申しわけ程度のものです。

生中継はロシアテレビの中継車を借りたんですが、彼らスタッフも「何でまた日本のテレビがこんなに大騒ぎしているんだい？　俺たちよりも先に中継なんかしてさ」とでも心の中では思っていたのかもしれません。でも彼らはそんなことも感じさせないくらい実に淡々と働いていました。最悪なのは『ニュース23』用の本番時間近くになって雨脚が急に強くなってきたことです。サインペンで原稿を書いていたので雨で文字がぐちゃぐちゃになってしまいました。僕の気分の方も何だかぐちゃぐちゃになったような気がしました。最高会議ビル前で無料で配布されたぐちゃぐちゃの『独立新聞』は「1年前、我々は自由を勝ち取った。でもその後の1年はよいことより悪いことの方が多かった」と悲劇的なトーンの記事を載せていました。冷たい雨で冷えきった体をとりあえず温めるため、放送終了後支局に帰ってから食堂でみんなでウォトカを空けてしまいました。

翌20日の夜、最高会議ビルのバルコニー前には19日とはうって変わり、かなりの市民が駆けつけ、ようやくお祝いムードが高まったという感じでした。ガイダール副首相、ハズブラートフ最高会議議長といった人物が次々にバルコニーに立ち市民に呼びかけ、それに応えて「ロシア！　ロシア！」という歓呼の声も沸き起こりました。珍しいのは、あの地味目のブルブリス国務長官までが市民の前で地味ではない呼びかけをしていたことです。しかし1年前とは違って、例えばこの場にサハロフ未亡人のエレナ・ボンネルらの姿はありませんでした。真夜中、ミーシャたちが撮影してきたばかりの映像をモニターで見ると、そこには美しい光景が映し出されていました。3人の市民が死亡した地点をキャンドルを手にした大勢の市民らが静かに行進しているのです。ロシア正教の聖歌が奏でられる中、死者たちの霊を慰める市民たちの姿は感動的でした。

21日、それまでなかなか姿を現さなかったエリツィンが、やっと記者会見の場に登場してきました。この席でエリツィンは「日本からの援助が一番少ない。イタリア、カナダ、ドイツ、アメリカ、フランス、イギリス。そして日本はこれっぽっち」。ジェスチュアをまじえながら日本の姿勢に露骨に不満を示しました。「日本は援助を渋っている金満国家」、こういう固定観念がエリツィンを完全に支配してしまっているようでした。

＊　＊　＊

さて、常々考えていることを書き散らしますが、日本のロシア（旧ソビエトも含めて）に対する援助のあり方というのは実に歪んだ側面があると思うんです。特に今のロシアにお金とかモノを「あげる」のは援助でも何でもないんだと思います。ロシアでは今凄まじい勢いで貧富の差が生まれています。援助はこういう構造の中で富める側にかすめ取られている。いや、こんなふうに断定してしまうのも乱暴ですが、それでも結果的に、富める者をますます太らせ貧しい者をますます痩せさせるような働きかけは少なくとも援助ではないと思います。ノウハウ＝技術面での伝授、仕事の仕方のシステムの共有、共同で何かの事業を成し遂げていく過程を放棄しないこと。つまりモノ・カネではない無形の援助。

なかなかこんなことを書いても抽象にしかすぎないのですが、ここ（ロシア）は本当の意味での最貧国ではない、と思います。第三世界の貧困の比ではない。援助の必要性はエチオピアとかソマリアとかの方がよっぽど切実だろうと思うのです。ある意味ではロシアは本当に豊かだ。でも西側世界のような経済システムがない。社会主義時代の経済システムが破綻した後の新しいシステムがてんで出来上がっていない。それには時間がかかる。でもこのシステムは人間の欲望のあり方に従ったものだから、外部から作ってもらうのでなくて自分たちで育て上げなければならない性質のものだと思うんです。例えば、社会主義建設を少なくともある時期までは信じてきた古い世代の人たちにとって、新しい経済システムに見合った欲望のあり方の転換を図るのはなかなか難しい。欲望の持ち方なんてそんな簡単に変えられないですよね。

でも大事なのは自助努力。だからそれまでは、かつての社会主義大国が世界最大の発展途上国になってもそれはやむを得ない事態だと思います。それをアメリカ、西ヨーロッパ並みに一気に「引き上げる」（この言葉も絶対に変だ！）必要もなければ、それが可能とも思えない。援助などという何か高いところから低いところに向かって救いの手を差しのべるような関係というのは、日本とロシアの場合、何か違うような気がするんですよね。大体本当に日本がそんなに豊かなんだろうか？　で、結論を言うと「援助の質を考え直せ！」という無責任な物言いになってしまいますが。

この「援助再考論」ともちろんリンクしているんですが、僕は正直なところ何で日本政府が「北方領土を返せ！」を念仏のように唱え続けなければならないのかよくわからないのです。その意味で言えば僕は「北方領土非返還論者」です。領土返還論はもともとは冷戦時代のアメリカの意向の代弁だったんじゃないかと僕は常々考えてきました。今や日本のマスコミの記者の間では北方領土返還は「国是」みたいになってしまっていて、天皇制を否定するのと同じくらいタブーになってしまっている感がある。特に政治部記者はそういう「不埒な」ことを言うと飯が食えなくなると思っている（そんなこともないか？）。国家権力はなぜ領土の拡大を欲するのか、という一般的な命題はさておき、「米ロ」が「日ロ」よりも緊密になりつつあるという客観的な状況のもとで、50年間近く同じことを言い続けなければならない理由は何なのか。国家の面子というか、下ろせなくなった「振り上げた拳」というか、何しろ不毛だと思うんです。しかもその間40年以上彼の島にはロシア人が居住し続けているという厳然たる事実。

千島はアイヌモシリ（アイヌの住む大地）だという説から、北海道はロシアのものだというジリノフスキーという右翼の荒唐無稽な主張までいろいろあるけれど、本当に日本政府の4島領有権の根拠は確固としたものなんだろうか？　サンフランシスコ平和条約で放棄した千島列島には4島は含まれていないのか？　１９５１年の外務省・西村熊雄条約局長の「千島は北千島及び南千島（国後、択捉）を含む意味であると解釈しております」という国会答弁と、１９５６年の「南千島は日本の領土」という森下國雄外務政務次官の発言の間の食い違いは何によるのか？　当時の政治状況を考えると、どうしたってそこに見えてくるのは「アメリカの意思」でしょう?

もっともこういう論争以前に僕は千島=アイヌモシリ説に触発されていろいろなことを連想してしまいます。何と言ったらいいか、それは「国境とか領土というのは歴史の大きな流れの中で一体なんぼのもんなのか?」という問いに近い。アメリカがコロンブスによって「発見」される以前に、彼の地には人間(ネイティブアメリカン)が居住し当然大陸も存在していたのと同じように、千島にもおそらくアイヌが住んでいた。で、コロンブスの役割を果たしたのがおそらく江戸時代の松前藩(まつまえはん)とかロシア人測地学者エブレイノフ、ルージン(彼らは1721年にクリール〈千島〉列島の探検調査を行い、原住民をロシア国籍にしたそうだ)とかいう人々かもしれません。国境は地図帳にあるように地面や海面に点線が引かれているわけじゃない。つまり人為的なものでしょう。その線を引くのは、あるまとまった集団を国家として統合する権力の意思なんですよね。権力は本質的に自己中心的に機能する。だからアメリカにたどり着いたという事実も「発見」という言葉を使うわけでしょう。その権力同士の「陣地取りゲーム」を「領土交渉」と呼ぶわけでしょう。そうするとね、「法と正義」なんていう言い方がいかにもウソっぽく聞こえてきちゃうんですよね。

＊　＊　＊

くだくだと特派員詐称者の管見を書き連ねてきましたが、こんなことを書くきっかけとなったのは、例のエリツィンの訪日延期騒ぎです。

エリツィン訪日をめぐっては本当に苦い思いをしました。はたから見るとまるでばかみたいなメディア間の競争があったりして、そのほとんどはメディアの内向けの動機(例えば、あの記者には負けたくないといった理由とか、会社の評価を得たいという理由など)による競争なんですが、この競争がある意味では健全さの証にもなっている。でも、第三者から見ると、実に喜劇的な光景に違いないと思います。当事者が真剣であればあるほど可笑しい。そう、ちょうどバスター・キートンの無声映画みたいに可笑しい。キートンはチャップリンみたいに画面の中で表情を出さないでしょう。表情が全然変わらない。そのキートンの真剣さがたまらなく可笑しい。

エリツィン訪日延期の裏のシナリオをここで書いても仕方ないでしょうから、その周辺で起きた雑事を書き留めておくことにします。何とかエリツィンの事前インタビューができないものかといろいろやってるうちに、ある男が支局に訪ねてきて「俺はエリツィンと直接話ができる立場にある。年間契約で6万ドル、プラス、インタビューの成功報酬として別途3万5000ドル、計9万5000ドル支払えばインタビューができる」と言うわけです。確かにこの男はエリツィンと日常的に接触できる男ということがわかったんですが、何でこんな大金をインタビューに払わなきゃならないのか。それにどうもこの男は日本の某テレビ局と関係が深いことがわかった。冗談じゃない。日本のマスコミは喜んで金を支払うという悪評がモスクワの外国人特派員協会で指摘されたことがありますが、僕らとしてはあくまで愚直にやることにしたわけです。

＊　＊　＊

エリツィン訪日延期で日ロ関係を取り巻く状況は一変してしまいました。ある意味ではゴルバチョフのペレストロイカ以降、双方が営々と積み上げてきたものが音を立てて崩れ去ったといえるかもしれない。日ロは冬の時代に逆戻りするおそれさえありそうです。ロシアも日本も、ああいうことが起きてかなり本音の部分がさらけ出された感じもします。ロシア側の言い分「大国ロシアに圧力をかけた」「渡辺美智雄は無能な外交官だ」「宮沢喜一首相はエリツィンとの電話の際酔っぱらっていた」「アメリカはエリツィンが日本人の身の程をわきまえさせたという点で喜んでさえいる」「ロシアをジンバブエと同じように扱ってはいけない」（ウォリスキー産業企業家同盟会長の言。けっ！）「韓国の方がずっとやりやすい」……要するに日本の側に責任があるんだ、という感情丸出しの本音。かたや日本側の言い分「延期はあくまでロシアの国内事情による」「出発4日前のキャンセルなんて外交常識が皆無だ」「日本の圧力を言うなら大国的尊大さの方が問題だ」「世が世なら戦争だ」……要するに潜在的なロシア嫌いの感情が全部出た日本側の本音です。

コスチコフという大統領報道官がいます。この人物はおおよそ大統領スポークスマンという立場とはかけ離れた私的発言を今度の訪日延期に際して繰り返しました。そのコスチコフにようやく会う機会ができて、彼の考えを洗いざらい聞くことができました。長い発言の中で彼はこんなことを言いました。

——日本の政治家や外交官は、ロシアが第2次大戦後、日本にとって「恨み」を持つべき国というイメージを作ろうとした。だが忘れることができないのは、日本がヒトラーの同盟国であったという事実だ。第2次大戦の当初、日本は真珠湾奇襲という有名な事件を引き起こし、さらにアジア太平洋諸国のたくさんの領土を奪い取った。こうした事実はアメリカ人とロシア人に日本の外交・軍事的立場に関する一定の見方を形作らせた。日本の政治家はヤルタ会談で2人のリーダー（スターリンとルーズベルト）が秘密協定を結んでロシアが対日参戦をしたと主張しているが、参戦はもっと大きな歴史的な文脈の中で決まったことだ。つまり日本はファシスト陣営にいたということだ。ロシア人はあの参戦を侵略などとは見ていない。あの参戦はヨーロッパを守り、世界の文明価値を守ったファシズムとの戦いだった。こういう「歴史的記憶」というのは永く続く。現在までも続いている。日本人はヒトラーのドイツと一緒に戦っていた、と。こうした記憶はロシア人にはなかなか乗り越えがたい。日本が1945年の対日参戦でソビエトに「恨み」を抱いているというのであれば、ロシアは1904年の（日露戦争の際の）日本による奇襲攻撃に対する同様の「恨み」を持っている。……

コスチコフのこの言葉にちょうど対応するかのように、日本では、ソビエトの消滅でほとんど存在意義を失ったような「反共」文化人たち（変な言葉だなあ）が、またぞろ対日参戦の記憶を大合唱しています。

　ロシヤに日本が煮湯を吞まされたことは、一度や二度ではない。……日本は敗戦の少しまえに、お人好しにもソ連にすがって和睦へのみちを開こうとした。周知のように当時ソ連は対日参戦をすでに決定していたのだから、これは日本外交史上の大失態というほかはない。ソ連は中立条約を蹂躙して火事場泥棒式に満州と北方領土とに攻込み、対ソ宣戦布告もしていない日本軍将兵と民間の婦女子とに暴虐のかぎりをつくした。これだけにがい経験をなめさせられていながら、まだ日本人は懲りないのかと思う。ソ連とロシヤはちがうなどと、気安く考えてはならない。この国の膨張主義的な体質は共産主義がつくったのではなく、レーニン、スターリンは単にそれをロシヤ帝国からうけ継いだだけだった。共産主義政権が倒れたから膨張主義も消えるだろうと期待するのは、赤旗が国旗ではなくなると独裁政治も解消すると考えるのと同様に、一個の妄想にすぎない。四百年の歴史を通じて、ロシヤ人は独裁以外の政治体制を知らないのである。……（村松剛）（＊1）

この相互の憎しみ。この「自国は正当である。相手が悪い」という相互の決めつけ。この双方の立場を相対化する視点を獲得すること。双方の認識の根拠に横たわっているのは「戦争をした」という厳然たる事実です。僕は臆病だから未だに「戦争」には「よい戦争」「悪い戦争」があると思えないし、思いたくない。戦争は殺戮行為である、と。日本の一部の人たちにとってあの戦争は「聖戦」「亜細亜(アジア)解放の大義に則(のっと)った戦争」だったかもしれない。ロシアにとっては「ファシストを打倒した偉大なる大祖国戦争」だったかもしれない。しかし殺戮という行為においては本質的に同じだ、と言い切りたい。だから「平和維持軍による戦争」も「アラブの大義のための戦争」も本質的には同じだと思っている。これは臆病なガキの発想と言われるでしょうね、きっと。

＊　　＊　　＊

エリツィン・ショックから3日目、深夜帰宅してテレビをつけると、何とロシアテレビで日本のバンドが出ていました。エストニアのタリンで行われた「ロックサマー92」に出演した際の「東京スカパラダイスオーケストラ」でした。『THE LOOK OF LOVE』なんかやったりしてね。それにひきかえ、8月22日のクーデター勝利1周年記念ロックコンサート「バリケードのなかのロック」は最低でした。西側の猿真似バンドばかりが出て、しかも下手。ロカビリーをロシア語で歌うバンドが登場すると、観客の中から大きな星条旗が打ち振られていました。

＊　　＊　　＊

さまざまな意味で今、自分が分岐点にさしかかっていると感じます。あるいは何も変わらないままズルズル「無能の人」を演じていくかもしれないし、あるいはどこかに脱出するかもしれません。また多分手紙を書きます。それではお元気で。さようなら。

（9月27日記）

そうさ　世界は　思惑より　はやくなっているのさ
なのに　お前らのしてることは　つじつまあわせ
（JAGATARA『ゴーグル、それをしろ』）

＊1　『週刊文春』1992年9月24日号。

東京を亡命者のごとく、あるいは読書の初冬

１９９２年10月

前略。お元気ですか？　モスクワは初雪からちょうど今日で１週間が過ぎました。４日前は外が吹雪になって一気に冬がやってきた感じです。実は10月２日から２泊３日という強行軍で日本へ一時帰国しました。滞日期間は実際わずか41時間でした。日本で会ったのは会社関係の２人と友人１組だけで、すぐにモスクワに引き返してきてしまいました。東京で十数冊の本を買い込んできたので、ぼつぼつと読み始めています。

日本へ帰国したのは１年半ぶりでしたが、９時間余りの飛行時間が何と短く感じられたことでしょうか、あっという間でした。時間の感覚がだんだんと変わってきているんですね。モスクワの生活で「待つこと」に慣れきってしまって、時間どおり物事が運ぶのが不思議なくらいです。あまり人と会う心境でもなかったので、肝心の用件を済ませた後、盛り場（うむ、久しぶりに使うと変な言葉だな）をブラブラしていました。渋谷と新宿ですけど、ちょうど土曜・日曜だったので街は人で溢れかえっていました。風景の断絶。当たり前のことながらモスクワの街の風景と何と隔たっていることか。本とかＣＤとかを求めて人の流れの中に身を任せていると、何だか自分がこの東京で「亡命者」になっているような錯覚に陥りました。今、自分が身を置いている風景から途轍もなく距離を隔てられてしまったかのような感覚。

で、「亡命者」から街を見てまず感じたことは、唐突ですけど、日本人て何て醜いんだろう、ということでした。もちろん自分のことを棚に上げて言っているんですが、すれ違う日本人が総体としてみんな醜いんですよね。それは1つは造形的に醜いということもあるんですが（つまり顔だちのバランスが相当程度崩れているということ）、もう1つ立ち居振る舞いが醜い。確かに渋谷くんだりを歩いている若者たちはみんな小綺麗なかっこうをしている。でも、表情が一様に弛緩していて緊張感がなく、姿勢が悪くて毅然としたところがない。僕は勝手にモスクワの街ですれ違う人々と比較してしまうんですが、造形的に見て日本人はロシア人に完全に負けてる。任意に街ですれ違う10人くらいをとってみて渋谷とモスクワで比較すると、ロシア人の方がやっぱり造形的に整ってるでしょ。日本人はどうしてこうも醜いのかと思ってしまいます。お前は自分の顔を鏡で見たことがあるのかよ、と言われればそうなんですけどね。

例のエリツィン訪日延期騒ぎでこちらの新聞に日本人の登場する風刺漫画が載ったりすることが多かったんですが、そこに描かれた日本人の何と醜いことか。僕はこれじゃあんまりだ、ひどいな、と思っていたんですけど、確かに醜いという事実に気づかされてしまいました。もっとも美意識なんてものは民族・文化によって当然違うし相対的なものですけどね。今の日本には、だけど、そういう美意識のコア（核）みたいなものもないんじゃないでしょうか？

＊　＊　＊

というわけで、読書の秋ならぬ初冬。カンボジアのプノンペン臨時支局長（黒田宏さん）が以前送ってきてくれた『裏切られた革命』（トロツキー　岩波文庫）を読むと、この本がまるで現在のことについて書かれているような錯覚に陥ってしまいます。例えばトロツキーが大量の売春婦と浮浪児の存在について指導部への怒りをこめて書いている部分なんて、今現在そのまま通用するんですね。

貨幣関係の復活によってあらゆる種類の現物給付的な食料供給が廃止された結果、不可避的に売春や子どもの浮浪が新たに増大しつつある。特権者がいるところにはパーリア（筆者注／最下層カースト）もいるのだ！（前掲書）

トロツキーの論に従えば、1991年12月に崩壊したのは「社会主義」ソビエトではなく、特権官僚によって変質させられた「疑似社会主義」ソビエトにほかならない、と。1936年に亡命先で書かれたこの書物の中で、トロツキーは2カ所で「ソビエトの崩壊」を仮定しています。

もし万一ソ連が（中略）崩壊を喫する――そのようなことは起こるはずがない、われわれはそう切に期待する――ようなことがあるとしても、後進国がひとえにプロレタリア革命のおかげで、二〇年足らずのうちに史上に類例のない成果をあげたという不滅の事実は未来の保証として残るであろう。（前掲書）

ソヴェト体制が崩壊すれば不可避的に計画経済が崩壊し、そしてまさにそのことによって国家的所有が廃絶されることになるであろう。（中略）現在の官僚独裁が瓦解したとしても、それが新たな社会主義権力といれかわるのでないとすれば、それは経済と文化の破局的な衰退のもとでの資本主義的諸関係への復帰を意味することになるであろう。（前掲書）

前者の読みは甘かった。「不滅の事実」なんかこれっぽっちも残っていない。エリツィンは「共産主義を二度とこの地上によみがえらせない」と高らかにアメリカの議会で宣言したんですよね。後者の読みは「経済と文化の破局的な衰退」という現象はその通りになっている。トロツキーが説いた世界革命、国家の廃絶、貨幣の消滅への必然はまことにしかりです。次の箇所なんかは正確に今起きていることを預言している。

いったいどれだけのボリシェヴィキが除名され、逮捕され、流刑にされ、殺されたか――それはやがてスターリンの政治警察のアルヒーフを開いたときに知りうるであろう。かれらがどれだけ地下にふみとどまっているか――それは官僚体制の崩壊がはじまったときに明らかになるであろう。　（前掲書）

ただしそのアルヒーフ（古文書館）の公開も時の権力によって政治的に利用されたり、あるいは有料だったりするとはトロツキーも予想していなかった。

　さて、いろいろ注釈まがいのことを書いてきましたけども、僕はいまさら、だからトロツキーは正しかったんだ、『裏切られた革命』は必読だよ、なんて言うつもりは全然ないです。詰まるところ、真理は書物の中にはない。真理は今僕がこの本を読んで「でもねえ、何か違うんだよな……」と思っている現実の中にこそある。この本を送ってくれた先輩（黒田宏さん）も言っていましたが、大体、岩波書店というエスタブリッシュメントが何で今トロツキーのこの本を文庫本化したんでしょうか？　誰が読んでもきわめて内容の濃いこの書物がソビエト崩壊後に初めて（現代思潮社じゃなくて）岩波文庫に入ったことの意味ってのは『朝日ジャーナル』の廃刊より意味深かもしれないですね。

　訳者があとがきで、トロツキーの主張を１９８５年以降のペレストロイカの進捗と重ね合わせて「ペレストロイカの過程は、トロツキーの政綱の漸次的遂行の過程であったともいえる。ゴルバチョフもエリツィンもおそらくはトロツキーの綱領を知ることなく、トロツキーが提起した課題（中略）を担いつつある」とまとめてますけど、僕にはそうは思えません。革命第一世代で軍事部門を担当していたトロツキー自身も他党派との苛酷な闘争でそれなりのことをしでかしたという冷徹な事実は別にしても、です。トロツキーの復権の際最も大事なのは、あらゆる正当化、神格化から自由になること。ゴルバチョフはペレストロイカといういわば生命維持装置を使って、冷戦構造のもとでもはや敗北が目に見えていたソ連の「尊厳死」を図ろうとした。一方エリツィンはその生命維持装置を引っぱがして西側世界から支援という臓器移植を図って何とか生き延びようとしている、社会主義なんていう観念とは全然別の次元で。というのが乱暴な直観ですけどね。この国の社会主義の実験について考えるには、むしろ1917年以前の歴史をきちんと見なければダメだなと最近思っています。何はともあれ、かつて「トロツキスト！」などと絶叫していた人々はこの文庫本を読んでみるのもいいかもしれないですけどね。

最後に身近なことを少々。

支局のセドリックを駐車場にとめておいたらサイドのガラスを割られ、中のカーラジオが引き抜かれていました。これから寒くなるので何とかガラスをつけないと困るのですが、そういうものはモスクワではブラックマーケットに行って手に入れなければならない。結構危険なところです。

今週末から僕は少し地方に出てみようかと思っています。モスクワじゃないところの空気も吸ってみようと思って。来月はエリツィンに同行して韓国に行くつもりなんですが、会社が不景気で出張もままならないようです。どうなることか。東京の本社ではエレベーターの一部を止めているなんて話も聞きました。バブルのはじけるのは結構なことです。行き着くところまで行ってしまった方がいい。この次の手紙は、読書感想文やら泣き言はなしの、きっちりしたロシア報告でいきますからね。それじゃ、お体に気をつけて、さようなら。

（10月18日記）

マニエジ広場の革マル派の花崗岩的な狂乱

１９９２年11月

前略。お元気ですか？　日本はきびしい不況風が吹いているようで、海外支局にもその風は確実に伝わってきています。「経費節減」の４文字が東京から送られてくる文書にやたらと目立つようになりました。バブル崩壊後の不況の風はバブルを叩いていたマスコミ各社を直撃しているようです。まあ、ロシアもいつか、好況とか不況とかいう言葉と関係できる時代がやってくるかもしれませんが、それはまだまだ随分先のような気がします。

＊　＊　＊

11月７日。革命75周年記念日。といっても、もう社会主義ソビエトは消滅しちゃったので、例によって「保守派」というマスコミ用語で括られる勢力の集会・デモがある程度。経済の破綻で、このところ保守派的な心情が国民の中で一定程度支持される地盤のようなものが出来上がりつつあるようにも思ったので、十月革命広場やマニエジ広場での集会・デモをのぞいてみることにしました。集会は11時頃からなので、朝、支局で１人準備をしていると、１本の電話が入りました。

「Can I talk to bureau chief ?」日本なまりの強い（？）英語でした。「どちら様ですか？　TBSのモスクワ支局ですが」「はい。実はカクメイテキキョウサンシュギシャドウメイカクメイテキマルクスシュギハの者ですが」「はあ？」「革マル派ってご存じですか？」「はあ」「実は私たちは今モスクワに来ておりまして、今日の革命記念日の集会に参加することになっているのです」「はい。それで何か」「今日は取材にいらっしゃいますか？」「はい」「マニエジ広場にも来ますか？」「はい」「私たちの立場を説明するですね、記者会見を現地で行いたいのですが」「はあ。でもね。ご存じかと思いますが、マニエジの集会場所ではそんなに簡単に身動きがとれないんですよ。人も多いし記者会見なんてその場でやっている余裕なんてないですよ、多分」「私たちはご承知かもしれませんが、20数年前にも赤の広場で抗議のデモをしたことがあるんです」「はい」……

　十月革命広場のレーニン像の場所にカメラマンのミーシャたちと駆けつけると、結構人が出ている。地下鉄の駅の出口からレーニン像のところまで一応人で埋まっていました。そこで集会に参加しているおばさんの1人に物凄(ものすご)い勢いでまくしたてられましたが、何やら我々外国のマスコミに毒づいているようでした。さて、この一団と別の箇所で集会を開いていた一団がマニエジ広場までそれぞれデモをして合流し、午後から集会を開くというので、先回りしてマニエジで待機していました。時間が経過するにつれて人が徐々に集まってきます。僕らはこういうマニエジの集会では大体モスクワホテル側の演壇に近い方に陣取って撮影・取材するんですが、集会が始まって10分くらいしてふと演壇脇を見ると、な、な、な、何だ？　革マル派と書かれた赤旗があるではないか。見ると50歳過ぎの初老の男と、統一教会信者風の若者と、あと1人全く年齢不詳の男（若いのか年を食ってるのか本当によくわからなかった）が、その赤旗のもとに参集しているではないか。集会には元共産党系の「労働ロシア」や「ロシア共産主義労働者党」、さらに右派のプリンスといわれるバブーリンなどが加わっている「国民救国戦線」なども参加していたのですが、一体何でこんなところに「革マル派」がいるんだろうか？　もちろん記者会見なんか開ける状況じゃなかったので救われましたが、実に摩訶不思議な見てはいけないものを見てしまったという感じでした。

＊　＊　＊

見てはいけないもの、で思い出しましたが、今、旧共産党時代には見てはいけないものだった古文書を発掘する作業をやり始めています。これは結構面白い。古文書といっても、ＫＧＢや旧共産党のアルヒーフに所蔵されている第2次世界大戦前後の日本関係文書ですけど、何というか、日ソ（日ロ）関係の原点とか、日本という国家にとっての戦後処理とは何なのかという、そのおおもとのところが、薄皮が剝がれるみたいにはっきりしてくるようなところがあって、じっくり時間をかけて没頭するだけの価値があると思うんですけどね。ところがその種の作業は社会主義ソビエトの崩壊後は、チャンスが増しているにもかかわらず、学者の間では不人気なようです。わずかにマスコミの間で、例の『週刊文春』の野坂参三の同志密告の手紙の発掘とか、岡田嘉子のスパイの汚名を晴らしてくれという嘆願書とか、日本の野党政党のソビエト共産党への献金要請の文書とか、要するに雑誌の見出しになりそうなテーマを摘み食いしたような形でしか紹介されていない。

いや、これらの作業もなされただけまだマシなのかもしれません。旧ソビエトのアルヒーフは「宝の山」だと思います。ソビエト共産党中央委員会のアルヒーフの担当者が話していましたが、ヨーロッパ各国（特にドイツ）は、研究機関あるいは政府レベルで歴史資料を熱心に収集しているのに、日本はわずかの人しかやって来ないと言っていました。それもソビエト消滅直後の2～3カ月はわりあい来ていたが、最近はとんと見かけないとか。

日ソ関係の古文書をひもとけば明らかになるかもしれないナゾというのは、まだまだたくさん残っていると思います。例えば、戦後日本に天皇制が残ったことについて、ソビエト側は日本の軍部や共産党との間でどんな見解のすり合わせをしていたのかとか、国際共産主義運動、特にコミンテルンの中での日本人たちの活動ぶりとか、日本の公安警察が「スパイ事件」として摘発した出来事の内実がどんなものだったのかとか、シベリア抑留関係の資料とか、まだ公にされていない資料がいっぱいある。

先日、日本から我が敬愛する常石敬一教授がはるばるモスクワにやって来て、幾つかのテーマで資料を探したのですが、やっぱり探せば出てくるもんです。興味深い資料を入手しました。その資料入手に絡むエピソードを幾つか。

ロシア社会の金まみれぶりには閉口するばかりですが、こうした古文書を収蔵しているアルヒーフの担当者の中には、資料を金で売って私腹を肥やしている者がいることは公然たる事実です。こちらの実情を知らない人が日本からやって来て法外な金額を支払って文書を入手して帰り、それをどこかに載せるという現実が残念ながらあるわけです。確かにアルヒーフの職員たちの給料は安くて、とても生活が苦しいようで、施設自体も荒れ放題。ある資料を請求したら、1台しかないコピー機のトナーが切れていて入手できないから何とか買ってもらえないかと逆に懇願されてしまいました。やむなくトナーを寄贈しましたが、ことほどさように古文書の保管施設はひどい状態に置かれています。

調べている資料の中に関東軍とソビエト軍首脳との敗戦処理に関する資料があるんですが、その関連でロシア人のあるジャーナリストから2枚の写真を見せられました。関東軍兵士から押収したらしい、というその写真は、日本軍将兵が中国人を処刑しているシーンを撮ったものでした。日本軍将兵が整列する中、大きなカッター（その昔学校にあったあのワラ半紙なんかを一遍に束でカットするのと同じ型を大型化したもの）で、中国人の首を刃の下に挟んでまさにカットするシーンが1枚。もう1枚も同様のシチュエーションで日本の将兵が日本刀で中国人の首を一刀両断（いっとうりょうだん）した瞬間を撮ったものでした。そんなものを見せられて胸が悪くなったのですが、こうした戦争の狂気を記録したものがいまだにモスクワから出てくることに重苦しさを禁じえない、というか、適切な言葉が見つかりません。「カチンの森事件」の全資料がロシア政府からポーランド政府に引き渡され、年内には朝鮮戦争に関する資料が韓国政府に引き渡されようとしているのに、日本政府は相変わらず北方領土の方を請求し続けるんでしょうね。

＊　＊　＊

ソウルは3度目。1988年以来4年ぶりでした。エリツィンの韓国訪問の同行取材です。プレスセンターが開かれ、エリツィン一行も泊まっているホテルのロビーをぶらぶらしていたら、懐かしい顔と出くわしました。駐韓ロシア大使のパノフ氏で、東京やモスクワでも何度か会ってきた人物です。おっとりしているようで実はなかなかきめの細かいところまで考えている人だと思っていました。もともと日本の専門家で、日本語がペラペラ。今年日本で出版された『不信から信頼へ』(サイマル出版会)という本でも過去の日ソ交渉の内幕なんかで結構面白いエピソードを紹介したりしています。

「やあ、お久しぶりです」「エリツィン大統領の訪問のご成功おめでとうございます。準備が大変だったでしょう」「ハイ。大変でした。もうモスクワは慣れましたか?」前日の首脳会談の最後に、エリツィンが例の「大韓航空機撃墜事件」のブラックボックスと交信テープを直接持参して盧泰愚(ノテウ)大統領に手渡すという演出があったので、「あれはパノフさんのアイディアでしょ?」と水を向けると「ええ直前まで相手に伝えなかったね。サプライズ1つくらいないとね」とおどけてみせました。「それにしても日本の外務省もちょっと困っているんだと思いますよ。今の日ロ関係の状態はね」と切り出すと、彼は「私を日本担当から外したから悪いんですよ」と笑っていました。そこへその日公示された韓国大統領選挙の最有力候補者、金泳三（キムヨンサム）氏がすたすたと入ってきて、パノフ氏は出迎えの握手をしてエリツィンの待つＶＩＰルームへと連れていってしまいました。

今回のロシア代表団というのが、また、大デレゲーションで経済界（？）の１２０人余りを含む１５０人近い規模。警備とかも含めると２００人近くになったんじゃないかと思うんですよね。何人かの側近は夫人を連れてきてました。そのホテルの20階以上はロシア代表団のためにあてがわれ、ちょっと見てきたんですが、廊下にはルームサービスを食い散らかした跡が点々とあって、ロシア人の警備がやたらと突っ立っている。一体誰から誰を護（まも）っているんでしょうか。無駄だ。

プレスセンターのすぐそばの宴会用レストランはロシア代表団の高官専用の食堂になっていて、ここで彼らが朝食・昼食・夕食とガヤガヤ集まってワインなんかを飲みながらむしゃむしゃ食事しているのを見ると、この人たちは一体何をしに来たんだろうな？と素朴に感じてしまうわけでした。費用は全部韓国側の負担でしょうが、うまみにありつく本能というのはソビエト時代の党官僚とちっとも変わっていないじゃないか、と思ってしまうわけです。

ロシアのマスコミは全部で30数人がチャーター機などでやって来ました。彼らは到着するやプレスセンターにどかどか入り込んできて、日本や欧米のメディア各社が臨時に架設した電話とかファックスを当然のように使い始めるわけでした。それで日本人記者らが慌てて会社名を書いた紙を電話やファックスにぺたぺた貼りだすという、これまたセコい場面もありましたですね。何人かの知らないロシア人ジャーナリストが僕に話しかけてきました。大体が電話を借り座席を確保するためです。そう、彼らは逞しい。そして厚かましい。それはそれで仕方がないという面もあるのです。本当のことを言えば電話を各社ごとに架設するなんて無駄なことも確かです。

訪問2日目の夜、プレスセンターのテレビの前にはたくさんの韓国人たちが群がって真剣に画面に見入っていました。もちろんエリツィンと盧泰愚の共同記者会見を見ていたのではありません。プロボクシング世界ライトフライ級のタイトルマッチの試合が中継されていたんですが、チャンピオンの日本の井岡弘樹と韓国の挑戦者が戦っているのでした。すごい応援ぶりなんですね、韓国の人たちは。プレスセンターの広報担当者も仕事を忘れて真剣にテレビ画面を見ている。パンチが井岡に入るたびに、彼らから「うっ、うっ」と声が出る。結局試合は韓国の選手が判定勝ちでタイトルを奪取したんですが、そのときはプレスセンター内に大きな拍手が沸き起こりました。

在ソウルの某紙の特派員氏と話したら、バルセロナ・オリンピックの男子マラソンのときはもっと凄まじかったと言っていました。それでその優勝したランナーというのは会社から「永久幹部」(?)とかいう大変な地位を与えられたと言うんですね。「彼はね、日本人を抜いて優勝したことに意味があるんですよ。これが逆だったら彼なんかソウルじゃ暮らせませんよ」なるほどね。そう言いながら、僕は、バルセロナの女子マラソンの方は、日本の有森裕子(ありもりゆうこ)を押さえてロシアのエゴロワという女性が優勝してたな、と思い出しました。ともにマラソンで日本を押さえた韓国とロシアが今こうして握手しているんだな、そんなこじつけをぼんやりと考えていました。

エリツィン訪問の最終日3日目は共同記者会見が行われ、僕は夕方のニュースに追い込むため、今回の訪問のまとめレポートを慌ただしく撮り終え、ソウル支局の運転手兼照明係兼音声係兼通訳兼コーディネーター兼編集者のミスター・ムンにVTRテープを手渡しました。ミスター・ムンは実によく働く人で、人柄もいい。大体何でも自分から仕事をかって出る。指示されない限り自分から進んで仕事を見つけるなんて絶対にしないロシアの人たちとのこの違い。そんなボヤキも出てしまいます。プレスセンターからテープを伝送するMBC(韓国文化放送)までミスター・ムンは道路を逆走したり交通違反を繰り返しながら必死でテープを届けたわけです。ところがその日の夕方のニュースはボツ。夜のニュースからも嫌われて力が抜けてしまいました。

*　　*　　*

もうすぐ師走。今年も終わりです。支局に送ってもらった大量のカレンダーを仕事相手に配ったり、クリスマスカードの発送なんかも早めにやらないと、また出しそびれてしまうなあ、などと思っています。

エリック・サティの『世紀ごとの時間と瞬間の時間』の中の小曲のタイトルに『花崗岩的な狂乱』というのがあって、そのタイトルがひどく気に入っているんですが、そう、つまらぬことで「花崗岩的な狂乱」に陥るのはアホらしい、と思うくらいの逞しさ、強さ、力を身につけることだ、と考えています。ではお体に気をつけて。さようなら。

（ソウルからの帰途。11月22日記）

時は流れ人はまた去る。思い出だけを残して

1992年12月

前略。今年もあと5時間ちょっとで終わりです。今、誰もいない支局で1人でワープロをたたいています。明日1月1日はソチで行われる米ロ首脳会談の取材のために昼過ぎにモスクワを発つ予定です。今年はしんどい1年でした。仕事の面でもプライベートな面でもこれくらいしんどかったのは記憶にありません。といっても、人間の記憶装置というのは、自分に都合の悪い部分をどんどん抹消していくので、もっとひどい年があったかもしれません。この手紙をどうしても今年中に完結させたいという思いが強く、こうして書き始めています。

* * *

12月の前半は人民代議員大会でちょっとした波乱が見られたので、そっちの方に没頭していました。といっても今から見ると別にどうということもない、ロシア的事大主義の権化の片棒担ぎをやったわけです。人民代議員大会などという旧ソビエトの残滓に振り回されている限り、この国の「急進的な改革」などありっこないな、というのが結論です。途中、エリツィンが「国民が大統領を支持するのか大会を支持するのか国民投票で決めよう」と言って議場で支持代議員たちに退席を呼びかけたときは、クレムリンで

間近に見ていて「よしっ！」などと思ってしまったのも事実です。ところがその後あっさりとハズブラートフらと妥協し、ついにはガイダールを首相にし損ない、チェルノムイルジンという煮ても焼いても食えそうにない男を首相に据えてしまった。一瞬なりともエリツィンに期待をかけた自分が恥ずかしいという気になってしまいました。ま、関係ないか、よその国のことだから。この国の権力者のゲームがどうなろうと。

12月12日のハズブラートフとの妥協のための第1回目の話し合いの終わった後、クレムリンで記者団の前に出てきたとき、エリツィンは酒を飲んでいました。ほっぺたが紅潮していて、それを撮影していたロシア人カメラマンが本能的に察知したのか、顔にアップで寄って撮影していました。これじゃダメだな、と思いましたですね。こんな大事なときに酒飲んでちゃね。

それにしても大統領と議会勢力の妥協工作の仲介をしたのが憲法裁判所のゾリキンという長官なんですが、一体この国の三権分立というのはどうなっているのか、と思ってしまいます。日本の三権分立の現状もかなりひどいけど、ロシアほどメチャクチャではないな、と思ってしまいました。あのままエリツィンが国民投票まで突っ込んでいくことはできなかったんだろうか？　そんな思いをロシア人にぶっつけても、「そんなことをしてはいけません」「国が壊れてしまいます」というネガティブな反応しか返ってこないので、そうか自分が勝手に思い込んだだけだったんだな、と醒めてしまいました。

12月15日。新首相に選ばれたチェルノムイルジンの初めての記者会見というのに出かけていってみましたが、会見が終わった後、記者たちは「何だかブレジネフ時代に戻ったような気がするよな」と口々に漏らしていました。つまりよく喋るけれど内容が全然ない。党の綱領を延々と聞かされてるみたいな。顔はちょっとマーロン・ブランド風で重々しくはあるけれども魅力が全然ない。これは僕の偏見が多分に作用しているのかもしれません。チェルノムイルジンという名前も変わっていますが、ロシア人たちも、ありゃあ「チェルノモールジン」(「黒いツラ」というスラング交じりの言葉)だぜ、とか「チェルノムージン」(「黒い玉」という、これも一種猥褻(わいせつ)な意味を込めた言葉)だとか、名前をいじくって遊んでいました。

*　　　*　　　*

チェルノムイルジンが新首相に選出されたその日、夕方の『ニュースの森』に間に合わせるため、衛星回線を使って東京に映像を送るべく作業をしていたのですが、なぜか支局と通信省の間のマイクロ回線が全然つながらない。「どうしてつながらないの?」「わからない。通信省は全然信号を受信していないと言ってる」「ええ? もう時間がないしね。一体全体どうなっちゃってるんだ?」支局が大混乱してる時に限っていろんな雑件の電話がたくさん入ってくる。

技術担当のヴォロージャが屋上に上がってマイクロ送信機を見てくると言って出ていきました。どうせまた、通信省のスイッチングミスか何かに違いない。そんなふうにたかをくっていたら、ヴォロージャがびっくりした表情で屋上から駆けおりてきたのです。「ウクラーリ！（盗まれた！）」と言ってるんです。「ええっ！　何が盗まれたの？」まさかその時点でマイクロ送信機が盗まれてたなんて想像できなかったわけです。屋上の鉄骨で組んだ塔の上に取り付けられていたマイクロ送信機2基が、きれいにかっぱわれていたわけです。それもご丁寧にカバーのネジを外してコネクター部分からカッターで丸ごと切られて持ってかれちゃってるわけです。「ほえー!!」思わず絶叫してしまいました。なんちゅうことをするんだ！　手口から言って明らかにプロの犯行であることは間違いない。あんなものを盗んでいくなんて。2日前の土曜日深夜、東京にマイクロ伝送したばかりで、おそらく前日の日曜日、泥棒氏は屋上に登って雪の中（日曜日は冷え込んで雪が降っていた）、せっせとネジを外して「作業」をしていたに違いないのです。

特注品なので、もちろん値段は高い（900万円也）。それにスペアがないので発注してから出来上がるまでに3カ月半もかかってしまうということでした。全く信じられないことがよく起こるものです。これも「持っている者」に対する「持たざる者」の権利でしょうか。僕らがこの泥棒の被害に遭う数日前、実は日航モスクワ支店の金庫が夜間何者かにガスバーナーで破られて、中に入っていた現金4万8000ドルと130万ルーブルを盗まれたという話を聞いていて、「あそこはお金あるもんなあ」と冗談を飛ばしていたのでした。

僕らの支局に警察から刑事がやって来てヴォロージャとともに屋上へ上がり、現場検証をして何やら調書のようなものを作って帰っていきました。「まあ、見つかんないだろうな」。自嘲気味に言うと、「KGBの強かった時代なら見つかったかもしれない」とロシア人スタッフが真顔で言うので「こりゃダメだ」と諦めました。そう言えば、日航モスクワ支店の事件は後日談があって、事件の捜査のために日航の事務所にも刑事らがやって来て調べていったそうなんですが、その際、支店の机の上に置かれていた書類と現金（200ドル）がなくなったそうです。一体誰を信じたらいいんだい？ そうボヤく声が伝わってきました。

＊　　＊　　＊

それでは、みなさん。お元気で。さようなら。ロシアより愛をこめて。1993年まであと2時間45分を残した支局で、突然米ロ首脳会談の会場がソチからモスクワに変更になったというニュースを聞きながら。

1993

1月2日 ● 米ロ首脳会談（モスクワ）
2月14日 ● リトアニア大統領選挙でブラザウスカス当選
3月20日 ● エリツィン、特別統治に関する大統領令
4月3日 ● 米ロ首脳会談（バンクーバー）
4月14日 ● エリツィン、G7サミット前の訪日発言
4月25日 ● 新憲法と議会選挙のための国民投票
5月1日 ● メーデーのデモ、流血の事態に
5月5日 ● エリツィン、再度訪日延期
7月8日 ● G7東京サミット出席のためエリツィン来日
8月25日 ● エリツィン、ポーランド、チェコなど歴訪
9月3日 ● エリツィン、クラフチュク、黒海艦隊問題で会談（マッサンドラ）
9月15日 ● **マイケル・ジャクソン、モスクワ公演**
9月21日 ● エリツィン、議会の機能停止を発表
ルツコイ、大統領代行就任を宣言
議会支持派の市民等が最高会議ビル周辺に集まる
9月24日 ● エリツィン、最高会議ビルの武装解除を命令
9月25日 ● 最高会議ビルの電気・電話などカットされる
10月2日 ● 外務省前で議会支持派市民と警備陣の衝突
10月3日 ● 「血の日曜日」。議会支持派市民、最高会議ビル突入。銃撃戦
ルツコイ、オスタンキノＴＶ、市庁舎攻撃を呼びかける
オスタンキノＴＶ前で銃撃戦。旧コメコン・ビル陥落。軍の投入
10月4日 ● 最高会議ビルへの戦車による発砲、炎上
10月6日 ● レーニン廟の衛兵廃止
10月12日 ● **エリツィン訪日。同行で一時帰国**
10月17日 ● ロシア、日本海に核廃棄物を投棄
11月30日 ● **支局助手セルゲイ、ドイツに出発**
12月12日 ● 新議会選挙、ジリノフスキー旋風
12月16日 ● **東京に一時帰国**

トルコにおける「ナターシャ」の問題、あるいはヴィソツキーの叫びは止んだか？

1993年1月

1月4日（月）。曇り。今日から性懲りもなく、またまたモスクワでの特派員生活を中心に雑文を書き散らしていこうと思います。全く性懲りもなくです。今回は日記形式にすることにします。他人の日記を読む面白さの1つに、書いた本人が意識していない瑣末な事項が第三者には存外に面白いということがあります。瑣末な事実、例えば今日何を買ったかとか、昼飯のメニューがうまかったとか、誰それと喧嘩をしたとか、お金がなくて困ったとかいう呟きなんかが結構面白いんですね。

ずっと以前読んだ『つげ義春日記』の中に、日々の細かなお金の出納が記されていて何とも奇妙な実在感を抱いたことを思い出しました。何ということのない日々雑記の中の断片が心に引っかかってくることがあります。そんなひっかかりが、この雑文を読まれた方の心のどこかに生まれることを祈りながら、例によって勝手気儘に書き継いでいくことにします。

＊　＊　＊

昨日までのＳＴＡＲＴ２（第２次戦略核兵器削減条約）調印のイベントが済んで、今日は比較的ヒマ。クレムリンで行われた調印式でのエリツィンの尊大な態度が思い出されるばかり。ブッシュもかなりイラついていた。調印が済んだ後の乾杯の間の悪さ。エリツィンはブッシュを無視したような態度だった。その後の記者会見でもエリツィンは延々25分にわたって長広舌を振るい、ブッシュをイラだたせる始末。尊大なイメージがどうしてもエリツィンにはついて回る。エレガンスとか洗練という言葉とは無縁の人物だ。ゴルバチョフはそこのところをうまく立ち回っていた。だから未だに西側では人気があり国内では憎まれている。もっともエリツィンにコケにされたブッシュにしたところで、己れの最後の業績に執着して、ソマリア、モスクワ、そして仕上げにパリで晩飯を食うという性急な外交ツアーは醜悪な印象しか残さない。

今日は振替休日。それに7、8日も休み。9、10は土日だから、何だかんだで1月は11日まで仕事にならない。働き蜂の僕ら日本人にとっては「一体いつ働くんだい？」と皮肉を言いたくなるような気もする。昼は自宅に戻って昨夜のカレーの残りを食べる。そこへ週3回お手伝いに来てもらっているアーリャから電話が入った。泣き声だ。大変なことを知らされた。彼女の30歳になる息子が心臓発作で急死したというのだ。秘書のガーリャおばさんと一緒に急いでアーリャの自宅へ駆けつけた。車で支局から30分ほどのところにあるアパートを探し当ててようやくアーリャに会うと、すっかり憔悴（しょうすい）している。暗い部屋に親族が5人集まっている。言葉もない。嗚咽（おえつ）だけがある。正月休みに加え、葬儀費の暴騰で葬儀場へ向かうバスの手配がつかず、準備もままならないということだ。8歳の娘がいるらしい。ロシアにそんな習慣があるのかどうか知らないが「香典」を置いてアーリャ宅を辞去する。

ガソリンスタンドがどこも休みだ。車のガソリンがもう残り少ないので心配になり、プリペイドカード専用のスタンドに行ってみる。営業していた。10分ほど並んで満タンにして帰る。あしたからドイツ経由でトルコに旅行に出かける。

1月11日（月）。晴れ。トルコ旅行に来てよかった。イスタンブールはなかなかいい街だ。アジアとヨーロッパの接点に位置しているだけあって、時間的にも空間的にも何か街全体のスケールの大きさを感じる。昨日、ガイドのシベールから勧められたのと、沢木耕太郎（さわきこうたろう）の『深夜特急・第三便』の中に出てくるのとで、今日は、エミノニュの船着場から出ている遊覧船に乗ることにした。ボスポラス海峡を黒海に向かってゆっくりと進む船は快適だ。料金も安い。船室の中ではしきりに飲み物や地図、葉書の類を大きな声で売りに来る。モスクワでは忘れてしまっていたその「うるささ」が心地いい。デッキに出ると、ボスポラス海峡を渡る風と日のひかりが注ぐ。こういう時間の過ごし方を忘れてしまうんだよな。一時間半弱でシベールから教えられたとおり、サリエールという小さな町で下船する。町中を散歩して、そこで何ということもなしに歩いている高校生（中学生かな？）たちの表情の明るいことといったら。レストランで家人と魚を食べた。海辺に面したテーブルに座り窓からぼーっと海を見ていると、カモメがたくさん寄ってくる。ロシアの外に出るといつも感じるのだが、モスクワとの時間の流れの違いに最初は少し戸惑ってしまう。あのロシアの「停滞感」は何なのだろうか。いや、「停滞」しているのはモスクワにいるときの自分だけなのかもしれないが。

きのうガイドのシベールが話していたが、黒海を挟んで旧ソビエトと向かい合っているトルコ北部の幾つかの港町には、今ロシア人の若い女性が大挙して「出稼ぎ」にやってきて1カ月ほど滞在して金を貯(た)めて本国に帰っていくという現象が見られるそうだ。社会問題になっているという。シベールがたどたどしい日本語で「ショーバイオンナ」と彼女たちのことを言ったので、何かハッとしてしまった。彼女ら、つまりロシアから来ている「ショーバイオンナ」は、トルコではみんな「ナターシャ」と呼ばれているそうだ。そういえば、中国のハルピンや上海(シャンハイ)の外資系ホテルのロビーにも、そういう「ナターシャ」が出現しているという話をどこかで聞いたことを思い出した。

1月12日（火）。今回のトルコ旅行に持ってきて読んだ本のうち、マリナ・ヴラディの回想録『ヴィソツキー』（リブロポート）には感動した。いくつも泣かされる箇所があったが、最後の方に日本人が登場して来るシーンがある。この日本人は一体誰だったんだろうかと興味を持ってしまった。ヴィソツキーの死後、パリで未亡人となったマリナ・ヴラディのもとに突然見知らぬ日本人から電話が入る。東京でヴィソツキーの曲を初めて聞いて感動したというその日本人は、思い余ってパリのマリナ・ヴラディを訪ねてきてしまうのだ。その日本人の性急さがとても共感できて可笑しいのだ。マリナ・ヴラディはこの男のことを心温まるエピソードとして記述している。そういう馬鹿なことをやる日本人がいるのがいい。

1月14日（木）。支局を留守にしていた間の日本における最大のニュースは皇太子の結婚相手が小和田雅子さんに決まったことらしい。日本は大変な騒ぎだったという。ワシントンポストに「抜かれて」、慌てて例の報道協定を解除したそうだ。

1月18日（月）。アメリカによるイラクへの空爆に対してロシア外務省の「憂慮」声明。一体ブッシュは退任直前に何でまたこういう強硬措置をとるのか。「殺すな！」というのがベトナム戦争の唯一の教訓として継承されなければならなかったのではなかったか。今や超大国の座をすべり落ちたロシアが何を言おうと何の影響力もない。アメリカを押しとどめる勢力は国際政治の場にはない。

1月20日（水）。夜、スタニスラフスキー・ドラマ劇場でピョートル・マモーノフのコンサート。モスクワのロック・シーンでこれだけのものが観られるとは。マモーノフのステージはロックコンサートが今日で2回目。あと演劇も一度観たが、何とも暴力的、視覚に訴える力が並みの技量ではない。どこかで紹介できないものか。映画『タクシー・ブルース』で好演していたので、全く無名というわけではないと思うが、日本じゃやっぱり難しいかな。

1月22日（金）。『ヴィソツキー』に登場した日本人のことがどうしても気になり、リブロポートに問い合わせる。パリの版元の担当者を親切にも細かく教えてくれたのでパリ支局にお願いして、マリナ・ヴラディ本人に確かめてみようと思う。『ヴィソツキー』

が悲痛なのは、彼がヨーロッパやアメリカに外遊した時の受容と拒絶の入り混じった、一種アンビヴァレントな反応がわりと素直に書かれていることだ。もちろんマリナ・ヴラディの目を通してではあるのだけれど。ヴィソツキーは当時のソビエト社会の「奇形性」というか「閉鎖性」を外に出るたびに思い知らされてしまう。しかし彼の歌は、そのソビエト社会の「奇形性」と「閉鎖性」ゆえにソビエトの人々に愛され歌い継がれるという一種のパラドックスがある。そのことにも彼は気づく。そういう時多くのロシア人は、「奇形性」と「閉鎖性」に支配された矛盾だらけのソビエトを見捨てることができない。映画監督の故タルコフスキーが『ノスタルジア』のテーマとして語っていた「祖国を遠く離れているロシア人に起こる、われわれの民族に特有の、あの精神状態」というのが何となくわかる気もする。「(ロシア人は)悲劇的なまでに同化能力が欠如しており、外国の生活様式を受け入れようとする彼らの努力はぶざまな愚行に終わることを、だれもが知っている」(タルコフスキー『映像のポエジア』キネマ旬報社)。ヴィソツキーがアルコールと麻薬に溺れながら発していた「叫び」は、今のロシアではもう無意味になったか? 僕には依然としてあの野太い声がモスクワには似合っているような気がする。そしてその叫びをもたらした背景もますます切実になってきていると思う。

1月27日(水)。東京は宮沢りえと貴花田(たかはなだ)の婚約解消記者会見でまたしても大騒ぎだという。日本は平和だ。モスクワではルーブルが日に日に暴落して、対ドル換算率が昨日は何と1ドル=568ルーブルになってしまった。ルーブルは紙屑(かみくず)になるばかりだ。

もう闇の両替屋は580ルーブルくらいのレートで替え始めている。もう誰もルーブルの価値なんか信じちゃいないのだ。支局の現金が底をついてきた。何とかしなければ。

1月28日（木）。『ニュース23』の第2部で「世紀末モスクワを行く・パート4」を作ろうと思い、いろいろ考えたが、この冬の雰囲気を伝えるキーワードとして「ナショナリズム」と「排外主義」を選べないものかと考える。さっそくイラクに10人の義勇兵を送ったロシア自由民主党の党首ジリノフスキーに会いに行く。古ぼけた幽霊屋敷のような党本部のある建物は、しかしモスクワの一等地にあり、訪ねていくと結構な人数が詰めていた。入口には「サダム絶対支持！」のスローガンが貼ってある。インタビューの最中、ジリノフスキーは興奮して「日本に原爆を落としてやる」などと凄んでいたが、かなり激しやすい性格であることがわかった。こんな人物が権力を持ったらそれこそ大変なことになると思ったが、2年前のロシア大統領選挙では、エリツィン、ルイシコフに次いで第3位の得票を得ていた。まあ、ロシアの赤尾敏（あかおびん）という感じ。不思議なのはモスクワっ子たちがジリノフスキーのことをそれほど危険人物だとは思っていないことだ。むしろ、親しみみたいな気持ちを持っている節さえもある。「あのジリノフスキーが何かしでかした」「あのジリノフスキーがこんなことを言った」「あのジリノフスキーがサダム・フセインと握手した」と笑いながら言う。

夜はモスクワ市内をカメラマンのミーシャと見て回る。冷え込みが厳しく、ようやく冬本番という感じだったが、市内の人通りの多い場所には、この寒さの中、ものを売る市民が並んでいる。ソーセージや牛乳、はたまた要らなくなった家財道具などを手にして、手に白い息を吐きながらじっと立っているのだ。圧倒的におばあさんが多い。このハイパーインフレのもとで市民の生活は確実に圧迫されている。ミーシャがカメラのライトを点けると一斉に顔を隠して逃げてしまう。ノーライトで撮影。

パリ支局から電話が入り、マリナ・ヴラディから返事が返ってきたとのこと。結論は、確かに本に書いたとおり当時日本人が訪ねてきたが、名前なんか尋ねなかったとのことだ。そうだよな。名前なんか尋ねる必要はないものな。名前にこだわっていた自分が何だか恥ずかしくなる。

1月31日（日）。夜、支局に出る。支局のロイター通信のチッカー（配信装置）がよくこわれる。きのうから全く動いていない。こういう時に限って何かが起きている。タス通信を見ると、エリツィンの暗殺未遂事件があったようだ。極東ロシア軍の33歳の少佐が27日に逮捕されていたようだが、その手口の稚拙さよりも動機の方が興味を引く。タス通信なので、どこまで本当か怪しいが、この少佐は「エリツィン暗殺は市民としての責務であり、社会主義の大義に貢献するものだ」とか言っているという。手製の爆弾も作っていたらしい。完全な政治テロである。この間、トルコ旅行のとき読みさしだったロナルド・ヒングリーという人の書いた『19世紀ロシアの作家と社会』の中にたくさんの政治テロリストたちが出てきたのを思い出した。ロシアの歴史はもともと数多くの政治テロリストを輩出している。そういえば皇帝アレクサンドル2世暗殺で公開処刑された人間たちの中に、１人だけソフィア・ペローフスカヤという女性がいたこともその本で知った。彼女は県知事の娘で、女性で初めて公開で絞首刑に処されたという。

バルトは前進する、あるいは、停滞と変化

1993年2月

2月1日(月)。今日は長く、そして忙しい1日だった。どういうわけかイヤーな夢を見て、朝早く目が覚めてしまった。午前5時を少し過ぎたくらい。そのままま眠ればよかったのに目が冴(さ)えて起きてしまった。外はまだ薄暗い。窓の外を見ると、向かいの朝日新聞の支局の電気だけが点いている。

せっかく朝早く起きたからには「朝7時半までに来い」と言われているアメリカ大使館に行ってIビザ(報道関係者ビザ)をとってこようと、一念発起して出かけた。アメ大の領事部の前にはすでに30人以上の行列ができていた。やれやれだ。7時30分を5分ほど過ぎたところでようやく中に入り、ビザの申請書類に書き込む。あっという間に領事部の部屋は50人ほどの人でいっぱいになった。当たり前ながらほとんどが旅行に出かけるロシア人だ。ところが書類の提出窓口が1カ所しか開いていない。そして最悪なことに、その窓口に提出する人の順番を決めるルールが全く何もないのだ。列があってないようなもので、太った無神経なおばさんたちがどんどん他の人を押し退けて窓口に殺到する。30分以上並んでいて、さらに前の方におばさんたちがどんどん割り込んでくるので、たまりかねて「みんな並んで待っているんだ」と言うと、そのおばさんたちは「前に並んでいる人に頼んでおいた」とか何とか言って絶対にどこうとしない。こういうつ

まらないことに腹を立てては損だと思いながら、胸のあたりのつかえがおりない感じに苛まれた。

結局、この書類を提出するまでに3時間あまりかかり、午後4時以降に領事部にパスポートを取りに来いと言われる。それにしてもロシア人が外国に出るのは今もって大変なことだ。

ロシアのテレビで毎日のように放送されている「パナソニックさん」のテレビCMをつくったタタールスキーの取材。とても面白かった。「この日本人のステロタイプはちょっとヒドいじゃないか、人種的偏見があるのではないか」と突っ込んだが、相手も負けてはいない。いろいろ話しているうちにタタールスキーは、自分がユダヤ人でありユダヤ人のカリカチュアが保守系新聞に出ると腹が立つと告白したが、自分が作った日本人のキャラクターには何も偏見がない、と言い張った。

2月2日（火）。午後1時から愛国団体パーミャチの取材。面白かった。国際郵便局に荷物が届いているので取りに行くと、去年の12月中旬に東京外信部から発送された定期郵便物だった。そのうちの1つは封筒が破られ、中のサインペンが抜き取られていた。こういう小さなことで気が滅入ってしまう。どうして盗むのか？　山田花子『花咲ける孤独』（青林堂）読了。この絶対的な孤独感。弱い奴、ダメな奴、遅れている奴へのこの徹底したこだわり。偽善を排するこの凝視。

2月9日（火）。朝9時、支局に出勤する時、ふと見ると、ミリツィアのボックスの前の駐車場の一画（10台分くらいのスペース）に突然、紐が張りめぐらされている。どうやら、その一画だけを有料駐車場にしようということらしい。突然何の予告もなしにだ。囲い込みだ。やることが乱暴だ。すでにドブルイニンスカヤなどの外国人ドームのある一画では、駐車場が一方的に有料化されているという。これからその紐で囲まれた一画の外に停めてある車に何かトラブルが頻発するかもしれない。こういう思考法で固まってしまうのはイヤだな。

エリツィンが憲法委員会で演説して、やっぱりというか、国民投票の凍結を言い出した。大騒ぎして結局何も起こらず何も変わらないといういつものロシア的事大主義のパターンだ。憲法裁判所のゾリキンという男は一体何なんだ。去年の人民代議員大会の時も、政治的緊張が高まるごとに介入してきて「妥協」を説いて回る。対立をいつも回避させようとする男。それが司法権の長だというんだから、三権分立などあったもんじゃない。憲法裁判所長官が憲法違反をしまくっているのだ。

2月11日（木）。快晴。ガーリャさんと朝から銀行支払い。銀行の日は半日つぶれてしまう。こういう天気のいい冷え込んだ日は気持ちがいい。車を運転していてフロントガラスから眩しい日の光が入ってくる。こういう時は、「マロース・イ・ソンツェ／ジェーニ・チュジェースヌイ」（凍てつく寒さと陽の光、なんと素晴しい1日）というプーシキンの詩（「冬の朝」）の一節を口ずさむのだそうだ。こちらの人にとって、プーシキンの詩の一節を諳んじるというのは常識に近いようだ。銀行ではいつものように苛立つ。モスクワの銀行は銀行であって銀行ではない。カフカ的不条理の世界だ。これはいくら説明してもわかってもらえない。今日は100ドル紙幣にわずかな書き込みがしてあるというので受け取りを拒否された。ウィーンの銀行からおろしてきたばかりのキャッシュなのに、ここではこれがキャッシュとして認められないのだ。

エリツィンとハズブラートフのトップ会談、夕方からクレムリンで。結論は持ち越しになる。

2月13日（土）。今日も快晴。こういう天気だと心も晴れるが、今日はいろいろ厄介ごとの処理をしなければならない。昼前、例の囲い込みされた駐車場の一画に突然鉄骨の枠組みが出来上がっている。噂どおりの車のパーツ販売店ができてしまうのだ。そのやることの速いこと。紐で囲い込みをやってから1週間もたっていないのに。モスクワは今、原初的蓄積の時期にある。マルクスの資本主義分析は正しい。夜、リトアニアへ向かうため、シェレメチェボ1空港へ。2年あまり前、例の「血の日曜日事件」以来のリトアニア。あの時と違ってリトアニアは今は「外国」だ。だから国際線の便ということで税関申告書をスタッフ全員書かされる。飛行機を見るとＬＡＬという文字。ヤーコブレフ40という古い機種だが改装してありアエロフロート機と比べて清潔感がある。2時間弱の飛行でビリニュス到着。意外に寒い。タクシーの運転手が明日の大統領選の投票ではブラザウスカスに入れると言っていた。ランズベルギス政権になってから物価は上がるし日常生活は苦しくなる一方でいいことは何もなかったと言っている。

2月15日（月）。リトアニアのビリニュス3日目。ブラザウスカス大統領当選。結果が入ったのが今日の未明で昼ニュースに電話レポートを入れる。眠い。以下、昨日のこと。昨日はワサワサした1日だった。ブラザウスカスの投票風景の撮影後、市内を回ってみたが、最高会議前で老婆にインタビューしたら、これがロシア系の人。「独立」を呪うことばを吐いた。そこへリトアニア系の老婆が通りかかり、「やめろ。私たちはずっと我慢していたのよ！」と吐き捨てるように言い置いて通り過ぎていった。そのリトアニア系の老婆の後を走って追いかけて話を聞くと、今度はその老婆が独立がいかに尊いものであったのかを涙を流しながら切々と語る。どちらの言葉も真実に違いないのだ。

2月16日（火）。ビリニュスから夜行列車で午前8時過ぎラトビアのリガ着。ホテルで1時間ほど仮眠の後、市内取材。ラトビアは想像以上に中世ヨーロッパの面影を残している街だ。石畳の街並みが美しい。ビリニュスに比べてもっと文化の奥行きみたいなものを感じさせられる。未明、国境越えの際、列車の中で臨時検札でたたき起こされたものだから、寝不足気味。同行のカメラマンのミーシャはリガに詳しく、うまいレストランに案内してくれる。リガ大聖堂の荘厳さに圧倒される。こりゃあ、社会主義イデオロギーなんかじゃ絶対倒れない強固なキリスト教文化圏が残っているわい、と実感。中世ドイツ騎士団の雰囲気か。ヨーロッパ全土の中でも古くて最大規模のパイプオルガンを眺めてついついレコードを買ってしまう。それにしても入ったレストランの愛想のよさにいちいち感激してしまうのは、自分がモスクワに慣れ過ぎたためだろうか。

2月17日（水）。朝から雪でリガの風景は昨日と一変。昼過ぎ、リガ最大の紡績工場リガ・マニファクトゥーラ取材。工場までの道すがら、ラトビア人のタクシー運転手がずーっとロシア人の悪口を言い続けていて緊張。いわく、ロシア人は馬鹿だ、怠け者だ、酔っ払いだ。助手席のミーシャの手が震える。

午後5時30分、エストニアのタリンへ310キロの車での強行軍。途中、国境検問所取材。思ったよりチェック厳しい。エストニア領内に入って山中で運転手休憩のため車を停めて空を見上げると、何と！　空一面に宝石をバラまいたような星の輝き。この星のきらめきを見上げて太古以来、人間はおのれの卑小な宇宙での位置と神の意志のようなもの、永劫（えいごう）感とでもいうような感覚を覚えたのに違いない。

丸々6時間以上車にゆられ、タリンに到着したのは夜11時過ぎ。夜とはいえ街のたたずまいはこれまでの都市とは比較にならないほど洗練されているような気がする。ここはもう北欧という感じ。

もともと泊まるつもりだったホテル「ビール」に行くと、「部屋はない」と素っ気なく断られる。やむを得ずタクシーでホテル「オリンピア」へ移動。受付で最初に自分がチェックインした時は全く問題がなかったのだが、その後ロシア人スタッフ3人組がチェックインしようとすると、急に受付の態度が変わった。オリンピアは西側の中級ホテルといったところだが、ロシア人スタッフたちにパスポート提出を要求し、国境で取ってきたビザを入念に調べている。日本人である僕の時は何も言わなかったのに。同時に入ってきたアメリカ人（?）らしい一行にはやたら愛想よく対応している。不愉快な気持ちに襲われる。

周りを見ると、僕らのロシア人スタッフたちの風体は確かに「浮いている」。ミーシャとヴォロージャが被っているようなあのロシア人特有の毛皮の帽子なんかここでは誰も被っていない。外套も周りは暖かそうなオーバーを着ているが、我がロシア人3人組は薄汚れたアノラックにGパンだ。みすぼらしい。靴も泥だらけだ。そういうことが急に気になり出す雰囲気がこのホテルにはあった。少なくともビリニュスやリガでここまでみすぼらしさを感じることはなかった。ここにはロシア色など微塵も残っていない。部屋に入って休んでいると、ミーシャから電話が入り、部屋で酒盛りをしようと言う。ビリニュスのキオスクで買ったサラミと缶詰、そしてリガで買った酒を空けて大酒盛り。その間、ずっとさっきのチェックインの際の悔しい気持ちが抜けず。征服者と被征服者、その口実としての社会主義建設。そして今現在の、陰湿な復讐。まだリトアニア人の剝き出しの憎悪の方が救われるような気がする。

2月18日（木）。タリン取材。快晴。旧市街を見て回った後、感じたままをレポートすることにする。タリンはもう半分以上北欧の一都市か。西側資本の進出ぶりありあり。TOYOTA、FUJI、HONDAのショーウインドーあり。旧ソ連色払拭の雰囲気に同道のロシア人スタッフはやはり居心地が悪そうだ。特にアンドレイは「ここではロシア語を話したくない」と言い出す。現地の新聞を読むと、「占領者（OCCUPANT）ロシア」という表現がやたらと目につく。彼らの意識の中では完全にエストニアはあのロシアに50年以上にわたって不法に占領され続けてきたということなのだ。ロシア人スタッフの反発もわかるが、エストニアが着々とロシア離れをして自立の道を歩み、「普通のヨーロッパの国」となろうとしている努力を考えると、そのしたたかさに感心もさせられる。

あした19日、ヤナーエフのインタビューの予定あり、モスクワには今日中に戻らねばならない。飛行機の切符を買う。独立後はエストニアン・エアラインという国営会社が就航している。その切符の値段を聞いてまたもや腹が立つ。値段が完全にヨーロッパ化しているのだ。日本人である僕は４０００クローネ（４００ドルくらい）、ロシア人は９９０クローネだと言う。エストニア人はもっと安い。チケットのオフィスのおばさんは申し訳なさそうにしていたけれども。ちなみにヘルシンキ～タリンは外国人だと１４００クローネ、エストニア人ならば４００クローネだと言う。さてエストニア航空だが、地獄のアエロフロートに比べると天と地の差だった。スチュワーデスのサービスも行き届いていて、西側の国際線の水準に何とか追いつこうとしているさまがわかる。２時間弱のフライトに軽食・飲み物が出て、何しろスチュワーデスが一生懸命働いていた。僕がしきりに「ちゃんとしているよな、アエロフロートに比べると」と言うもんだから、ロシア人スタッフは黙ってしまった。「停滞」と「変化」。今のロシアの陥っている「停滞」の根源をつきつめる気はさらさらないけれども……。機内、後ろの座席で酒の入ったロシア人同士がワイワイ政治論議をしている。つまり、これが「停滞」ということなんだな、と思ってしまう。

2月19日（金）。午後4時からヤナーエフのインタビュー。外務省真裏の一等地の閑静なアパートに奥さんと2人で住んでいた。例のクーデター事件の首謀者たちの憎悪はすべてゴルバチョフに注がれている。彼こそがソ連を解体させたのだ、と。

再びめぐる政治の季節

1993年3月

3月6日（土）。『ニュース23』よりファックスが入っている。金丸信（かねまるしん）逮捕の報を知る。検察はいつも溺れかかっていると見るや徹底的にやり始める。

3月9日（火）。明日からの臨時人民代議員大会を控えて、エリツィンとハズブラートフの舌戦が続く。今日のテレビはひたすら双方の宣伝合戦といった感。放送の独立などあったもんじゃない。ロシアテレビはエリツィン、ハズブラートフに請われるままに放送枠を提供して特別番組と称して記者会見を垂れ流している。

3月10日（水）。臨時人民代議員大会。エリツィンの命運を決する、とかいろいろ言われているが、こんな大会自体がロシアの中でまだ力を保っているということが「停滞」の元凶なのだ。朝9時にクレムリンに出かけるが、大会会場までのアプローチが大変だ。レーニン図書館の前に車を停めて延々15分弱歩かねばならない。その間、身分証チェック数カ所。会場でレポートをとって支局まで運ぶのに最低片道20分かかるのだ。大会会場の旧態依然たるこの雰囲気。いかにもソビエト時代の残滓という感じだ。事大主義、権威主義、大国主義の巣窟。エリツィンは何で思い切らないのか。国民は何でこんな前の時代の遺物を放っておくのか。

大会の中で聞かれた意見。「だれが何と言おうと一番大事なのは、今年の収穫の問題だ。取り上げてほしい」「ガイダールとブルブリスを逮捕しろ」「休憩中にハズブラートフ議長はある女性代議員を侮辱する言葉を吐いていた。今この場で謝っていただきたい。でなければ殴るぞ」。全く程度の低い議論とも言えないお喋りを延々と続けるこの人たちのエネルギーときたら。それに執着するエリツィンもエリツィンだ。このままだとゴルバチョフの二の舞になるんじゃないだろうか。

3月11日（木）。今日も人民代議員大会にそなえて早朝出社。眠い。ヴォロージャがいつものようにオンボロ・ジグリを運転して支局横の駐車場に入れようとしたら、ミリツィアから「ロシア人の車は出ていけ」と駐車を拒否されたという。要するにこの駐車場の有料化を図ろうということだ。だからロシア人に出ていけというのだろう。こういう一方的な措置について彼ら（ウポデカ）は微塵も不当だとは思っていないのだ。あるところ（つまり外国人）からむしりとれ！　と。それが市場経済だと思っているのだ。

代議員大会の方はエリツィンが出てきて「国民投票をやるぞ」と脅しをかけたが、これが逆効果になった。ハズブラートフがものすごい剣幕で反撃し、ついには国民投票を葬り去る大会決議案を承認してしまった。常々思うのだが、エリツィンは何でこんな「程度の低い」「共産党時代の残滓の」「事大主義の」議会なんぞを重視するのだろうか。無視すればいいのだ。相手にするからつけあがるのだ。こういう極論を吐いたらロシア人スタッフから「でもただ1つの議会です」とたしなめられた。

昨日からの大会取材で若干疲労気味。日本人にはこの国がどうなろうと関係ないのだ。

今日本じゃ矢ガモの次のカネマルだ。犠牲を求めているのだ。怒りや同情や喜びを表現する道具立てとしての犠牲。その意味でニュース報道は一種のセラピー（治療）になっているのだ。嗚呼。

3月12日（金）。目覚ましを7時にセットしたが起きられず。8時過ぎ、東京からの電話で起きる。今日で終わってほしいが。朝、ガーリャさんから風邪でダウンの電話。家人の話では昨夜コズィレフ外相が家族連れでボリショイ劇場に来ていて楽しんでいたそうだ。ボスが結構追い詰められているが、無関係なのかも。エリツィンはさっそく大会で追加的措置を考慮中だと恫喝したが、今の議会には通じない。再度修正を拒否されてエリツィンは議場を去った。国民投票を4月25日に断行すると言ってはみたが。もうエリツィンはダメなのだろうか。実感としてはまだまだもっという感じがする。理由はエリツィンの代わりがいないこと。ハズブラートフがチェチェン人であること。人民代議員のようなアナクロニズム集団が生き残れるはずがないということ。ウヴァジャーエムイエ・ナロードヌイエ・ジェプタートゥイ（敬愛する代議員諸氏よ）、ウヴァジャーエムイ・シエズド（敬愛する大会諸氏よ）という言葉を発言の冒頭に必ずつけるあれらの人々。この事大主義者どもめ！　とでも吐き捨てたい衝動に駆られる。

3月13日（土）。朝7時過ぎ、大韓航空機撃墜事件の遺族会議でモスクワに来ている日本人遺族の1人からの電話でたたき起こされる。眠い。昨日の真夜中2時頃、突然停電に見舞われ、電気屋を呼んでエライ目に遭った。1時間ほどの原始的な修理が終わって、寝たのは3時過ぎだ。窓の外の天気を見ると、快晴。寒暖計はマイナス13度。今日も人民代議員大会。午前中シュメイコ第一副首相が欠席のエリツィンに代わって再度国民投票を提案した際、ハズブラートフにしたたか侮辱を受ける。発言を途中で封じられて無視され、壇上から退出した。それを代議員は笑って見ている。こんなにはっきりと善玉・悪玉が決まっているような劇を演じていいのかな、と思ってしまう。エリツィン提案は否決。国民投票に至る道筋はすべて封じられ、エリツィンは完全敗北だ。今日大会が閉幕してしまったので、朝ニュース用のレポート。午後から雪が降る。午後6時ロシア人スタッフ、疲れているので帰ってもらう。支局でロシア語通訳の小宮山俊平（こみやましゅんぺい）さんが持ってきてくれた矢野顕子（やのあきこ）のCD『SUPER FOLKSONG』を聞く。大昔大好きだったRASCALSの『HOW CAN I BE SURE』を聞く。

3月16日（火）。駐車場の入口にいつの間にか鎖ができて、見張り番らしい男が立っている。いよいよ有料化するつもりだな。支局の会計を表計算ソフトを使って入力している最中に4度も（！）停電して、その都度データがダメになる。ロシア人スタッフは大笑いしている。

3月17日（水）。ガーリャさん今日も病欠。電話をしてみると案外元気そう。「今週いっぱいお休みします」と宣言されてしまう。午後、支局に突然千葉県からやってきたとかいう日本人のおっさん3人組（そのうちの1人は確実にやーさん風、パンチパーマにジャンパー姿）がやってくる。「ＴＢＳで去年放送したなかに元巨人の小林繁さんをレポーターにしたモスクワの紹介番組がある。その中で出ていたストリッパーの養成学校に行きたいんだけれども、場所を教えてくれませんか」と言う。何の前触れもなくやって来て、一体この人たちは何者なんだ。お引き取り願う。おそらくロシア人ダンサーを物色に来たのだろう。『ニュース23』第2部で「世紀末モスクワを行く・パート4」オンエア。ラストカットの部分にバッハのマタイ受難曲がしっくり合ったかどうか、それだけが気がかり。

3月18日（木）。朝から雨交じりのはっきりしない天気。今日ＰＡＲＴ5放映。夕刻、ロシア外務省高官とレストラン。あしたエリツィン演説ありそう。仕事の関係で見直したＮＨＫの「現代史スクープ・ドキュメント／国際スパイ・ゾルゲ」が面白い。ゾルゲといい、伊藤律といい、国際共産主義運動の最前線で信念を貫いていた人間たちの持つ強さには感動すら覚える。本当に一体「国際共産主義運動」とは何だったのだろうか。夜、支局に戻ってなめこ汁を作って飲む。

3月20日（土）。快晴。午後9時半からエリツィン重要演説。「特別統治体制」導入。事実上の大統領直轄統治である。

巷間の話。ボリショイ劇場の中についに外貨の両替所ができた。最近ダフ屋の乱闘事件が多いという。クトゥゾフスキー大通りの外国人ドームに住む神父さんの家に強盗が押し入り、神父を縛り上げて家財道具を奪っていった。電話を貸してほしいと言って上がり込んできて、そのままやられてしまったという。物騒な話を耳にすることが多い。この日、エリツィン演説以降、日記を記す余裕なし。完全徹夜。それにしても、あれらゾリキン、ステパンコフ、ルツコイといった連中は何なんだ。彼らの墨守する法律・秩序って、一体なんぼのものなの？　NDN（日本電波ニュース）前川(まえかわ)君カメラ増援頼む。小宮山さんも。

3月21日（日）。最高会議前など市内を小宮山さんと2班で見て歩く。最高会議裏手の広場は保守派市民で埋まっている。バルコニーの上にクーデター事件の被告ルキヤーノフの姿。演説をして盛んな拍手を浴びている。エリツィン支持派はこの保守派市民を遠巻きにする形で旧コメコン・ビル前に陣取っている。

3月22日（月）。屋上から生中継を試みるも、みぞれ交じりの雨が降り、散々。サインペンで走り書きした原稿も雨で全く判読不能になる。コーディネーションの携帯電話も不調。『ニュース23』に支局から袴田(はかまだ)茂樹(しげき)教授生出演。ロンドンから応援組、ビザなしで突入。空港に迎えに行くが、ビザ発給担当者帰ってしまい、空港に留め置かれる。深夜支局に帰ると何とウィーン組もビザなしで突入していたことがわかる。これで4人が今夜空港に留め置かれていることになる。明日の朝7時に貰(もら)い受けにいかねばならない。

3月23日（火）。時事通信が憲法裁判所の評決を抜いてしまった。何と昨夜完全徹夜で評決が行われている部屋に張りついて、出てきた判事から直に取材したという。見上げた根性だ。ロシアのマスコミもどこもそこまで一生懸命やっていない。だから時事の配信は世界で一番早いということになった。憲法裁の評決はエリツィンの特別統治体制の導入発表は憲法違反だというものだった。朝6時30分にシェレメチェボ空港まで貰い受けに行くが、何と外務省からの文書が必要だと言われ、空港から出られず。ガーリャさんの奔走で夕方ようやくビザ取得。4人の身柄を引き取る。

3月28日（日）。おとといからの臨時人民代議員大会が予期しない展開を見せる。エリツィンとハズブラートフをともに解任する投票を行うというのだ。今日の取材のポイントを野外のエリツィン支持派大集会において展開していたので意外な感じだった。それにしても今日のエリツィン支持派の人の波には感動した。赤の広場に通じる川岸通りに架かる歩道橋の上から人の流れを見ていたが、一口に10万人といってもこれほど湧くように人が集まるものなのか。道いっぱいに手を広げてフランスデモのスタイル。保守派のデモに比べて彼らの表情は明るい。保守派は「怨念」で動いている。しかし、エリツィン支持派は「実利」とか「自由」といった価値観で動いている。夥しい数のデモの隊列を見ていて、先頭の集団を見ると、元モスクワ市長のポポフとガイダールが並んで歩いている。にこにこ笑っている。一見喜劇役者のような2人の顔を見ていると、こちらも自然に心がなごんできてしまう。

瞬く間に赤の広場に通じるワシリー寺院周辺の広場は人で埋め尽くされた。壮観だ。支局に素材を持ち帰らねばならない。検問を突破して車をとばしフルスピードで今までのVTR素材を持ち帰ると、ロイターが「エリツィンが集会に姿を見せた」と速報で打ってきた。もう引き返しても間に合わない。ミーシャがうまく撮影してくれていればいいが。まもなく集会で演説するエリツィンの映像がテレビで流れる。やっぱりエリツィンは本質的に「乱の人」だ。だからこういう集会でのアジ演説がきまっている。俄然かっこよくなるのだ。テレビ映像を見ていると、エリツィンは少し涙ぐんでいるように見える。その横のチェルノムイルジンとかコスチコフの目も潤んでいるのがわかる。エリツィンに対してサハロフ未亡人のエレナ・ボンネルが子供に諭すようにお説教を垂れている。まるで浪花節の世界だ。赤の広場に引き返すと、ちょうどブルブリスが引き上げてくるのに出くわした。彼も駆けつけたのだ。大会の方は秘密投票が行われ、結局2人の解任は否決される。エリツィンはわずか72票差で辛くも解任を免れた。東京からの要請で、日本時間の深夜2時53分からミニ特番。今日はくたくただ。

3月30日（火）。さて、バンクーバー・サミットの準備をしなければ。ところが、だ。申し込んでいたロシア外務省が仕立てたチャーター機が今日になって突然キャンセル、飛ばないというのだ。理由は思ったより人が集まらなかったから、と手前勝手なことを言う。とにかく払い込んであるお金を取り戻さねば。助手のアンドレイに外務省まで行かせたら、何と手数料を差し引かれたというのだ。今日は災難続きだ。屋上から生中継をやった際に残してあったケーブルとコネクターが盗まれている。日本テレビも同じ被害にあった。どうしてものを盗むのだ？　去年マイクロ送信機が盗まれたのに続いて、今度はケーブルとコネクター。一体彼の泥棒氏は放送局でも開局するつもりなのか。いや、これは冗談ではない。ここでは今「何でもあり」なのだ。

明日中にバンクーバーまでの切符を入手しなければ。今月が年度末なので支局の会計報告＝精算をしなければ。夜、同業他社諸氏と意見交換。エリツィンが生き残るという見方は甘過ぎたか。諸氏の話を聞いていると、エリツィンはやっぱりダメかとも思えてくる。帰り、クトゥゾフスキー大通りをUターンしたところでガイー（交通警察官）に捕まる。「トラ箱に来い、さもなくば１００ドル払え」と脅される。やむを得ず金を払う。

3月31日（水）。先輩女史が「こんなものをロシアのニュースでやってたわよ」と言って持ってきたテープをお返しする。ロシアテレビのニュースで流れたコメントは以下の通り。

世界的に有名なバレリーナ、ニーナ・アナニアシヴィリ。でも残念ながらこのレポートでの数秒間の素材しか皆さんにお見せできません。ロシアテレビは、視聴者の皆さんに素敵なプレゼントをしようと思い、このバレエの模様を全編撮影したかったのですが、主権国家ロシアにある「主権を持った」ボリショイ劇場は、今後5年間にわたっての撮影権を日本のＮＨＫに売ってしまったのです。国家にはお金がないし、劇場が自らお金を稼がなければならないという事情のもとでは、そのような権利の売買も意味があるのでしょう。数十年間にわたってボリショイ劇場は国家のお金で維持されてきたのに、今はこのバレエを何一つ不自由のない日本人が観賞して、私たちロシア人はあの延々と続く人民代議員大会と最高会議で満足せよというわけです。もちろん「白鳥の湖」をもう一度見られる可能性だってあります。テレビ局の資料映像にはこのバレエの映像が残っていますから。（以上がコメント）

「何一つ不自由のない」日本人という言葉は「ブラガパルーチヌイ」という形容詞が使われており、とにかく金のあるというニュアンスが強い。また資料映像の「白鳥の湖」が見られるかもしれないというのは、クーデターや政変の際、ロシアのテレビでは延々とクラシックの資料映像が流れることから、将来政変が起こるかもというニュアンスがあるそうだ。なかなか洒落（しゃれ）たニュースコメントではある。

バンクーバーでの短い滞在のことなど

１９９３年４月

4月1日（木）。支局のアンドレイから「エリツィンのバンクーバー行きが突然中止になった」とかつがれる。エイプリルフールの冗談はモスクワにもある。夜バイトのモスクワ大生、ワジム、ジマの2人、めでたくこの秋日本の東海大への留学が決まったそうだ。ジマが嬉しそうに話してきた。

4月2日（金）。朝5時起き。モスクワ→フランクフルト→トロント→バンクーバー搭乗時間計16時間あまり。さすがに疲れた。投宿したホテルはメリディアン。モスクワに比べてこれだけのホテルで1泊１５０ドルは安い。夜、アンドレイと取材記者登録の手続きを済ませた後、SUMMIT 歓迎の垂れ幕を出しているパブレストランに入る。ジャズボーカルの生バンドが入っている。Kenny Coleman という、そのボーカリストはなかなか渋い。客に老夫婦が多い。演奏が始まると、自然にダンスを踊る。途中、その歌手は喋りでクリントンを讃えた後、SUMMIT のもう1人の客について President Who?　President What?　などとからかっている。疲れ過ぎと時差も手伝って寝つけない。

4月3日（土）。バンクーバー2日目。エリツィン到着をＣＮＮで見てから、9時プレスセンターへ。ワシントン支局長の斎藤さんと再会。会場のホテル前には人だかり。

みんな映画スターを待ってるかのよう。このモスクワとの落差。バンクーバーは美しい街だ。車の窓からエリツィンはどんな思いでこの美しい風景を眺めているのだろうか。ワシントン支局のラニー嬢とアンドレイと連れ立ってすぐそばのレストランへ。帰り道、ちょうどプレスセンターに入ろうとしたら、エリツィンが夕食（夕飲？）から帰ってきたところ。ホテル前の市民に笑顔で応えている。何と柔和な表情。このモスクワとの落差。顔見知りのノーボスチのカメラマンが、この時、入口でエリツィンのぶら下がりインタビューを撮ったが、大統領閣下は酔っ払っていて使えないとボヤいている。

4月4日（日）。SUMMIT最終日。朝9時20分、プレスセンターへ。天気がよくて気持ちがいい。朝、クリントンが教会のミサへ行くとかで、道路が一時閉鎖されている。16億ドル余りのクリントンからの支援策の中身のペーパーが解禁時間付きで配布される。何という親切さだろう。プレスに対するこの手際のよいシステム。つまり完璧にコントロールされているのか。13時30分からクリントン、エリツィンの共同記者会見。クリントンを直に見るのは初めて。彼はいかにも変化を待望したアメリカ国民の期待を担って登場してきた「行動の人」という感じ。尊大さがあまり感じられず、好感さえ抱いてしまった。それに比べてエリツィンときたら……。でもゴルバチョフと比べるとずっと人間臭くていいかな。報道官のコスチコフがしきりに知り合いのロシア人記者と質問の打ち合わせで動き回ってチョロチョロしている。

4月8日（木）。モスクワ帰任2日目。憲法裁判所長官のゾリキン、外国人プレスクラブ（スラビャンスキー・ホテル）で記者会見。この法の番人面をした権威主義者を1日も早く放逐することがロシアのためになると思うのだが。記者会見でこんな質問が出たそうだ。憲法裁判所が以前、訪米使節団を送ったのだが、そのメンバーの中に、ゾリキンの友人の医師夫婦が入っていたのは、「不公正、おかしいんじゃないか？」と。ところがゾリキンはそれに対して平然として次のように答えた。「それを言うなら、あの使節団にはコズィレフ（外相）の奥さんと娘さんも入っていたんですよ。おかしいというのなら、それだっておかしいことになるでしょ」全然釈明になってないじゃないか？しかも政治的に対立関係にあるコズィレフの家族が公式使節団の中に加わっていたことを暴露して、どういう神経なんだろうか。これが憲法裁の長官の言う台詞か。腐敗極まれり。

こちらの人たちにとって外国に行くのは大変な特権だ。誰もが公費で外国に行くことを夢見ている。公の機関の使節団が外国に行くのは当然国家予算から費用が出ている。そんな情実を認めていたら、この国の特権に絡む腐敗は絶対に治らない。やたら腹が立ってしまって支局で「こんなことやってんのはロシアだけだぞ。何でこんなヒドい不正を許してるんだ。どうして君らは怒らないんだ？」とぶちまけた。するとロシア人の助手たちは平然として「役人はみんなそういうものです」と割り切っている。「そんなことないよ。役人のこういう不正は許しちゃダメだろ。憲法裁判所までこんなことやってちゃどうしようもないじゃないか」。するとアンドレイが「こんなことやってるのはロシアだけ」というのにカチンと来たらしく「どこの国の政治家だって同じです。ロシアだけなんて言わないでください」と抗弁する。「いいや。裁判所の使節団に友だちを連れてくなんてロシアだけだよ」「そんなに言うなら、あの金丸はどうなんですか。みんなに饅頭（まんじゅう）というのを配ってたんじゃないですか。日本の方がもっとひどいことをしてたんじゃないですか」とアンドレイも負けていない。他のロシア人スタッフたちも、何でそんな当たり前のことに腹を立ててるんですか、という意見だ。

公務員が私的な特権を行使するのは当たり前、いや、むしろそのためにこそ彼らは公務員になっている（??）、という奇妙な論理を提出してくるのだ。おかしいのは自分の方なのだろうか？　わからなくなってきてしまう。

4月14日（水）。気温2度。このところ寒い。クーデター事件初公判。朝早くミーシャ、セルゲイと最高裁前に。警備厳しく車で近づけない。保守派の市民多数押しかけている。「愛国者に自由を！」とシュプレヒコール。被告たちが拍手で見送られて法廷に入って行く。まるで英雄気取りだ。エリツィン、クレムリンで記者会見。5月終わり頃訪日可能と発言。

4月15日（木）。寒い。みぞれがちらつく。朝から歴史資料関係で旧マルクス・レーニン主義研究所の書庫へ。旧日本軍の731部隊の細菌戦を裁いたハバロフスク裁判の資料を接写するためだが、初めて書庫に入り、極東軍事裁判関係の資料の量の膨大さに驚く。日本人を収容したラーゲリでのアルバムや感想文集なども見ることができた。

「同志スターリン万歳！　日本人民民主主義共和国のために日本共産党とともに建設の道を歩む。」そういう字句がどの文章にも登場する。感想文を見ていると胸のつまるような切実さが感じられる。これを書いている全員が日本への帰国を心から望んでいたのだ。１９８５年に当時の『ニュースコープ』用の企画として「マッカーサーへの手紙」を作ったことを思い出す。敗戦直後、日本人がマッカーサー元帥にあてた数々の手紙が今もアメリカに保管されている。人間というのは価値の喪失状況においては「権威」を求めるのだ。ある場合は天皇であり、ある場合はマッカーサーであり、ある場合はスターリンであり。

ところで、とうとう駐車場の入口の所に遮断機ができて、外来の車をチェックするようになった。今日の夕方突然である。支局でガーリャさんが帰りしなに1枚の紙切れを持ってくる。国際電話料金を突然4倍に値上げするという通告状なのだ。腹を立てるのも疲れる。

4月20日（火）。朝から雪。支局とオスタンキノTV（国営放送）の間のマイクロ回線の料金について一方的に20％値上げの通告を受ける。それのみならず１９９２年分の税金（ＶＡＴ）計1万２０００ドルを支払えと言ってくる。あまりにもひどいので日本テレビ、フジに聞いてみると同様の通告を受けたという。少なくとも去年の税金分は支払わないようにしよう、と申し合わせる。夕刻、ウィーンから応援組到着。夜9時半からオスタンキノＴＶでエリツィンの家族総出演の宣伝番組（ある人に言わせればロシア版『皇室アルバム』とか）を放送。ここまで露骨にやるものか。いくら国民投票に勝つためとは言っても。夜11時のロシアテレビのニュースで東京特派員ツベトフが初めて日本共産党への旧ソビエト共産党からの資金援助疑惑をレポートしていた。

4月21日（水）。午前中銀行支払い。相変わらずのカフカ的世界。ゾリキンの憲法裁判所、国民投票の集計方法について、大統領の信任は投票者の過半数でよし、と判断。これでエリツィンは楽勝の態勢になった。夕刻からエリツィン支持派のロックコンサート。プーシキン広場からワシリー寺院までデモの後コンサートだが、集まった顔触れを見ると若者のかなりの部分がロックグループ「アリッサ」のファンクラブの面々だ。すごいエネルギーだが、彼らが叫んでいたのは「エリツィン！　エリツィン！」ではなく、「アリッサ！　アリッサ！」だった。デモのため市内の交通がマヒして『ニュース23』の生中継に遅れそうになる。車が全く動かないのだ。中継5分前にほうほうの体で支局にたどり着く。

4月23日（金）。車の冬タイヤを交換する。エリツィンに反旗を翻したルツコイ副大統領が大統領周辺の腐敗に関する資料を公表したいのでテレビに出演したいと申し入れていたが、どこのテレビも断る。オスタンキノTVは人気番組『ブズグリャード』でならいいと答えたが、これはルツコイの側が断った。この番組は改革派寄りで有名な番組だ。その『ブズグリャード』を見たらあまりにもヒドい。こんなにエリツィン一辺倒でいいのかね、と思ってしまう。ゲストがフィラートフ、シュメイコ、フョードロフというエリツィン政権の重臣たち、質問者席にはシャフライやポルトラーニン、ブルブリスといったエリツィンの側近連中までいる。こんな不公平な討論番組はない。メディアの公正・中立なんてあったもんじゃない。

4月24日（土）。いよいよ明日投票日。午後支局で準備をしていると家人から電話。加藤さん（全日空モスクワ支店長）宅にたった今強盗が入った、とのこと。大変だ。すぐに加藤さん宅に電話。夫人いわく、20歳前ぐらいの男4、5人がルーブルを「ドルに替えてくれ」と突然家にやってきた。「ない」と言ってドアを閉めようとしたら、いきなり全員が家の中に入ってきてナイフとピストルを突きつけて「ドルを出せ！」と脅した。ナイフを突きつけられていたご主人がそれを払いのけようとしたのを見て「もうダメだ」と思って「キャー！」と絶叫した。そうしたら前の部屋に住んでいるアフガニスタン人一家が「何があったのか」とドカドカ出てきた。男たちはそれを見て逃げた。

加藤さん夫妻が住んでいるのはベーデンハーの外国人ドームだが、いつもいるはずの管理人がドアを開けっ放しにして外出していたらしい。とうとうごく身近のところまでこういうことが起きてきた。

4月25日（日）。国民投票。午前8時に支局集合と決めていたが起きられず遅刻。ロイターが「エリツィン大統領は、ほとんどの西側特派員がまだベッドにいる朝7時35分にナイナ夫人と投票を済ませた」と打電してきた。あちゃー。間に合わなかった。こんな早い時間に投票するなんて。前回の大統領選挙のときの経験から9時過ぎと思っていたら。結局VTRで撮れたのは2人だけ（エリツィンのお抱えカメラマンとWTN）。プール（代表取材）幹事社のテレビ東京はお抱えカメラマンから素材を買ったようだ。極東の投票状況が刻々と入ってくるが、なかなか出足がいい。18時段階のモスクワの投票率、54・2％。天気がいいのでみなダーチャへ出かけたのだろう。投票時間は午後10時まで。ダーチャの帰りに投票する人が増えるので投票率は60％を超えるだろう。出口調査の結果、エリツィンの信任は確実。深夜0時35分という時間のオスタンキノTVのニュースで、選挙管理委員会から何と記者が生中継で開票状況を伝えている。こんなことはロシアのテレビでは初めてだ。

4月26日（月）。エリツィン勝利。忙しい1日。夜、一息ついたところで家人の差し入れのおにぎりを皆でビールを飲みながら食べる。その時、助手のセルゲイが披露した面白い話。彼は頭もいいがスポーツも万能で、現在も週何回かはジムに通ってトレーニングをしている。学生時代は体操のマット運動の選手だったそうだ。その彼の昔の話。

今から14年前、彼はモスクワ体育アカデミー（？）から国家スポーツ振興のため実験に協力してほしいと頼まれた。運動能力の優れた学生ということで彼ともう1人、2人だけが選ばれた。そこで彼はさまざまな実験をされた。当時、陸上跳躍競技において2つの新しい「跳び方」が開発されていた。いずれもそれまでの「跳び方」の概念を変える画期的な「跳び方」で、1つは走り高跳びの「背面跳び」、もう1つが問題の走り幅跳びの「1回転跳び」。セルゲイの話では、このうち「背面跳び」については着地の危険も比較的少なく、国際陸連に申請したところ問題なく認められた。

それでその「1回転跳び」だが、遠心力がついて誰でも確実に1メートルは記録が伸びたのだそうだ。これはすごいというので、ソビエトの体育学者は、セルゲイの体の側面いっぱいに豆電球をつけてカメラでストロボ撮影してフォームを研究したらしい。その結果、ソビエトの体育科学の粋を結集した走り幅跳びの「1回転跳び」というのが完成したのだが、セルゲイは体操の選手をしていたので着地が決まるのだが、もう1人の方は純粋陸上選手なものだから、着地が難しい。統計ではかなりの確率で首から着地してしまう率も高く、その場合は確実に廃人になってしまうほど危険という結果が出てしまった。国際陸連もこの跳び方を認知せず、幻の跳び方になってしまったのだそうだ。

4月28日（水）。セルゲイが外務省から聞いてきた話では、国民投票の大規模出口調査でNHKとABCの共同調査はかなりの金額をかけたとの噂。今回のロシアの国民投票では、アメリカのテレビを中心に西側マスメディアが大々的に出口調査を実施して開票状況をいち早く伝えてしまった。ロシアのマスコミよりずっと早く欧米のマスコミが「大統領信任さる」のニュースを流した。要するに開票まで「西側援助」によって管理されてしまったということなのか。

自分の位置がだんだん見えなくなってきたみたいだ

1993年5月

5月1日（土）。メーデー、快晴。朝9時半集合のはずが寝過ごしてしまい、支局アンドレイからの電話で起こされる。慌てて身支度し支局へ。十月革命広場へ向かうがこの物々しい警備は一体何なんだ？　レーニン像の周りの人々はせいぜい5000人くらいか。これではメーデーも滅びるかな。やはり市民たちはダーチャに行っているのだろうか。警備があまりにも厳しく、市の中心部に向かうデモ行進のコースが全部トラックと警官隊の隊列で阻止線が張りめぐらされている。やむを得ずデモ隊は市の中心部とは逆方向に、つまりガガーリン広場の方向に向かってレニンスキー大通りを歩き出した。アンドレイ、ミーシャと車で先回りして隊列を迎えうつ形でデモの先頭まで進んでいく。みるみる人が増えている。1万人以上は確実にいる。それが道いっぱいに広がって進み続けている。市の中心部に行けない怒りのようなものが隊列から滲んでいる。あれよあれよという間に、ガガーリン広場手前のところにトラックと警官隊の阻止線ができ、そこに向かってデモ隊は一直線に進んでいく。ヤバい。

衝突は凄まじいものだった。僕らは阻止線に使われたトラックの荷台に載って撮影していたが、そのトラックの真下で激しい殴り合いが演じられている。トラックがデモ隊に揺すぶられて上にいるのが危険な状態になった。何しろ警官の暴力は凄まじかった。

彼らは武装しているが、デモ隊の多くは素手である。それでも一部には棒切れのようなものを持っている若者もいる。デモ隊は圧倒的に老人が多かったのだが、彼らは捨て身で警官隊に体当たりを繰り返し、殴られている。老人が殴られているのは実に凄惨な光景だ。血だらけになった人々。数回の衝突の後、投石が始まった。1台のトラックに火がつけられている。放水車が水をまき散らす。およそ1時間以上にわたった衝突で周囲は市街戦のような状況になった。日本の夕方ニュースに入れるべく全速力で車で支局に戻るが、着いたのはオンエア20分前。急いで東京に回線手配を頼むがダメだと言う。全く！　何てこった。

「血のメーデー」は何か今後モスクワで起こり得る事態の予告のような気がする。過去の「怨念」で動いている人々を力で押さえつけようとすると、今日のような事態は必ずまた起こると思う。しかし「怨念」は「怨念」でしかない。何らかの「希望」を持ちえない運動は衰退すると思う。

5月2日（日）。昨日の事件をエリツィンも保守派も政治的に利用しようとしている。ハズブラートフが最高会議内に調査委員会を設置した。それにしてもどうだ、ロシアテレビの事件の伝え方といったら。一方的に「悪」はコムニストだといわんばかりの意図的な報道である。

5月5日（水）。クリストファー米国務長官とエリツィン会談。ボスニア情勢で。メーデーの流血事件で重体だった警官が死亡する。

夕方、東京から電話。ロイターが「エリツィン訪日再延期」を打ってきたとのこと。インターファクスも打ってくる。やっぱりね、という思いがある。その後情報をとると、日本大使館や日本政府には事前に何の連絡も入っていないらしい。東京の政治部が「訪日が公式発表されていたわけではないので〈延期〉という言葉遣いは不適切ではないか」と言ってくる。だってエリツィン本人が「5月末に行く」と言ってたんだぜ。何を遠慮しているのか。おそらく外務省あたりに気を使ってるのだろう。ロシア外務省は大統領府が情報をインターファクスに流したのを怒っているらしい。「どうして日本政府に伝える前に流しちゃったのか、延期理由を日本側と詰めなければならなかったのに」というわけだ。お粗末極まりない。

5月6日（木）。快晴。支局の裏手の木々の新緑が眩しい。エリツィンの訪日再度延期の余波。日本政府は例によって「寝耳に水」。外務省のロシア課は激怒しているようだ。ロシアの外務省も混乱している。午後3時過ぎからクナーゼ（外務次官）・枝村（純郎在ロ日本大使）会談。冒頭カメラ撮影許可されず。5時から大使懇談。大使は「怒り心頭」という感じなのだが抑えている。その後、7時から行われたクナーゼの会見は、「ちょっと悲劇化しすぎです」「もともと決めていなかったことなんだからキャンセルもありえない」「大統領も首相も日程がびっしりだ」「9月10月だって可能性の1つにすぎない」と、全く「平気の平左」なのだ。そうだよなあ。日本訪問なんてそんなもんなんだ。今のロシアの関心はユーゴ（ボスニア）情勢であり、メーデー事件の責任追及であり、新憲法であり、議会選挙だ。あとは西側支援。だから今日も外務省は「G7東京サミットは行く」とわざわざ強調していた。今日送った記者レポートはちょっとテンションが高過ぎたと反省している。ヤバい、ヤバい。エリツィンの「非礼」なんか責めたって仕方ないのだ。

5月8日（土）。今日も快晴。エリツィンとマルルーニー（カナダ首相）の共同会見をのぞく。午後4時過ぎ、支局にロシア最高検察庁から電話がかかってくる。「メーデーの事件の捜査をしているので、あの日撮影していたテープを見せてほしい」と言ってくる。冗談じゃないが、ここではそういうこと（捜査協力）はむしろ当たり前みたいなのだ。断ると、「じゃ、書面を正式に交付する」と言う。先方は「でも、どうして断るのか？」と単純に疑問を投げてくる。

5月9日（日）。戦勝記念日。快晴。朝8時半集合。無名戦士の墓でエリツィンの献花をまず撮影。国営テレビが生中継の用意をしている。それにしても今日のモスクワ市中心部は警察官だらけだ。サミットの時の東京みたいだ。エリツィンがチェルノムイルジンと並んで献花。チェルノムイルジンの格が最近どんどん上昇してきているような気がする。その後、エリツィンに人だかり。マスコミ各社ぶら下がりをとろうとする。アンドレイが食い下がって最初にインタビューする。「今日は衝突があると思うか？」「ないと思うよ」そっけなくそう答えたエリツィンの手がぶるぶる震えていたという。どういうことだろう。アルコールの摂り過ぎか。

集会の行われているマヤコフスキー広場まで20分以上かかって歩く。道はほとんど車が走っていない。途中、胸に勲章をジャラジャラつけたベテラン＝退役軍人のお年寄りと何人もすれ違う。彼らにとって今日は本当に祝日なのだろう。ぽかぽかした陽気の中でデモ隊が来るのを待つ。街は警官だらけなのに、何か平和を感じる。天候のせいだろう。芝生に腰を下ろしてデモ隊を待っていると、目の前を老夫婦が集会の方へ向かって通っていく。ともに60歳くらいか。よく見ると夫の方は片手がない。妻は花束を持っている。祝日の印だ。対独戦争の勝利記念日というのはある年齢以上の人々にとって特別の意味を持っている日なのだろう。そういう様子が何となくその2人から伝わってくるのだ。集会・デモは平穏。1つは警備が「押さえつける」という姿勢を一切控えたからだ。労働ロシアのリーダー、アンピーロフの姿が見られない。おそらく予防拘束されているのだろう。

5月13日（木）。快晴。心身ともにどうも調子が悪い。仕事をやる気が起きず。今日はいろいろたまっている「雑用の日」とする。思い立ってついに支局にコーヒーメーカーを買うことにする。アンドレイにグム（国営デパート）で10人用のものを買ってきてもらう。フィルター不要のタイプで136ドル。それが到着すると支局のみんなが「ハラショー！」を連発する。コーヒー豆と水を買い出しに行く。サドーヴォエで車の大渋滞に巻き込まれ、たっぷり2時間かかる。

コーヒーメーカーをずっと買い渋っていた理由の1つには水がある。ロシアの水道の水は雑菌だらけのうえ、石灰分が多過ぎてコーヒーメーカーがすぐダメになってしまうのだ。だから今後はミネラル・ウォーターを買ってきてコーヒー用に充てることになる。そのことにどうも心理的抵抗があるのだ。今までは支局では水道の水を当たり前のようにじゃんじゃん飲んでいたが、特別の水を買ってくるとロシア人スタッフの中に違和感が生じるんじゃないか。そういう気持ちに正直なところずっと支配されていた。同じ水道の水を飲む仲間。ところが他の日本のマスコミの支局に聞いてみると、いまどきコーヒーメーカーを入れてないのは、どうも僕らだけというのがわかった。今日は「環境を変えてみよう」と思い立って買ってしまったが、ロシア人スタッフには思いのほか好評だった。みんなで淹れたてのコーヒーをお祝いに1杯ずつ飲んだ。というわけで、「この味がハラショー！　とみんなが言ったから5月13日はコーヒー記念日」。

5月14日（金）。ニコライ・リャボフ最高会議副議長がエリツィン支持表明。議会勢力の運命を予告する動きだ。夜、バイトのジマが「面白いニュースがあります」と言って話すには、今日大学で「対外諜報機関で働かないか」と誘われたという。条件は大変よく、日本留学後2年間の訓練期間の後、日本へ行かせてやるという。給料も高い、と言われたが断ったそうだ。大学の教官から「話がある」と小部屋に呼び出されてそういう話をされたのだそうだ。

5月18日（火）。快晴。暑い。支局に初めて冷房を入れる。きのう判ったことだが、屋上のマイクロ送信機を載せてある櫓を支えていたワイヤーケーブルが盗まれた。ロシア語の俗語でピズダヌーチ（かっぱらわれる）というそうだ。このピズダという語は女性器の俗語だ。日テレのマイクロアンテナはそのために角度が狂ってしまい、マイクロ送信ができなくなった。全くもって頭にくる。どうして盗むのか。

ミーシャが日焼けしてダーチャから戻ってきた。棚に入れておいたコーヒー豆をコーヒーメーカーに入れようとしたら、何と豆の中にゴキブリが数匹蠢（うごめ）いているではないか。せっかく買ってきたばかりなのに。支局の中は気温の上昇とともにゴキブリが急増している。

5月25日（火）。このところ国際電話代金のことで連日のように支局にコムスターという会社から電話とファックスが入ってくる。いわく「TBSが払い込んでいるブニュシュエコノバンクの口座がフリーズされているので、我々は電話料金を受け取っていない。1992年11月からの分2万4000ドルを支払え」冗談じゃない。こちらはきちんと銀行に支払っているのだ。口座を凍結したのは銀行が勝手にやったことで、当方には一切責任はない。ところが先方しつこいのである。こちらの銀行の摩訶不思議ぶりにはまいるのだが、勝手に口座をフリーズしたり、預けた金が引き出せなかったり、おまけにどのような場合でも利子というものは存在せず、逆に手数料を差し引かれるという理不尽。これはもはや銀行ではないのだ。「一体、ロシアの人たちにとって銀行っていうのは何なの？　お金を預けるなんていうことはあるの？」素朴な疑問を支局のロシア人たちにぶつけてみた。彼らは一様に笑いながら「銀行になんか自分のお金を預けるわけがありません。一度預けたら戻ってこなくなります」「じゃあ、お金はどうやって保管するの？」「ルーブルなんか持っていたら日に日に価値がなくなるので、もっと価値が安定しているものとすぐに換えるのです。例えば、ドルとか、宝石とか、土地とか、ダーチャとか、車とかです。だれも銀行なんかに預ける馬鹿はいません」。馬鹿という言葉を聞いてカッときてしまった。「信じられないよ。要するに君らの国には銀行がまだないんだね」「いや、銀行はありますが、他の国とは機能が違うのです」「じゃあ、どうして自分の口座に預けた自分のお金が引き出せないんだい？」「それは銀行がそのお金をすぐに他に回すから手元にはいつもなくなるのです」。あーあ。

もう1件、今日は腹立たしいことがあった。カンボジアの動きでなかなかロシアのネタが入りそうもないので、この際、いろいろインタビューをしようと仕掛けていたのだが、ルツコイ副大統領へのインタビューもその1つ。こちらは返事待ちでもう10日ほどたっているのだ。ところが今日になって「＊＊センター」というところから「1000ドル、キャッシュで支払えば3日後にルツコイのインタビューができる。カメラマンはルツコイ専用の人間だがどうか」と言ってきた。エリツィンの周囲が腐敗している、なんぞと言っていたルツコイの周囲がこのざまだ。夕方のこの電話で一気に何か仕事をしようという緊張感のようなものがなくなってしまい、5時頃からビールを飲んでしまった。

5月27日（木）。昨夜聞いた話だが、この支局のミリツィアが飼っていた犬のマーシャが車に轢かれて死んだそうだ。マーシャはこの春5匹の子供を産んだばかりだった。耳が片方折れ曲がっていて、お世辞にも見栄えのいい犬ではなかったのだが、モスクワに来てから毎日のように見慣れていたので、とても愛着を感じていた。暑い日など日なたでデレッと横になり何にもしていない。肌は寄生虫だらけ。寒い日は支局のアパートの中に入ってじーっとして何にもせずに横になっていた。臭い。そのだらしない姿が目に焼きついている。さきおとといの朝、クトゥゾフスキー大通りで車に轢かれて即死だったという。牡のスタビロボス（と勝手に我々が呼んでいる犬＝夫）がまるで妻を待っているかのようにミリツィアボックスの横でじっとしている。支局員みんなが「カシマール！（ひどい！）」と繰り返している。

5月30日（日）。ウィーンの空港にいる。銀行からドルを引き出しにきたその帰りだ。ところでその20人ほどの集団はほとんどがお年寄りたちで、まさにウィーン国際空港のロビーに立ち尽くしているのだった。「JTB旅物語」というお揃いのバッジをつけ、何人かはウエストポーチを着けている。海外の旅先で日本人団体旅行客に出くわした時は大抵気が滅入ってしまう。それはその人たちの中に自分の似姿を見るからだと思う。自分はあの日本人団体の仲間である。そう思われるのが何かイヤな気がするのだ。これは本当にいけないことだと思う。

きのうの深夜ウィーンの映画館で『ブレードランナー』を観た。あの中の「猥雑さ」

「訳のわからなさ」「気味の悪さ」の代名詞みたいな東洋人のイメージ（欧米人から見た）と、目の前の日本人団体旅行客の姿がダブってしまう。それにしてもウィーンではロシア人とよく出会った。彼らも日本人団体旅行客みたいにまとまって動いていて、しかもどことなくウィーンの風景にしっくり来ないのでわかってしまうのだ。けれどもナッシュマルクトという一番大きい野外「蚤の市」の場所でだけは俄然ピッタシと塡まっていた。彼らはマトリョーシカとかイコンを担いで出稼ぎに来ているのだ。

5月31日（月）。4時から元KGB議長のクリュチコフのインタビュー。具体的なことを何も言わない。この男、煮ても焼いても食えない。1時間半にわたり喋るが内容なし。それにしてもいい住宅に住んでいた。調度も立派。テレビは21インチのパナソニックだった。今日着いた日本の新聞に武田百合子死去の報あり。

イデオロギーを捨てた国家の空虚について

1993年6月

6月1日（火）。晴れ。今日からの月を何とか再出発の月にしたいと思っていたけれど、きのうの夜、飲み過ぎて早くも挫折。朝9時半からマクドナルド2号店ビルディングのオープニングセレモニー取材。現場に着くと、大変な行列だ。ビルのテナントには西側の大企業が名を連ねている。なかには三井物産とか豊田通商とかの日本企業の名前も見える。にぎにぎしいセレモニーの後、店内はロシアの若者たちでみるみるいっぱいになった。ビッグマック1個1150ルーブル。今日の闇の1ドルのレートが大体これくらいである。つまりビッグマック1個＝1ドル＝107円くらい。日本より安いが、ロシアの人たちの平均賃金を考えると大変な高額である。

午後5万ルーブル札の取材でロシア中央銀行。その後グム創業百年祭の赤の広場のキオスクとグム店内の取材。夜、『インサイダー』誌の高野（たかの）、西城（さいじょう）両氏とマモーノフのコンサート。マモーノフのステージは途中でギターが壊れたりして気の毒だったが、何とか切り抜けていた。今日、大統領府長官のフィラートフはルツコイの執務室をクレムリンから取り払うことになろう、と語った。えげつないことをやるものだ。

6月2日（水）。きのうドイツ～ロンドン～中国へ1カ月の旅行に旅立ったはずのセルゲイが朝支局にいる。どうしたのかと聞くと、出国ビザが無効になっていたのを旅行会社に騙されてつかまされた、ゆえに出国できないという。本人もがっくりしている。日時指定で買っていた航空券も無効になりそうだという。それでもセルゲイはあらゆる手を使い奔走し、午後にはビザを手に入れ出発していった。お金がないので５００ドル貸してほしい、と頼まれる。ロシアの人々にとって外国に出国することはまだまだ難しい。そんなに自由ではない。何しろビザをとるのに数カ月かかるのである。お金だって大変な高額だ。支局の中で海外出張の経験があるのは、ガーリャさんとアンドレイだが、ミーシャとヴォロージャはない。出張から帰ってくると彼らは本当に羨ましそうな表情を見せる時がある。

午後、きのう開店したマクドナルドにエリツィンが訪ねてきたという。取材は間に合わなかったが、映像を見るとエリツィンの様子が何だか変だ。酒に酔っているみたいだ。目がとろーんとして呂律（ろれつ）が回ってない。製造過程を見学してビッグマックを試食している。世界中でこんなことを喜ぶ大統領というのも珍しいのではないか。エリツィンはそこで「私の孫はマクドナルドに来るために車洗いのバイトをやって金を稼いでいるんだ」と語ったそうだ。

６月３日（木）。快晴。暑い。きのうから支局・自宅ともお湯が止まっている。６月28日まで給湯は全くストップする。つまり風呂に入れない。自宅にはその対策にボイラーをつけてあるが、容量が30リットルなので家人ともどもシャワーを浴びるとおしまいになる。大使館の懇談の後支局に戻ると、入口のところに近所の原田（はらだ）さんの奥さんがいる。たった今、ツィガンの子供たちに襲われたという。お金を少しばかり盗み、すぐにクモの子を散らすようにして逃げ去ったとか。幸いなことにケガはなかったようだ。原田さんは「悔しくて、悔しくて」と繰り返している。この周辺では以前も何人かの外国人がツィガンの一団に襲われている。日本人の女性が最も被害に遭いやすいようだ。着ているものがきれいだし、何となく彼らの嗅覚にひっかかってくるのだろう。

支局に入ると、みんな部屋を締め切って冷房を入れている。なあんにもしていない。もう働くという感じとは程遠い。5日の憲法評議会の取材準備とか情報収集とか、G7サミットの準備とかいろいろやることがあるだろうに、なあんにもしていないのだ。思わず怒鳴ってしまった。すぐに自己嫌悪を催す。彼らにそういうことを求めても仕方がないのだ。自分から仕事を好きこのんで増やすなんてことを期待するのが甘いのだ。まあ、いいか、そんなことも。

6月4日（金）。お湯が止まっている上に湯沸器が壊れているので風呂に入れず頭が痒い。支局の運営についてミーティングを開いてみんなで話し合う。一番の反省点は明日の憲法会議のクレムリンでの取材許可証（アクレディテーション）がとれなかったことだ。そのことについて正直に不満を言った。「君たちはやる気があるのか。どうしてプール（代表取材）任せで、積極的に動こうとしないのか」と。そのほか最近の日々の支局の雑事で不都合なことを言った。ビザをとる必要から外務省の担当部署に当たってもらうが、責任者は休暇でモスクワにおらず、その秘書らも不在。今頃の季節には役人はみんな働かない。それで他人の仕事に支障をきたそうが、そんなことは知ったこっちゃないのだ。ロシアの役所には留守中の業務を代行させるというシステムがない。

6月5日（土）。朝方の激しい雨もすぐに上がる。頭が痒い。やむを得ず台所のガスレンジで3個の鍋と1個のヤカンでお湯を沸かし、浴槽まで8往復してお湯を入れ、3分目まで浴槽を満たし頭と体を洗った。それだけでたっぷり1時間半以上かかった。

昼過ぎ、ハズブラートフが憲法会議で演説しようとして拒否され退出した、という一報がロイターから入ってくる。今日の取材は議場には限られた社以外入れないため、ロシアの独立系プロの撮影したVTRテープを買う。彼らはどういう経路でか取材許可証を手に入れ取材してそのテープを外国の会社に売りつける。だから取材許可証は大変な利権である。ハズブラートフは自分がこれまでさんざん議会でやってきたことを今度は自分がやられる立場に立たされ、怒りをあらわにしている。エリツィンと議場の参加者たちから発言を認められず、壇上から下りざるを得なくなる。これは面白いシーンだった。その後、最高会議でのハズブラートフの会見、元腹心のリャボフ、ルツコイの取材などを続けるが、今日のところではハズブラートフの敗色は濃厚だ。

夜9時半から赤の広場でやまもと寛斎（かんさい）のイベント取材。VIP席の日本人と立ち見席のロシア人が通路と柵で隔てられている。かなりの人が集まっている。VIP席で招待客のシュメイコ副首相と大使が握手をしている。僕らの後ろの立ち見席のロシア人が「何で日本人が前でロシア人が後ろなんだ！」と叫んでいる。答えは簡単。彼らは高いお金を払っていないのだから。それが理解できないのだ、あのおばさんは。イベントは予想していたよりもずっと素晴らしいものだった。照明効果で幻想的な視覚映像が作りだされている。子供たちに天使の格好をさせたり、日本の伝統芸能を前面に出した演出はなかなか効果的だった。手筒（てづつ）花火のときはモスクワっ子たちの間から歓声があがった。やまもと寛斎という人のその心意気やよし。これだけの壮大な仕掛けを秒刻みの段取りのもとに進行させることが、ロシアという国においていかに天文学的なエネルギーを要するか。カメラマンのミーシャが「天才だ！」と興奮している。支局に戻ってテープを編集して東京に送ると午前2時を回っている。

6月9日（水）。朝から冷たい雨が降っている。日本は皇太子の結婚で大騒ぎだろう。ハズブラートフの失脚が近いのではないかという直感に基づいて朝から最高会議の取材に向かう。9時20分頃議場に着くと、まだ会場の設営準備中だ。中に入れない。廊下でアンドレイ、ミーシャと待っていると、警備の係員が電話機を廊下の机に備えつけに来る。こうやって廊下の電話機は1日の初めと終わりにいちいち取り付け、取り外しを行うのだ。どうしてか。受話器が盗まれてしまうからだ。この情けない状況。でもロシア最高会議の面々はこれを情けない状況だと認識していないだろう。10時過ぎ議会が始まる。最高会議という所は議院運営とか事前の調整とかがないので、議場でゼロからものごとを始める。想像を絶する展開になる。のらりくらり。結局何も決まらない。こういう状態でも昔の共産党政権下の全員一致議会に比べればマシなのかもしれない。

6月10日（木）。雨。午前中インターファクスの年間購読料支払いのためメナテップという銀行へ行く。5000ドル余りのキャッシュを持っていくのだが、またまたいつものようなカフカ的状況に胃が痛くなる。ウィーンの口座からおろしてきたばかりの100ドル紙幣のうち何枚かを「これは受け取れない。新しい別の紙幣で支払え」と突き返される。ニセ札というのではない。ロシア独特の政令によって、お札の肖像部分に少しでも書き込みがあったり、1964年以前に発行された古いお札は受け取れないことになっているのだ。「これがニセ札というのなら僕も納得するけど、本物なのにロシアだけでしか通用しないルールで受け取らないというのなら、誰もロシアの銀行になんかお金を払わないよ！」悔し紛れにそう言うと、窓口の女性は「この野郎何を言ってやがるんだ」というような態度で知らん顔をしている。

午後、クレムリンで憲法会議全体会議の取材。ロシアの政争もどうでもいいやという気分になる。ここで起きているのは単なる醜い私闘だ。最近つくづく思うのだけれども、ソ連がなくなったという事実は途轍もなくデカかった。社会主義建設という理想を捨てた国はつまらない。アメリカを頂点とする一元化された価値観の中では、ロシアなんてデカいだけの三流国だ。イデオロギーをなくした国は悲惨だ。でもその一方で、じゃあ、自分らはどうなんだよ、という自問が湧いてくる。

6月11日（金）。久しぶりの晴れだが寒い。今朝の気温は摂氏7度。

午後3時過ぎ、時事通信、名越記者帰国の見送り。ドームに見送り多数。4年9カ月のモスクワ勤務で、もう悔いはないだろう。公私ともに大変世話になった。何か気が抜けたような感じが残る。夜、アバンギャルドのヴェージュリヴィ・アトゥカス（「きっぱり断れること」の意味）のコンサート取材。ものすごい才能のグループだ。衝撃を受ける。ロマン・スースロフというギター兼ボーカリストの存在感が圧倒的だが、ほかの3人のメンバーの技量も並大抵ではない。

6月12日（土）。朝、オスタンキノTVを保守派がピケに出るというので取材に向かう。オスタンキノ周辺は集まった保守派の10倍以上の大げさな厳戒体制が敷かれていた。これじゃ衝突なんか起こりようがない。保守派の集会もだんだんと集まりが悪くなってきている。完全に時代に取り残された人たちだ。その後12時からのクレムリンでのエリツィン記者会見に回る。G7サミットでの宮沢首相との会談について「不愉快なこと」（ディスコンフォルト）という言葉を使う。理由は北方領土問題を持ち出されるからだ、という。エリツィンは本当に日本が大嫌いになってしまったようだ。

6月17日（木）。人道援助物資が届く所を取材したいと思い、モスクワ市内の古びたアパートにゆく。どういう人たちにどういう方法で援助物資を配るのか、と聞いたら、センターに電話をかけてきた人には原則的に誰にでも配るそうだ。で、どういう人が電話をかけてくるのか、と尋ねると「ひとり暮らしの老人、年金生活者、病気の人、失業者、その他困っている人」というのだ。電話一本だけでいいのだそうだ。僕のような疑り深い人間には「そんなことしたら誰でも電話して援助物資をもらえちゃうじゃないか」と思うのだが「それでいいのです」と言われる。一体、人道援助って何？　という気がしてしまうのは困ったものだ。

6月18日（金）。昨日取材した「人道支援」の現場にいきなり行ってみた。今日11時から困っている人たちに物資を配ると言っていたからだ。ところが事前の連絡なしに直接現場に行ってみると誰もいないし、何も起こっていないのだ。つまり、昨日は事前にカメラで取材に行くと言ったからあのようなことが起きていたのか？　人道支援の皮を一枚剝がしてみるとこんなものである。日本では宮沢内閣不信任案が可決され、解散・総選挙が決まった。……先月からのスランプをなかなか克服できず、自分の位置がだんだんわからなくなっているみたいだ。

6月24日（木）。朝のうち雨。午後から上がる。このところ、トラブル続き。しかもみんな金銭が絡む話なのでイヤになる。昨日は東京サミット期間中のエリツィン、ナイナの Exclusive Interview（独占インタビュー）の話があり、政治的判断から旧APNと契約を結んで素材を買おうと思って話を進めていたら、先方から「エリツィンの警備陣に賄賂を払わねばならないので1000ドル別途用意してほしい」と言ってきた。大統領府、外務省、いや公務員の腐敗はもはや行き着くところまで行っている。

おととい屋上のマイクロ送信機について盗難防止の究極の策として、隣のビルに移す作業を通信省に頼んでやってもらったのだが、今日通信省のウリエフが支局にやってきて800ドル払えと言う。どういう計算なんだ？　説明を求めると、普通に役所の窓口を通すと料金は5000ドル、しかも時間もものすごくかかる。今回はバイパスを使って料金も時間もかからずにやってやったんだ、と言う。「あなたはそれでも公務員か。恥ずかしいとは思わないのか？」と思わず言ってしまった。ところが先方は平気なのだ。「わかった。800ドルを払うが今後この支局であなたとはもう二度と会いたくない」と告げて、バルコニーに出て頭を冷やした。するとウリエフは100ドル札1枚だけ持ってきて「これは値引きだ」と言う。怒りが頂点に達して「帰ってください」とだけ言った。

夜、といっても今は日が長いのでまだ太陽が出ているけど、まもなく帰国する朝日新聞の島田博（しまだひろし）氏がひょっこり支局に来る。車のガラスが割られて盗まれたカーステレオの保険金がまだおりない、とボヤいている。それとロシア人に貸したお金をいつまでも返してもらえない、とこぼしていた。そういえば僕も以前支局によく来ていたアンドレイ・ソロビヨフに300ドル貸してあるのに返してくる気配がない。

何かが決定的にすさんできているのだ。これはこの国の経済がドル経済とルーブル経済の二本立てになっていることに原因の1つがある。ルーブル生活のロシア人にとってみると、どんなことをしてもドル生活者である外国人と接触する方が何もかもいいのだ。裸の欲望とはそういうものだ。きれいごとではない。自分の周りにカネではない他者（ロシア人）との関係をどう作っていくのか。これが大事なんだと思う。

6月29日（火）。歯痛ひどくなる。ガーリャさんがサルビアの薬草が効く、と自宅から自家製の薬を持ってきてくれた。昨日、時事通信のアンナが首を申し渡されたそうだ。それでアンドレイたちと朝まで飲んだという。夕方、通信省のウリエフから電話が入って、この間移設したばかりのTBSのマイクロ送信機の隣に設置されていたドイツのARD（ドイツ公共放送連盟）の送信機が昨日丸ごと盗まれたという。隣のビルが安全だからと言われて移したのに、これでは意味がないではないか。明日の朝、ヴォロージャらに盗難防止用に鎖を付けてもらうように頼む。

6月30日（水）。歯痛治まらず。東京からの依頼でアンドレイに街録を頼む。30人ぐらいのインタビューで「ロシアに日本からの支援が必要か？」との問いに対して、ほとんどが「不必要だ」と言い切っているのが面白い。本当にモスクワだけを見る限りものが溢れており、ものによる援助なんか不要だと思う。しかし流通システムや分配のルールがすべて破壊されたので、そこにあるのは弱肉強食の論理だけだ。けれども仕方がないのだ。こういう市場経済への道をこの国は選択したのだから。今の混乱に対してものやお金を「与える」のは誤りだと思う。ロシアの人たちはこの混乱を収拾するルールを自分たちの手で作り上げるべきだと思う。

夕方、NHKとアメリカのABCの合同新支局開所記念パーティー、ケンピンスキー・ホテルで。川口幹夫会長とABCの社長が来ていた。会場は超高級ホテル、大変な盛況だった。橋口譲二『新・ベルリン物語・上』（情報センター出版局）読了。冷戦＝東西対立が終焉を迎えたのちの旧東側の人たちが置かれているやりきれない心理状況が切ないほど見えてくる。旧東ベルリンのこの風景は今のモスクワの各所で見られる風景でもある。感傷的な気持ちに陥ってしまうが、モスクワの場合悲惨なのは、その旧ソビエト時代を引きずって生きている人々を支配しているのが、なおも時代の流れに乗っていち早く「転身」した旧体制の特権層であり、また昔から特権的な地位にある外国人たち（それもあまり質のよくない）であるという現実だ。彼らはもちろんカネしか信じない連中だ。疲労甚だし。前を見ろ。もっと。

ロシアと東京の距離について。あるいは、モスクワに社会主義を！

1993年7月

7月1日（木）。朝、支局の掃除をしてくれているガリーナに6月分のお給料を渡すと、いつもニコニコ顔の彼女が血相を変えて飛んできた。「35ドル足りない！」計算違いでどうやら少なく渡してしまったのだ。けれどもその時の真剣な表情を見てしまうと、いつもの愛想のよさが何だったんだろう、と苦い思い。ガリーナは元宇宙産業関連の女性技師で今40歳。離婚して今はひとり暮らし。外国人の関連の支局や事務所で働けば通常の5倍以上のカネが、しかもドルで手に入る。彼女のとりあえずの目標はマイカーを手に入れることだ。

7月6日（火）。東京サミット取材のためモスクワ発。アンドレイの出国ビザは今朝になってようやく発給される。これでやっと彼は日本に行ける。パスポートコントロールを無事通過した段階でギネスビールで乾杯。

7月7日（水）。朝、成田着。成田空港第2ターミナルという所を使うのは初めて。リムジンでホテルへ。警備厳重にして3時間近くかかる。大部屋に立ち寄ってアクレディテーションを受け取り、ニューオータニのプレスセンターへ。懐かしい顔触れと再会。

7月8日（木）。後悔先に立たず。午前中ずっと二日酔いで頭痛。本当に何しに来たのだ、僕は。午後、エリツィン、羽田に到着。空港で日本向けステートメントを読み上げる。モスクワを発つ際、空港で「今回はG7サミットに行くのであって2国間の問題を解決する時間はない。今年中に訪問が実現するかどうかは両方の国の国内事情次第だ」と語っていたのとは大違い。訪日延期について遺憾の意を表明する。「去年9月に予定どおり訪日が実現しなかったのを遺憾に思っています。訪日は必ず実現されます」と用意された書面を読み上げる。本音はモスクワの空港での発言の方だろう。

夕方、宮沢首相との会談。わずか35分。官邸の玄関口で待っていると枝村大使が厳しい表情で出てくる。見送った宮沢をエリツィンは無視するかのように出ていってしまう。車に乗り込む寸前にオスタンキノTVのインタビューを受けている。外務省はブリーフィングで「暫定的に10月半ばの訪日を目指して外交ルートを通じて具体的日程を調整することで合意」と微修正した。これはロシア側のクラシコフ報道官が「10月半ばが1つのバリアントとして言及された」と日本の記者たちに述べたことが伝わったためだ。日ロの広報当局者たちの間で意思疎通が全くないことからこういうことが起こる。

7月10日（土）。昼、新宿紀伊國屋ホールで、こまつ座『マンザナ、わが町』を見る。「民族」という今日的なテーマ。日系人収容所が舞台。終幕近くになって涙が止まらなくなる。

7月11日（日）。高校時代の同級生6人がそれぞれ家族同伴で「同窓会」。杉並の方南町（ほうなんちょう）の鈴木（すずき）邸で。高校時代から入り浸っていた家だ。総勢16人の宴（うたげ）となる。みんな歳をとったな、という感慨に襲われる。

7月12日（月）。アンドレイと家人、北海道へ。会わなければならない人がまだまだたくさんいる。モスクワと東京。9時間半の飛行の端と端にそれぞれの空間があり、時間の流れや文化の有り様や価値観がこんなにも違って展開されている。でも、この違いというのは長い長い目で見ると均質化される運命にあるのかも。それを促すのは交通手段の発達とか通信の発達、情報の流通の高速化というハード面の変化だろう。類としての人間はモノによって決定的に支配される面がある。ところがそこに厄介な問題も残る。「民族」とか「人種」とかの違い。夜、北海道の奥尻島近くを震源とする強い地震発生。家人とアンドレイは大丈夫だろうか？

7月14日（水）。早朝6時45分のリムジンで成田へ。あっという間の日本滞在だった。帰りの機内は冷房が効き過ぎていたのか、風邪を引いてしまった。機内で『KGB極秘文書は語る』（A・イーレシュ　文藝春秋）を読む。

シェレメチェボ空港に到着し、パスポートコントロールの無愛想な対応に腹を立て、税関検査でイヤな目に遭い、クトゥゾフスキー大通りに到着した時には、けれども、なぜかホッとした。自分の地に戻ってきたという感じに近い。風邪ますますひどくなる。発熱に加え悪寒。

7月18日（日）。風邪よくならず。一日中本を読んで暮らす。山田詠美『ぼくは勉強ができない』（新潮社）、盛田隆二『サウダージ』（中央公論社）、林静一『pH4.5グッピーは死なない』（青林堂）。自分の性向が完全に過去へ向かっているのを自覚する。

7月20日（火）。終戦時、在東京ソ連大使館に勤務していたイワノフ氏にインタビュー。面白し。夕方、天気がよく気温が高いので大先輩氏らとビールを飲みに行く。クトゥゾフスキー大通りに帰ってきたら、駐車場に消防車がいる。ミリツィアに「何があったんだ？」と聞くと、「日本の特派員の車が燃えた」と言う。驚いて駆け出すと、毎日新聞の車が無残にも全焼状態。これはたしか石郷岡氏の車ではないだろうか。毎日の三瓶(みかめ)氏に電話する。やっぱりそうだった。聞けば、アラブ人の子供たちがそばで遊んでいたとかいないとか。いつ自分の身に起きてもおかしくはないことども。

7月22日（木）。晴れ、蒸し暑い。戦後史の生き証人イワノフ氏、支局に来る。原爆被災の映像を見てもらう。この人物には信念のようなものが感じられ、好感が持てる。

7月23日（金）。やけに蒸し暑い。ロシア人スタッフが来週から一斉に夏休みをとり始める。みんなしっかり一カ月とる。原爆投下の関係で歴史資料を何とかニュースにしたいと思っていろいろやってみるが、みんな夏休みに入っちゃって埒が明かない。

7月24日（土）。ロシア中央銀行がとんでもない決定を突然出した。この決定はタス通信が今日の未明に突然配信したもので、一般市民は今朝のラジオニュースで知った人が多いようだ。何しろ去年末までに発行されたルーブル紙幣が、あさって26日午前0時をもって全部無効になるというドラスチックな決定だ。有効なのは今年発行の紙幣だけ。ロシア市民は1人上限3万5０００ルーブル（およそ35ドル＝3８００円弱）に限り26

日から8月7日までの期間内に銀行で両替できるという。外国人に至っては26日1日限り、しかも1人1万5000ルーブルの上限という目茶苦茶な決定だ。すでに今日市内の店では古い紙幣の受け取りを拒否するところも出始めているという。通貨制度が国家という幻想体系への「信用」に基づいているという素朴な事実をこの国の官僚たちは理解できないのだ。こんなことをやっていては誰も通貨の安定性なんか信用しなくなる。みんな外貨＝ドルで貯め込もうとするだろう。

7月26日（月）。朝6時半支局。今日からアンドレイとミーシャ、夏休み。アンドレイは2週間。ミーシャは1カ月だ。今朝から銀行で古い紙幣の両替が始まる。取材に出る。パニックが予想された。最初に行った銀行にはすでに開店前から長い行列。定刻8時半に開店したはいいが「お金はないよ」という状態。2軒目、3軒目、4軒目はいずれも扉が閉まったまま。その前に人々が立ち尽くしている。『ニュースの森』用レポートをとって一旦支局へ戻る。

午後2時半、再び銀行へ。扉で押し合いが始まっている。年金生活者が古いビニール袋の中から古い紙幣を大事そうに取り出して何度も数えている。エリツィンは午後4時からクレムリンで安全保障会議を招集。結局、夕方、中央銀行の決定を大幅緩和する大統領令なるものを出す。何をやってるのか、この国の役人は。

7月27日（火）。今日も銀行の周りには行列ができている。気分転換に午後から身の回りのものの買い物に出る。電化製品と日用雑貨を取り扱うストックマン（スウェーデンに本店のあるクレジットカード専用店）に行く。ここはモスクワに住む外国人専用の店みたいなもんだけれど、久しぶりに行ったら随分様子が変わっていた。ロシア人がわんさかと押し寄せているのだ。ロシアではまだクレジットカードというシステムがないので、それを持っているのはいわゆるノーメンクラトゥーラ（特権階級）たちだ。外交官とか外国とのジョイントベンチュアで働くごく一部のロシア人たち。

で、支局で使う日用品を幾つか買い求めてキャッシャーに行くと、僕の前にロシアの若いペアがいる。その買い物量の凄まじさ！　オーディオ、テレビといった電化製品の類から、食器セット、植木、台所用品、カー用品などなど、カウンター台の上に載り切らないほど。だから不慣れな店員は何度も何度もトータルを計算しているのだ。こんなに膨大な量を一度に買うなんて信じられないのだが、大体、クレジットカードの限度というものがあるだろうに。そのロシア人ペアはどうみても20歳代。Tシャツにジーンズという軽装。男の方の人相はどうみてもよろしくない。20分待った。まだそのペアの勘定が終わらない。僕の後に長い行列ができた。25分くらいのところで堪忍袋の緒が切れた。「一体いつまで待たせるんだい！」思わずそう口にした。店員嬢は「このお客の買い物が多いから」とかムニャムニャ言っている。奥の方から休んでいたらしい別の店員がやってきて、休止中だったキャッシャーを開ける。どうしてこういう措置を初めからとらないのだろう。効率という概念がないのだろうか。頭に血が上ってしまった。

それにしてもあの買い物量は一体何なのだろう。興味を抱いてしまった。それで出口のところで例のペアが出てくるのを待つことにした。そうか、こういうのがマフィアなんだな。外貨ショップはマフィアの専用という状況が生まれつつあるんだな。そんなふうに考えながら待っていたら、男の方だけが出てきた。驚いたことに車（ＢＭＷ）を待たせていて、運転手が荷物を運ぶのを手伝っている。思い切って声をかけてみた。「僕は日本のコレスポンデント（特派員）なんだけれど、失礼ですがあなたの職業は何ですか？」「俺は無職さ（ヤ・ニ・ラボータユ）」「クレジットカードはどうやって手に入れたんですか？」「問題ないよ（ベス・プロブレム）」。な、な、何だ。

しばらくして女性の方が出てきてあっという間にＢＭＷで走り去った。その少し前にモスクワ市内の各所の銀行の前で見たルーブル札を持った人々の群れは何だったのか、という思いにかられた。と同時に、直観的にこんなふうに感じた。今、モスクワに必要なのは「社会主義革命」だと。この著しい、天文学的な貧富の差。不平等。社会主義を支える理念の１つは平等の概念だ。それこそが今、この国に必要なんだ、と。じゃあ、お前は何だ。お前はモスクワの外貨生活者の１人にすぎんじゃないか。青臭いことを言うんじゃないよ。自分だけを括弧に入れた物言いはいい加減にしろよ。そう言われれば全くそのとおり。でも、今日、銀行の前に延々と並んでいたのも、ストックマンで湯水のように金を使ってものを買い漁っていたのも、同じロシアのモスクワに住む人間なのだ。それらを分け隔てる境目は何なのか。運？　僕らが生まれてくる国や境遇を選べないように、彼らもたまたま運のいいのと悪いのと、それだけの違いなんだろうか。違うと思う。自分がきのう日本のテレビに向けて出したレポートがいかにダメで、一面的なものかを思い知った。

7月29日（木）。ベルリン支局より梅本（うめもと）氏来る。このところ長崎原爆映像の件と731部隊の件を並行してやっているので忙しい。成果あり。ロイターが非自民7派が細川（ほそかわ）護熙（もりひろ）氏を首相候補に推すことで一致したと打ってきた。

7月30日（金）。給食係のおばさんのリーダが8月いっぱい夏休みをとるので給料を渡す。いやな気分になってしまった。リーダはサナトリウム（保養所）の案内書なるものを示して「以前は労働組合から補助金が出ていたが、今は出なくなった。28万ルーブルもするので何とか一部を負担してくれないか」と言う。どうして支局がそんなの負担しなけりゃならないの？　この社会主義の時代感覚。セルゲイを通じて「どうして支局が支払わなければならないのか全く理解できないけれども、せっかくの夏休みだから一部を出すよ」と答えて7月分の給料に5万ルーブルを足して渡した。

ところがリーダは「8月分の給料はどうなってるのか？」と尋ねてきた。ええっ？　だって8月いっぱい休みでしょ。「いや、そうではない。月毎（ごと）の給料は権利だから」。リーダにとっては全く支局がソビエト政府（＝お上）になっただけなのだ。これ以上言い合うのもいやになって7・8月分の給料とサナトリウム労働組合補助金相当を渡してお引き取り願った。セルゲイが「このような恥ずかしい会話を通訳するのはいやになります」と苦笑する。そして「リーダの臭いに気づきましたか？」と付け加えた。リーダからウォトカの臭いがしたという。「彼女はあのような恥ずかしいことを言う前に一杯飲んだのです」。

それを横で聞いていた助手のマリーナは「給食のおばさんは普通のロシア人の中では飛び抜けて高い給料を貰っているはずなのに、金平さんはイエス・ノーをはっきりさせるべきだ」と主張した。そうなのだ。自分の優柔不断さが結局、関係をまずくしてしまったのかもしれない。セルゲイは少し違っている。「あのような年齢までいってしまった人はもうソビエト時代の感覚を抜けられないのです。だからいくら言っても時間の無駄です。仕事をした方がいいです」。お金が間に入ると関係が拗（こじ）れるというのはイヤだけど、冷徹な現実だ。特に今のモスクワでは。

夕方、ウィーンにドルを取りに行く。ホテルに帰り、読みさしの橋口譲二『新・ベルリン物語・下』読了。ネオナチ、在独トルコ人、旧東の人々たちとの観念的じゃない交流はマスコミ報道的な手法からばっさり落ちているものを浮かび上がらせている。登場人物の顔が浮かんでくるようだ。中にベルリンの日本食レストランで飽食に浸るロシア人の一団というのが登場してくるシーンがあるけれども、モスクワではそういう光景を本当に日常的に見るようになってしまったなあ、と実感する。この天文学的な貧富の差。僕ら外国人特派員は富者の末端に連なっている。だからリーダのようにお金をねだってくるのだろう。

ちょっと外から眺めてみると、何よりもだめなロシア

1993年8月

8月2日（月）。はっきりしない天気が続く。きのうまで旧ソ連歴史資料関係の作業を続けていて疲れた。雑用をこなす。

給食のおばさんのリーダが1カ月の夏休みの間、今日からマーシャという女性に来てもらった。以前、アラブの大使館の食事を作っていたという。驚いた。料理が上手なのだ。美味しい。しかも仕事が几帳面できれい好きときている。ガーリャさんやヴォロージャも歓声を上げていた。「フクースナ！」（美味しい！）。この間リーダと気まずいことがあったばかりなので複雑な気持ちになってしまった。

8月3日（火）。アメリカ系レストラン「トレモス」の店長が自宅の車庫で頭などに3発ピストルの弾を食らって殺されていたそうだ。それからメージュドナロードナヤ・ホテルに滞在していたユナイテッド・テレコムのイギリス人社員が自室で刺し殺されていたそうだ。本当に危ない、危ない。ベルリンから応援に来てもらっている梅本さんもびっくりしている。「私の泊まっているホテルは大丈夫でしょうか？」するとセルゲイが「大丈夫。今のところ、あそこでは殺人は起こっていません」。その答えに梅本さん、若干ビビっている。

8月4日（水）。昨夜、ワインを飲み過ぎて頭が痛い。昨日のチェリャビンスク65

（秘密都市の1つ）の映像、結構面白い。一度行ってみなければならないかもしれない。その場合は、ガイガーカウンターがやっぱり必要になるだろう。撮影に出向いた女性が言っていたことでびっくりしたのは、モスクワのメージュドナロードナヤ・ホテルの裏側に、クレムリンに特別に電力を供給するための秘密原子力発電所がある、という話だ。本当だろうか、こんな近くに。ここから1キロくらいしかないところだ。

8月7日（土）。快晴。梅本氏、家人とドライブ。セルギエフ・パサド（旧ザゴールスク）へ行く。1時間あまりの距離。ロシア正教の聖地ということになっている。たくさんの観光客。アメリカ人たちの団体もよく見かける。建物自体はヨーロッパのあの重厚な教会建築に比べればちゃちな印象だが、教会の中に入ると憑かれたように祈る老婆の姿が目に焼きつく。十字を切ってイコンに接吻（せっぷん）する老婆たちの姿はある種の感動を呼び起こす。「これじゃあ勝てっこないですね」と梅本氏に話す。「何がですねん？」「いや、これじゃあいくら昔共産党が頑張ったってダメですよね。根っこのところは要するに神に救済を求めているんですよね」。うまく言葉にならないけれども、今、目にしているのは社会主義を経験してきた国民の姿ではないな、という気がしたのだ。むしろ中世の版画に出てくるような神の救いを求める農奴の姿のような印象。ザゴールスクへの往路、発生直後の交通死亡事故に出くわした。3台の車が大破して1人の男が車の外に投げ出されて頭が潰れていた。

夜、全日空の加藤氏宅にお誘いを受けて夕食をご馳走（ちそう）になる。その加藤氏宅に向かう途中、またもや交通事故の発生直後の現場に出会う。今度は1台だけの自損事故。歩道に乗り上げて車は大破。運転していた男が車のそばで血まみれになって倒れている。死んでいる。それを人々が恐る恐る取り囲んでいる。ロシアではガイー（交通警察官）が来るまで現場の状況を動かしてはいけないことになっている。モスクワではあまりにも早過ぎる車の普及という事態に何もかもがついていってないな、と思う。

8月8日（日）。このところダレている。しっかりしなければ。長崎映像資料の件、結局埒明かず。それに加え、日本の細川内閣の組閣が遅れてしまったものだから、その割りを食って、9日の放送時間がとれなくなってしまった。結局11日過ぎオンエアということで妥協。夜、香港（ホンコン）映画『七小福』のビデオを見る。

8月9日（月）。朝のうち曇り、のち晴れる。アンドレイが夏休みを終え、支局に久しぶりに出てくる。すっかり日焼けしている。夕方、セルゲイから深刻な相談を受ける。来年の春にドイツに移住するというのだ。つまりもうこのロシアを捨てる意思なのだ。東京にいる奥さん（正式に結婚しているわけではなさそうだけれど）のこともあり、人生上の決断という感じ。このロシアがイヤになったのだろうか。彼のニヒリズム（絶望の度合い）は恐ろしく深い。彼ほどの能力があればドイツであれ日本であれ、どこででも住めるだろうが。でも、こうしてロシアから皆優秀な人材がヨーロッパやアメリカに「流出」したら、この国はどうなるんだろう。

8月11日（水）。「長崎」映像オンエアの日。朝から忙しかった。10時、大韓航空（K

AL）機撃墜事件取材打ち合わせ。13時、『タイム』誌の幼児売春取材ヤラセの話。15時、日商岩井の伊藤氏からのビデオ。16時、ソロビヨフ。18時、支局に元時事通信のアンナ来る。過激な酒盛り始まる。彼女は何とタス通信の「エリツィン番」になったそうだ。短時間のうちに完全に酔っ払ってしまった。最低だ。意識が完全にブラック・アウト。恥ずかしい。

8月13日（金）。晴れ。風に秋の気配。明日から夏休みに北欧に出かける。と思ったら、どうもロシア国内の情勢が騒がしくなってきそうだ。エリツィンは昨日の国内のマスコミだけを対象にした記者会見で「議会は解散。秋に選挙をやる」とぶちまけた。どうにも理解できないのは、その記者会見なるものが外国プレスの入場を制限して、ロイターとCNNだけを入れたこと。そして、何にもまして、あの記者たちの「拍手」なるものは一体何じゃい？　日本では信じられない光景だけれども、記者たちがエリツィンの言葉に何度も拍手するのである。これではブレジネフ時代と何にも変わっていないではないか。

夜、梅本氏らと連れ立ってツィルク（サーカス）を見に行く。モスクワのサーカスは質が高い。あまりにも高いので逆に情けなくなってしまう。どうしてサーカスなんていう分野にこんなスゴいエネルギーを費やして、サーカスの外の世界は混沌に満ち溢れているんだろう、と。このサーカス団員だって決して優雅な生活を送っているとは思えない。ソビエト時代はサーカスは国民文化の花形だったという。使われている道具がみんな古びていて大丈夫なのかと心配になってしまう。今のところ、日本のサーカスのようなあのうらぶれた、どこか寂しげな哀感というようなものはないけれども、今のようなモスクワの社会の変化の方向では、人々は徐々にサーカスという娯楽から離れていってしまうだろう。現にモスクワの子供たちはニンテンドー（テレビゲーム）の方に関心が向いている。

８月22日（日）。14日から今日まで夏休みは北欧を回ってきた。今日でその夏休みもおしまいだ。モスクワまでの便で席に隣合わせたのは、イギリスのケンブリッジの哲学教授。モスクワで開かれる哲学シンポジウムに参加するという。鞄の中は本でいっぱいだった。到着してパスポートコントロールでここがモスクワだと思い知る。通過するのに40分以上かかった。一体何を彼らはチェックしているのか。僕の後ろに並んでいた例の哲学教授は「これは人間性の尊厳に対する冒瀆である」とため息をついていた。前に並んでいるアメリカ人たちはもっと露骨にWhat a stupid job! と罵っている。列にも秩序はなく、ロシア人たちは得意の割り込みをやってどんどんどん前に進んでいく。かと思うと、役人風の男は横道の方からノーチェックでくぐり抜けていく。「エリツィンも一度でいいから、自分でこういう目に遭えば、この国のこの馬鹿げたパスポートコントロールのシステムもなくなるんでしょうけどね」と例の哲学教授に話しかけた。

８月23日（月）。また例によってモスクワの日常が始まる。ベルリンから応援の梅本さんは今日で帰任。ロシアの政局は相も変わらずの政争。汚職。事大主義。外国人社会は伝染病パニックに陥っている。ベルギー人旅行者がジフテリアにかかって急死したためだという。アメリカ大使館はいち早く手を打って予防接種を始めているという。雑用がたまっている。エリツィンはあしたからポーランド・チェコ・スロバキアを歴訪。外国出張取材をしたことのないミーシャと取材に行くことにする。プラハの春25周年でのエリツィンの言葉も聞いてみたい気がして。

8月24日（火）。夜、ポーランド航空便でワルシャワへ。アエロフロート便には極力乗りたくないのだ。夜9時過ぎ、ワルシャワ到着。夏休みでワルシャワの娘さんの所に滞在しているガーリャさんと連絡とる。外国出張が初めてのミーシャはちょっと緊張してるみたいだ。

8月25日（水）。朝6時起床。何しろアクレディテーションをとらなければ何も取材できない。ロシア大使館でガーリャさんと合流。そこへタイミングよくクラシコフ報道部長がやってきた。これであれよあれよという間にうまく行ってしまった。ワレサとエリツィン列席の公式歓迎式典、共同記者会見、カチンの森の慰霊碑への献花などがすべて撮れた。しかし、あまりにタイトなスケジュールで疲れた。カチンの森の碑の前では老神父とエリツィンが言葉を交わしていた。後で神父に聞くと、エリツィンは「許してはもらえない行為だ」（It is difficult to forgive.）と言ったそうだ。カチンの森の遺族同盟の人たちが花を持って集まっていた。エリツィンがそそくさと帰っていった後も、彼らは碑の周りで長い間話し合っていた。ポーランドＴＶへ行って星送り（＊1）。ここの連中はとても人なつっこくて、日本人が珍しいのか、狭い部屋に10人もの人が次々に集まってきて、日本語のVTRレポートをわいわいお喋りしながら眺めていた。今夜のプラハまでの夜行列車の切符を買い、官僚意識丸出しのポーランド国営航空（アエロフロートとおんなじだ！）で、出発地の変更手続きなどを済ませてから、1時間ほどミーシャと旧市街をぶらつく。プラハ行きの夜8時発の列車でこの日記を書いている。それにしても、ポーランドは1年前に来た時に比べても街に活気が出てきているような気がする。こうしてロシアはチェコやポーランドにどんどん引き離されていくんだろうなあ。

8月26日（木）。朝6時20分、プラハ駅着。夜行列車は実に社会主義的だった。途中で車掌が「お前たちは一等だったのか」と言って、3段ベッドを2段に直していった。睡眠をとっている間の持ち分の空間が若干拡（ひろ）がるというわけだ。それにしてもチェコの役人は実に官僚的で困ったものだ。アクレディテーションを取りに外務省に行くと、「自分たちに権限はない」とたらい回しされた挙げ句、大統領府の広報部なるものもロシアにまさるとも劣らぬビュロクラシー（官僚主義）。アクレディテーションの申込みはおととい締め切ってあるので、もう余分なものは出せないと言う。こっちは夜行列車でわざわざプラハまで来たのだ。ここで引き下がってはいられない。「お前の国は社会主義国か？」などと散々毒づいたら、大統領のスポークスマンが出てきて、公式歓迎式典と「プラハの春」事件の犠牲者への献花は撮影OKだと言ってきたので、妥協した。「プラハの春」事件の記憶はドプチェクという名前とともにある。もっとも彼は今は別の国になってしまったスロバキアの人だそうだ。

エリツィンがどんな顔をして献花するのかが見たかった。歓迎式典で驚いたのは、ロシア代表団の随員の数の多さだ。ガードマンやらご夫人連を含めるとものすごい数になる。大国主義丸出しの構成。こんな短い訪問でこんな大訪問団をしつらえる必要なんかないだろうに。その中で副首相のロボフがいつも上席にいるのが目立った。コズィレフはいつも男芸者みたいにニヤニヤしている。「プラハの春」犠牲者への献花は、パーッと車で乗りつけてわずか4分間で帰ってしまった。星送りの時間まで1時間余りしかないので、すぐさまモニュメントの前でレポートを撮り、チェコTVへ。

星送りをしているとロシアテレビ・プラハ支局の連中が同じようにモスクワに星送りしている。見ていると、VTRの中に何とエリツィンとハベルの記者会見が含まれていた。大統領府の男は記者会見のことなど何も言っていなかった。記者会見は献花のすぐ後に行われたらしい。そこでエリツィンはこんなふうに言ってのけた。「1968年の事件は旧ソビエトと共産党中央委員会に責任があるので、今のロシアは謝罪することができない」。ヤバい。『ニュース23』用に送ったレポートは、とにもかくにも献花をして哀悼の意を表したことを中心にしてレポートしたので、全く逆のニュアンスで伝わってしまうことになる。頭を抱えてしまった。

過去の悪いことはすべてロシアではない旧ソビエトと共産党政権のせいだ。こういう論法でエリツィンは謝罪をかわした。こういう論理が罷（まか）り通るのなら日本の戦争中の行為だって天皇制ファシストたちがやった行為で、今の民主日本は責任はございませんという論法で切り抜けられる。国家・国民の連続性という概念はそれほどやわなものではあるまい。エリツィンだって元共産党の幹部だったじゃないか。それに今の彼の政治手法も共産党時代の旧ソビエトのボス政治とどれほど違うというのか。とにかく朝ニュース用に差し替えたレポートを電話で送った。アクレディテーションさえ出ていれば、会見もカバーできたかもしれないのに、と悔いが残る。

8月27日（金）。プラハからモスクワへ。午前中、フランツ・カフカ・ギャラリーで画集を買う。チェコのKAREL DEMELという画家が気に入っていて、去年プラハに来た時もリトグラフを買って帰った記憶がある。画風はハンス・ベルメールを想起させるが、もっと偏執的だ（??）。今朝のチェコの新聞の見出しはエリツィン訪問のことが見出しになっているが、チェコ語なのでわからない。モスクワへの帰りの便でスチュワーデスに意味を聞くと「エリツィンは謝罪ができないと語った」とある。夏休みも含めてこの2週間、ほとんどモスクワにいなかったので、外からモスクワ（ロシア）を見ることになったのだけれど、やっぱり実感するのはロシアの立ち遅れだ。きつい言葉で言えば「何よりもダメなロシア」ということになってしまう。

ロシアには真の意味の民主主義とか市民社会が成立していない。帝政ロシア時代の為政者→社会主義ソビエト時代の為政者→現在のロシアの為政者といった変遷に一体どんな根本的な意識上の変化があるというのだ。全く同じではないか、と暴論を吐いてしまいたい気持ちにさえなる。国民の権利を代行する、市民の基本権をたまたま付託されたのが政治家にすぎないのだ、公務員は国民への奉仕者だ、という考え方がロシアに定着するには気の遠くなるほどの時間がかかると思う。未だに政治家＝権力者＝国民の上に位置して何でも思いのまま意思を遂行できる階層、という構図は何も変わっていない。何よりもダメなロシア。そして何よりもダメな日本。支局に戻るとモスクワのテレビやタス通信はポーランドやチェコ訪問のことはごくごく短くしか報じていないという。そうすると、あの大統領にどかどかと同行してきた大勢のロシアのマスコミの連中は何をしてたんだ？　物見遊山が主目的かな。彼らもロシアの公式代表団の一部にすぎないのか。

8月28日（土）。セルゲイから再び相談を受ける。彼の真面目な生き方に打たれる。彼のドイツ移住の決意は、大学3年のときに結婚の約束をした女性と再びやり直すためだという。彼女は旧東ドイツからの留学生だった。当時外国人と結婚すればいろいろな困難が生まれた。セルゲイの場合、家族が外交官なので、ＫＧＢから「外国人と結婚すれば自動的に君の家族は職を失うことになる」と脅迫されたという。セルゲイの通っていた大学の半数以上は外交官の子弟で将来国家機関に勤務することがほぼ約束されていたという。というか、強制的に将来が決まっていたという言い方の方が正確だ。泣く泣くセルゲイと彼女は別れたが、愛情は変わらなかったらしい。

失意の彼女はその後アフガニスタン人と結婚し、２人の子供ももうけたが、ベルリンの壁崩壊とソ連の崩壊、ＫＧＢの勢力後退という「歴史的事件」の後再会して、やはり2人で暮らしていこうということになったという。彼女の方はアフガニスタン人の夫とは離婚する。子供は彼女が引き取り、セルゲイと一緒に育てるという。何とか力になれないものかと思う。

8月29日（日）。朝、ベーデンハーで国際カー・ショーの取材。西側高級車に人だかり。雨模様の天気だったが、外に長蛇の列。ベンツやボルボやトヨタ、ニッサンのスポーツカー・タイプに注がれているロシア人の視線のありようが何やら痛ましい気がするのはなぜか。子供たちはときどき配布されるカタログを奪い合っていた。その中の1人の少年が僕のところにやってきて胸ポケットに差しているペンを指差しながら「くれ」と唐突に言う。この少年たちの物乞い根性に無性に腹が立って「君、恥ずかしくないのかい？」と言ってしまった。すると彼はくるりと振り返って走っていってしまった。気まずさが残った。ちょっとどうかしてる。帰り際、ふとショー会場のゴミ捨て場を見ると、1人の老婆がゴミを漁っていた。会場の中と一歩外のこの落差。カメラマンのイワンが「あのバーブシュカ（お婆さん）を撮影しましょうか？」と言ったがやめた。

8月31日（火）。夜、大統領府クラドフ氏夫妻と夕食。コムソモール（共産青年同盟）の優等生から共産党幹部候補生の道を歩み、ゴルバチョフ時代にも大統領府管理部、そして今も大統領府でフィラートフのもとにいる。つまり時代が変わっても生き残っているのだ。何というか徹底的なリアリストという印象を受ける。「最近のカネまみれの風潮は困ったものだ」と嘆いて感想を求めると、このリアリストは真顔で言ってのけた。「金平さん。情報は商品です。商品は代価があるのです。あなたたちは価値ある情報が欲しい。我々はそれを提供する。その間には一種商品のやりとりがあるのです」。こういうリアリストたちが今の政府に生き残っているのである。

＊1　通信衛星を使って取材してきた映像・音声を伝送することを意味する業界用語。

マイケル・ジャクソンとブルブリスの関係、及びピナ・バウシュとエリツィンの関係

1993年9月

9月1日（水）。午後2時半過ぎ、東京から時事通信が速報を打ってきたと連絡入る。エリツィンがルツコイとシュメイコの職務を停止したというのだ。これは事実上の解任である。しかも狙いは間違いなくルツコイ追放である。9月政争の先制攻撃だ。すぐに大統領府から大統領令の原文をファックスで送ってもらい『ニュース23』用のレポートを撮りにクレムリンへ。

9月2日（木）。支局朝7時15分集合。外務省前からバスでブヌコボ空港まで。クリミアのヤルタ行き。当然のことのようにアエロフロート便の出発時間は1時間半ほど遅れる。ウクライナは今や外国なので、空港のチェックインでは外貨の申告やらパスポートのチェックやらを受ける。このうんざりする手続きを経てようやく飛行機に乗り込める。2時間ほど飛んだだろうか。シンフェローポリ空港到着。あったかい。ここからバスで2時間以上。チャーターバスのはずだが、添乗員の男は途中でバスを止めてブドウを買いに行ったり、クリミアテレビでロシアテレビのスタッフをただ乗りさせてやったりしている。

とにかくクリミアのユージュナというところにたどり着いて取材許可証手続き。受け

取った許可証を見ると「クリミア共和国」とある。僕らがバスの周りでうろうろしていると、へろへろに酔っ払った若い少女が絡んできた。こんな真っ昼間からしたたかに酔っていて足元がおぼつかないくらい。保養地なので開放的な雰囲気だ。電話のあるヤルタ・ホテルまで行って、チェックインが済んだのは午後6時半。つまりモスクワ支局を出てから12時間丸々費やしたことになる。何という効率の悪さだろう。たかだかエリツィンとクラフチュク（ウクライナの大統領）の会談を取材する前の段階でメチャクチャな労力を使わなければならない。ヤルタは、まあ言ってみれば熱海のような保養地である。ホテルの話では、客の大半は外国人（ドイツ人が多い）とロシアのマフィアだという。夜、ホテルの16階のバーに行ってみると、そこは売春婦だらけ。客待ちをしている。外国の取材陣の1人が酔いに任せて自制できなくなったのか、交渉し出した。200ドルだという。

9月3日（金）。昨夜飲み過ぎて頭が痛い。午前中、アンドレイ、ミーシャとホテルの下の海岸に出て海水浴客の中に交じっていると、ここにこうして仕事待ちをしているのが馬鹿らしくなった。太陽が眩しい。大胆な水着のロシア人女性たちの姿も眩しい。海水パンツを持ってくるんだったなあ。アンドレイの方はちゃっかり持ってきていて気持ちよく泳ぎにいった。

さて、それからが問題である。ここにたどり着くだけでも12時間かかっている。マッサンドラという所で行われるらしい会談場所が一体どこなのか、記者会見があるのかどうか、一体何時から何時まで会談があるのか、全然情報が入ってこないのだ。とにかくマッサンドラまでのバスが12時にホテルに到着することになっていた。ところが来ない。同行の日本人記者たちがイライラしだす。僕もだ。一体何がどうなってるんだ？　段取りというものがないのか、ここは。30分遅れでバスがやっと来たが、どういうわけか中にすでに乗っていたロシア人記者によると、会談は12時半（つまり今）から始まるという。ということは、頭撮り（＊1）さえできないじゃないか。不思議なのはロシア人ジャーナリストたちがそのことをちっとも怒っていないことだ。

さて、バスは何度も何度も検問に会いながら林道をくぐり抜け、高台にある別荘のような建物に到着した。すでにそこにはキエフ、モスクワからの記者たちが到着しており、外国人プレスも交じって記者溜まりのような具合になっていた。何と建物の入口近くには酒とサンドイッチを出すビュッフェ（有料）も設けられている。ここで全員がセキュリティー・チェックを受ける。小一時間もかかり、うんざりする。こういうところはソビエト時代と全く変わっていない。建物の中の部屋には電話が13台臨時に設置されている。プレスセンターのつもりなのだろう。電話に1番から13番まで番号が振ってあって、かけた相手番号と通話時間が、1台の機械からプリントアウトされる仕組みになっている。これをもとに料金を支払う。ところが記者たちが電話に殺到すると精算担当の女性が1人しかいないので完全に処理能力がパンクしてしまう。全く何という不便なシステムだろう。

多くのロシア人、ウクライナ人たちはビュッフェにある酒を飲み過ぎて頬を赤らめているのもいる。インターファクスのテリホフ記者（＊2）もすっかり出来上がってしまっている。「これで記者会見が始まれば酔っ払いの大統領に酔っ払った記者が質問するという酔っ払い会見になるね」。同行の記者が苦笑交じりに言う。それにしてもロシア人・ウクライナ人記者たちの陽気なこと。こんな目に遭ってもちっとも怒るでもなく、果てしなく仲間同士でお喋りを続けている。特に何台も来ている同業のテレビのカメラマンはこれまで全く映像を撮るチャンスが与えられていないのだ。

さて、午後4時半前、ざわざわした動きがあって皆が急に駆け出す。マッサンドラ宮殿の方向へ皆が走り出したのだ。何だ何だ。ところが50メートルくらいのところでボディーガードにストップをかけられる。そこで待つこと20分。今度こそは何かあるらしい。さらに駆け出すこと30メートル。宮殿の前庭にマイクが2本突っ立てられ、臨時の記者会見場ができつつある。まるで映画、そう、『ストレンジャー・ザン・パラダイス』みたいな不条理さ。50人くらいの記者団の前に、顔色の悪いエリツィンと悲しげな表情のクラフチュクらが突然現れた。会見時間はトータルわずか12分強。この12分のために、これまで何十時間浪費してしまったことか。この驚くべき事大主義者どもに付き合わされてしまったけれど、後悔先に立たず。黒海艦隊と核兵器でウクライナが譲歩を強いられたことが一応ニュースなので、例の仮設プレスセンターから東京へ電話レポートを送った。

その後1時間ほどして、バスに揺られながらホテルにのろのろと戻る。アンドレイの横にはいつの間にか『ニェザヴィーシマヤ・ガゼータ』（独立新聞）女性記者ヴェーラがぴたりとついている。やたらとべたべたした女性。ところがこのヴェーラは、僕らの後に（正確にはアンドレイの後に）どこまでもついてくるのだ。僕らの泊まっているヤルタ・ホテルは宿泊証を持っていないと入れないのだが、ヴェーラは、TBSの器材を運んで僕らの仲間のような顔をして入口のチェックをクリアしてしまった。その後、僕らと行動をずっとともにして、挙げ句はアンドレイの部屋に泊まってしまった。あちょー。ヴェーラは二度目の結婚をしたばかりだそうだ。れっきとした記者だが、そのあっけらかんとした行動パターンには日本人の僕はちょっとついていけない。長い長い1日だった。もっともその9割8分は待ち時間だったけれども。

9月4日（土）。早朝7時、ホテルから例のバスでシンフェローポリへ。アンドレイの部屋で同宿したヴェーラもまた一緒になってバスに乗っている。朝日新聞の徳永晴美（とくながはるみ）さん、昨夜自室で財布から千数百ドルの盗難にあったそうだ。そのうちの1000ドルは僕が徳永さんに貸したもの。シンフェローポリ着9時半。すぐにチェックインで機内に乗り込めたのだが、アンドレイとミーシャがいなくなっている。イライラして探し回ったがいない。他の乗客はほとんど機内に乗り込んでしまった。何と2人は買い物をしていたのだ。「あのさあ、君らは何しに来たわけよ」心の中でそう呟いた。もうロシアの人にそういうことを口に出しても始まらないのだ。午後1時過ぎ、ブヌコボ着。モスクワ支局帰任。関川夏央『ただの人』の人生』（文藝春秋）読了。

9月6日（月）。天気はっきりせず。ルッコイがクレムリンの執務室に入ろうとしたら追い出された。電話もすべて切られたそうだ。露骨である。

9月7日（火）。朝のうち冷たい雨。寒い。朝8時半から再開されたクーデター事件裁判の取材に出かけるが、最高裁前にはわずか20人ほどの老コムニストたちが赤旗を振って集まっていた。東京から送られてきた『月刊Asahi』を読んでいると、面白い記事が目にとまった。保阪正康の「シベリア抑留問題の虚と実　斎藤『大本営発表』に異議あり」という記事。斎藤というのは斎藤六郎・全抑協（全国抑留者補償協議会）会長のことだ。戦後史の謎「ソ連によるシベリヤ抑留」に関する新事実として、この夏、共同通信によって報じられた歴史文書の解釈が、斎藤六郎氏の恣意によって歪曲されている可能性を指摘したものだ。この間、キリチェンコとこの問題を話し合ったばかりだったので興味を持って読んだ。保阪氏の指摘には同意できる部分が多い。斎藤という人は、抑留問題に大変なエネルギーを費やして取り組み、政府のルートによらず個人の努力でよくあそこまで資料収集をやり遂げたと思うけれども、歴史資料の「テクスト・クリティーク（原典考証）」というのはそうした労とは別の学問的次元の事柄だ。だから保阪氏の論には説得力がある。ところで、この保阪氏の文章で気になる箇所がある。

日本のメディア（とくにテレビや雑誌）は競争が激しいうえに、妙ないい方になるが、すぐにカネをばらまく。そのことに味をしめたロシアの研究者や官僚は、「東京裁判の資料があるよ」「七三一部隊の資料があるよ」「ＫＧＢの秘密文書があるよ」と誘いをかけている。なぜ日本のテレビ局はあんなにドルをもっているんだ、と私も彼らに聞かれたことがある。……そのような中で、全抑協の斎藤はロシア側の信任を得て、もっかのところ、関東軍関係の資料や文書を自在に入手している。（＊３）

僕は少し前、神奈川大学の常石教授らと一緒に７３１部隊の資料を集めたことがあるけれど、保阪氏の言うように、どこかから誘いを受けたなどという経緯もないし、コピー代金を支払ったけれども、その額はそれほどの「ばらまく」ような額ではない。活字（特に新聞）の「テレビはカネをばらまいている」的発言はよく耳にするが、それが妙な侮蔑的なニュアンスで一般化されて語られるのを耳にする時、不愉快な気持ちになる。

９月９日（木）。運転手の試用、今日から。彼は元体育の教師。真面目そうだ。支局のオートマチック車に慣れてもらう。一緒にガソリンスタンドまで行って、ガソリンの入れ方などを教える。オートマチック車は今日が初めてだと言っている。「こんなすごい車を運転したのは生まれて初めてだ」と興奮している。彼はおんぼろジグリに乗っている。今のところ運転は慎重だ。エリツィン、ゾリキン憲法裁長官の別荘を接収。露骨なことをやるものだ。政敵つぶしに、別荘やら公用車やら警護を剝ぎ取ってしまうというやり口は、共産党時代のソビエトの権力闘争のやり口とおんなじじゃないか。

９月13日（月）。おととい、きのうと取材が続き、休みなしで若干疲れた。おとといはブルブリスの帰国後会見、きのうは例のマイケル・ジャクソンだ。特にマイケル・ジヤクソンのモスクワ到着取材にはぐったり疲れた。仕切っている人間が誰もいないのだ。3時間がかりの取材でタラップから降りる映像をミーシャがしっかり押さえてくれた。午前中、『タイム』誌やらせの件で、『MOSCOW TIMES』の女性記者と会う。『タイム』が報じたモスクワの幼児売春の記事がセンセーショナリズムに踊らされた捏造だという告発がロシアの新聞に載っていた件で意見を求められたのだ。ヴォロージャ、4週間の夏休みを終えて支局に出てくる。

9月15日（水）。朝から激しい雨。マイケル・ジャクソンのコンサートは大丈夫だろうか？　忙しい1日。朝8時から支局の会計報告精算。たっぷり昼までかかる。13時半、袴田教授。今日、午後4時半からブルブリスが日本人記者を何人か呼んで会見する。5社ほどお呼びがかかった。すでにシェレメチェボ到着時に、大統領訪日について、かなり肯定的な評価をしていたのが気にかかっていた。もしかするとエリツィンの10月訪日について何らかの示唆があるかも。しかし同時刻にM・ジャクソンのコンサート取材を始めなければならない。どっちに行くべきかな。ちょっと考えて、やっぱりM・ジャクソンの方を選ぶ。

1つはM・ジャクソンを相手に今日アメリカ本国で性的虐待を受けたとして13歳の少年が訴訟を起こしたこと。もう1つはこの激しい雨。チケットが相当売れ残っているというのも気にかかるからだ。2万8000～15万8000ルーブルというチケットの金額はモスクワっ子にとってはメチャ高だ。そういう意味でM・ジャクソンの今夜のコンサートは三重苦を背負っていて、どうなるかが面白いのだ。

ところがコンサート会場に行ったら、例によって過剰警備。騎馬部隊やら「特殊部隊」やらばっかみたいな警戒。雨足は弱まらず。最悪に近いコンディション。VTRカメラの持ち込みは厳禁。レコーダーを各社持ち込んで「共通映像」をレコーディングさせるという段取り。ところがアメリカの会社はNTSC、ヨーロッパ・ロシアはPALというふうに撮影カメラの方式が違うので、レコーダーも2種類必要なのだが、それが全然準備されてない。だから大混乱になる。混乱を仕切る人がいない。ただただ皆、茫然と立ち尽くしているのだ。

雨でびしょ濡れになりながら2時間待つ。情けない気持ちになってきた。僕らは一体何やってんだ？　こんな目に遭うのならブルブリスの取材の方がマシだったかなあ。屋外スタジアムで寒いので、ホカロンを背中に入れてきたが、雨でぐっしょり濡れて全く効き目がない。開演予定時間の7時まであと40分。雨止まず。セルゲイと2人で会場の客の入りを見て驚いた。せいぜい4000人くらいしかいない。7万5000人収容のスタジアムに。こんなことはM・ジャクソンのコンサート始まって以来じゃないんだろうか。かわいそうな気さえする。雨にたたられたのが最大の原因だけれども、チケットの値段も大きい。加えて無能な興業会社。要するにモスクワにはまだこの手の大規模コンサートを興業する能力が備わっていないということなのだろうか。

さて、ブルブリスだ。支局に電話すると、アンドレイが出る。10月訪日についてアンドレイが質問すると、ブルブリスは「訪日を妨げる条件は何も見えない」と答えたという。えらく前向きの発言だ。それにしても寒い。そして長い休憩。その間、ＢＧＭにずっとビートルズが流れている。こんな雨の中で『HERE COMES THE SUN』が流れた。客はその後、どんどん増えてきて結局4万人くらいだろうか。それでも空席だらけだ。ブルブリスの原稿を頭で考えながら、寒い観客席でＭ・ジャクソンの登場を待つ。

ようやくマイケル登場。派手な舞台装置はいかにもアメリカだ。モスクワっ子たちは「乗らなきゃ損だ」というやけくそ気味の興奮状態に陥っているように見える。3曲聞いたところで外に出てミーシャを待つ。10分ほど待って、ミーシャ無事到着。そこでレポートを撮る。初めはコンサートをこきおろそうと思っていたけれども、4万人のモスクワっ子たちがこの冷たい雨の中を2時間以上も立ち尽くして待っていて、「やけくそ気味」とは言っても結構盛り上がっていたのを見ると、「これでいいのだ」というバカボンのパパ的な気持ちになってしまった。モスクワっ子たちにとっては、よそ者の外人記者が何を言おうと、今夜のコンサートはやっぱりかけがえのない贈り物だったのではないか。そんなふうに思えてきた。

レポートを撮り終えてミーシャと2人で会場に入ると、ちょうど『スリラー』が始まった。ビデオクリップで見たのとそんなに変わらないという妙な既視感が残るのみ。寒い。ブルブリスの原稿を書きに支局に帰ろう。支局に帰ってコートを脱ぐと、下のジャケットまでびっしょり濡れていた。

9月16日（木）。きのうの取材の疲れが残る。きのうの厳戒の中、カメラを持ち込んでコンサートを撮影した奴がいた。どうやって？ 映像を見ると面白い。買う。共同が「10月12〜14日訪日で暫定合意」と打ったそうだ。大統領府某氏に確認、「エリツィンが訪日準備を指令した」という。儀典課長が27日に東京に着くことが決まっているという。急いで『ニュースの森』に突っ込む。その後、支局用の水買い出し。夕方、チェルノムイルジンの代議員との会合での発言テープ入手。クリール（千島）列島の返還なんかありえない、と興奮して発言している。「ブルブリスはどうなんだ？」というヤジが会場から飛ぶと、チェルノムイルジンは憤然として「ブルブリス？ そんな奴は知らんよ」と言い放ち拍手を浴びている。ハマコー（政治家の浜田幸一）的下品さが感じられる。ガイダール、第一副首相に復帰。ロボフ更迭。クレムリンの人物の離合集散慌ただしい。

9月17日（金）。雨。このところ滅入るような天気続き。仕事が思うように進まず。夜、モスソビエト劇場でピナ・バウシュ＝ヴッパタール舞踏団。この舞踏団のファンなので、モスクワ公演の記事を見たときには興奮した。まさかモスクワでピナ・バウシュを見られるとは。『カフェ・ミューラー』と『春の祭典』の豪華2本立て。

1幕目は『カフェ・ミューラー』。人間の生が反復であるということ。反復が悲劇的であり喜劇的であるということ。役割分担と無際限な反復。僕の横の席に座っていたロシア人のおばさんは、始まってしばらくしてから「サフセム・ニ・パニマユ」（全然わからないわ）とひとり言を言っていたけれども、終わり近くになって「エータ・ジズニ」（これは人生よ）と感動した面持ちで呟いていた。ロシアの観客のリアクションは戸惑いと感動が入り混じったもので、拍手も半分くらいの人しかしていなかった。こんな種類の舞踏を見たことがないのだろう、と思った。

2幕目の『春の祭典』の前、例の土を敷く舞台作りをずっと見ていた。ステージ上に大量の土を入れる。これが結構面白い。『春の祭典』の方は、1幕目とは違って、凄まじいエネルギーに満ちた舞台で、それが人間讃歌になっている。こんな素晴らしい舞台のチケットが正規で買うと４００ルーブル、今のレートだと約40円という信じられない値段。文化の力は一度経験すると消せない種類のものだ。モノとかカネではない交流は後戻りできないインパクトを与える。ロシアが本質的に変わるのは、こういう種類の「外からの衝撃」をもっと受容することから始まるのではないか。でないと、この頑固なロシア人中心主義はそう簡単には崩せない。

9月19日（日）。夜、ドイツ文化週間の催し（ピナ・バウシュもそう）で、プーシキン劇場でスザンネ・リンケの『Affectos Humanos』『Affekte』を見る。後者が圧倒的にいい。

9月20日（月）。朝から久しぶりに快晴。ポーランドの総選挙は旧共産党系が大勝したようだ。揺れ戻しが至るところで見られる。さて、そのポーランドで長い夏休みを過ごしていたガーリャさん、1カ月ぶりに支局出勤。午後、レーニンの胸像を作り続けていた工場の取材。ところが現地に行くと工場長が「絶対に撮影はダメだ」と言って退かない。典型的なコムニスト官僚のような人物で、いくら交渉しても望みなし。諦める。敷地内にはレーニン像の頭がごろごろ転がっていた。面白い光景だ。残念。帰りに最高会議前の労働ロシアの集会に顔を出してみるが、わずか400人ほど。夜、オスタンキノTVのニュースを見ていたら、それでもあの後、人が集まって2000人が集合した、と伝えていた。気になること、1つ。土曜日から日曜日にかけてモスクワで内務省部隊とジェルジンスキー師団の兵が、治安維持を目的に「手入れ」を行ったこと。軍が治安維持のために動くのは恐い。

9月21日(火)。今日も快晴。夕方、『ニュース23』の「世紀末モスクワを行く」の取材で、ピナ・バウシュ＝ヴッパタール舞踏団の『コンタクトホーフ』を観る。ミーシャ、セルゲイと。くたくたに疲れて、夜11時前、支局に戻ってみると、風邪で休んでいるはずのアンドレイがVTRカメラを抱えてちょうど支局に帰ってきたところだ。あれ。変だ。アンドレイは僕らを見るなり怒ったように「一体どこ行ってたんですか？　大変なニュース、知らないんですか？」と大声で言う。アンドレイが言うには3時間ほど前、エリツィンがテレビ演説を急に行って議会を解散しちゃったという。ええ！　まいったなあ。急いで支局へ駆け上がった。徹夜。最高会議前には保守派支持の市民たちが集まっている。舞台装置は同じだけれど、2年前とは全然違う。NDNの前川君に手伝ってもらう。夜バイトのワジム君も徹夜。アンドレイ、セルゲイ、ミーシャ、ヴォロージャも徹夜。寝る場所がなくて皆床にごろごろと横になる。

9月22日（水）。快晴。完徹。疲れて書き記す気力なし。いずれにしてもエリツィンが勝つゲームだ。モスクワ市内は平静そのものだ。政治権力の争いごとで物事が動いていく時代ではないのだ。夜バイトのワジム君。本当は今夜は彼らの送別会のはずだった。彼ともう1人の夜バイトのジマは、明日23日、日本の東海大学へ留学する。そのワジム君に何と徹夜までさせてしまった。午前中で帰ってもらい、今日はお休みにする。日本で頑張れ。素直に応援したい奴だ。ベルリンから応援の梅本さん来る。助かる。最高会議前に集まっている人間たちの顔を見ていて、やはり、この人たちは被害者なんだと実感した。時代の変化にうまくついていけない人々。夜中、ノービザ突入組のウィーン支局北辻（きたつじ）氏たどり着く。

9月23日（木）。エリツィン、来年6月12日の大統領繰り上げ選挙を発表。2年任期を短縮することになる。昨夜、モスクワに着いたウィーン支局マンフレートはビザなしなので空港に1泊。ガーリャさんが貰い受けに行く。最高会議のリャボフ副議長ら3人、エリツィン側に寝返る。ルツコイ、大統領選挙に出馬せずと表明。5時55分、人民代議員大会開催。すぐに休会。『ニュース23』、ロシア情勢ボツと言ってくる。どういうつもりなんだろう。この間、2回最高会議ビルに入る。カラシニコフの銃弾が大量に運び込まれるのを目撃する。広場に集まっている反エリツィンの市民たちは悲惨である。時代に切り捨てられた「棄民」というべきか。ソビエトが忘れられない人たちと帝政ロシアにノスタルジーを抱いている人たち。老人が多い。

夜、取材中、ビデオカメラで撮られるのをイヤがって興奮した自警団風の男にひどく蹴飛ばされた。他にも外国プレスが各所で殴られているのを見た。棄民の側に歴史の真実がある。殴られている僕らは商売で撮っている。彼らはそれが間違っているにせよ信念に基づいて来ている のだ。夜、ＣＩＳ軍の司令部が武装グループに襲撃された、との一報入る。急いで現場に急行。現場のミリツィアが興奮していて撮影を妨害される。何があったのか。支局に戻って、襲われた警官が死亡したことを知る。最高会議ビル内で不毛の「大会」続く。政府側、議会のメディア接収。

9月24日（金）。昨夜の事件で死者は流れ弾に当たった老婆も含めて2人に。エリツィン、最高会議ビルの武装解除を国防相、内務省に命じる。緊張が走る。流血の事態も起きるか。内務省部隊が各所に集結しているとの情報あり。『ニュース23』、またもやオンエアに難色を示すが、最高会議横の旧コメコン・ビル28階にあるＣＢＳのフィーディング・ポイント（伝送基地）から生中継を試みる。きのう蹴られたところがずきずき痛む。一体この先どうなるんだろう、このあまりにも馬鹿馬鹿しく切実な争いは。

9月25日（土）。気温6度。朝9時集合。ベールイドームの周囲の警備はますます増強。だが、決定的な措置をとる気配はない。眠い。だんだんウンザリしてきた。やっぱり最高会議などというものは最低だ。ゴタゴタの始まりはピナ・バウシュだったかな。何度か最高会議ビルと支局を往復する。電話回線が切られたうえ、電気もストップ。兵糧攻めだ。集まっている「棄民」の数は多いときで３０００くらいか。それにしてもソビエト国旗を打ち振り、ソビエト国歌を歌い、インターナショナルを歌うこれらの人々を見ていると、悲しい気持ちに襲われる。時代の被害者たち。ルツコイがバルコニーに出てきて演説。顔が上気している。何度も「ソビエト国民よ！」と呼びかけている。5年ほど前にタイムスリップしてしまったみたいだ。共同通信の松島記者とビル内で会う。「ルツコイはもうプッツンしてますね」と切り出すと「ルツコイはこのままでは自殺するんじゃないですか」。同感。

夜、再び最高会議ビル。10時前、自家発電でつないでいた電気もついにストップ。ビルの中は真っ暗。CNNが大量のスタッフを入れている。寒い外に集まっている「棄民」も殺気立っている。ビルに残っている議会派の人間たちの間で流言蜚語が飛ぶ。いわく、軍が攻めてくるタイムリミットは午後6時。近くのホテルに特殊部隊が待機していてもうすぐ挑発行動を起こす。恐怖心が流言を呼んでいる。ベルリン支局より南川氏到着。

9月26日（日）。朝8時に起きてBBCのニュースを見ると、エリツィンが10月12日に日本を訪問すると伝えている。面白い展開になった。こんな状況だからエリツィンは3度目のキャンセルをできなくなってしまったのだ、という解釈もできる。もう1つは今なら日本が領土で強く出られないというしたたかな計算が働いた、という解釈。どちらにしても今回の「政変」は訪日実現には順風に働いた。昼過ぎ、赤の広場のロストロポーヴィチのコンサートに慌てて出かける。オスタンキノTVが生中継をして、そこにエリツィンがのこのこと出てきたからだ。車を猛スピードで飛ばしたが間に合わなかった。人出は多いが3月の時ほどではない。

2時過ぎ、エリツィン支持派集会。参加者の顔が違うのだ、最高会議とは。笑顔がここにはある。ルツコイは完全に切れちゃったみたいだ。ソビエトの復活とか「死ぬまで戦う」とか言い出し始めた。危険だ。アンドレイのお父さん、具合が悪くなり病院に入院。アンドレイには今日は休んでもらう。疲労、極限に近し。支局の食糧買い出しに行くと、店にミネラル・ウォーターが全くなくなっている。

9月27日（月）。快晴。疲れがどっと出て、頭が思うように働かない。気分直しに外貨ショップ「ストックマン」に出かける。金持ちのロシア人が山のような買い物をしていた。かたやこの大金持ち、かたや最高会議前の「棄民」たち。妥協工作が云々されるが長期化するかもしれない。携帯電話を何とか借りなければ。ガーリャさんに調べてもらった2台で1カ月2900ドルとふっかけられた。アンドレイのお父さんの具合が悪く、一旦支局に顔を出したアンドレイはすぐに帰宅する。

午後、市民同盟系の中間派の記者会見。同時選挙の妥協策を発表。NHKは自動車電話を使っている。彼らは金の心配をしなくていいからなあ。東京に今日の放送の件で電話すると『ニュース23』の筑紫哲也キャスターはハワイでのシンポジウムに出席して、そのハワイから中継だという。ハワイとモスクワの距離は遠い。地理的じゃなくて。ここで何かが起こった場合、筑紫キャスターはハワイから伝えなければならなくなり、どう考えてもみっともないような気がするのだけれど。デマ、流言蜚語の類が飛びかう。「バランニコフがエリツィン側に寝返った」「エリツィンが脳梗塞で倒れた」「オモン（ロシア内務省直属の特殊部隊）の一部が議会側についた」。

夜、ガーリャさんが突然踊り出す。ポーランドに住む娘さんに男の子が生まれたそうだ。「金平さん。私にキスしてください。私はおばあさんになりました」。すごく嬉しそうだ。お祝いにとりあえずワインをあげる。帰り際に、ポーランドに赤ん坊の顔を見に行くので、しばらく休みをくださいと言われる。まいってしまう。この忙しい時に。でも、ここはロシアなのだ。最高会議ビルの取材から帰ってきた梅本さんいわく「バルコニーから見てると、けったいですな。まるでブリューゲルの絵を見てるようですわ」。

9月28日（火）。最高会議ビルを取り巻く警備が一層厳重になる。ヘルメットと防弾チョッキの姿。有刺鉄線の柵。午前中、内務省の封鎖命令出る。報道陣も内務省部隊の作る検問の中に入れなくなる。そんな中、北辻、マンフレート、セルゲイのクルーが「阻止線」を突破して最高会議ビルの中に入ってしまった。中から人づてに届いたVTRテープに添えられたメモ書きを見て心配になる。CNNとTBSしかテレビは残っていないという。日本人は共同通信の松島記者だけが残っているが、銃を持った民兵がうろうろしており危険だという。レポートを見ても緊張感が伝わってくる。ところが連絡方法がない。

携帯電話は結局ダメ。使えない。東京と相談し、無理に中に残らないようにする。ただそれを伝える手だてがない。CNNのモスクワ支局を訪ねて連絡方法があるかないか聞く。彼らは無線を使って連絡している。何とか建物の中にいるカメラクルーと連絡してTBSクルーとコンタクトを試みると言ってくれた。『ニュース23』は旧コメコン・ビルのCBSのフィーディング・ポイントから出す。『ニュース23』での北辻記者による最高会議潜入レポートを自宅で見ていた外信部長が「即時撤退」をデスクに命令してきた。夕刻、CNNが最高会議内のハズブラートフの記者会見をライブで伝えている。ということは、記者がまだかなりいる。少し安心する。

少し後、何と中にいるセルゲイから電話が入った！　どうやって？　北辻記者と連絡とれる。現在の中の状況。テレビで残っているのはCNN、TV4、CBS、ABC、REUTERTV、ORF、ノーボスチ、TBSの8社。日本はTBS以外どこもいない。危険な状況は夜に入ってからだろう。警察が「夜8時を期して出入口をすべて閉鎖する」と警告し続けているそうだ。電話はロシアテレビの『ヴェスチ』の女性記者マリーナからセルゲイが借りているという。『ヴェスチ』は記者だけでカメラマンはいないという。撤収の可否の判断が必要だ。東京は撤収すべし、との意見。北辻記者と話し合って、ここは後ろ髪を引かれる思いを断ち切って「撤収」とする。支局に彼らが戻ったのが夜8時過ぎ。ロシアテレビに我々のチームのVTR素材を提供する。

夜9時過ぎ、自宅で久しぶりに北辻クルーと飯を食っていると電話が入る。群衆が街頭でバリケード封鎖をしてぶつかっているという。すぐに支局に戻り、2カメ体制で現場に向かう。クラスノプレネンスカヤ周辺はトロリーバスがサドーヴォエ環状道路を遮断する形で5、6台停まっていてバリケードが築かれている。危ない。RIOTという言葉を思い出す。

集まっているのは最高会議に駆けつけようとして阻まれた議会強硬派支持の市民。あのバルコニーの前に集まっていた「棄民」たちだ。老人・中年以上の年齢の人が多い。それでいて「信念」に基づいてやっているので、やることが過激だ。取材中「お前らは日本人のカメラか。クリール（千島）は絶対に渡さないぞ」とからまれた。オモンの排除はジュラルミンの楯（たて）を警棒で叩きながら威嚇して追い詰めるという作戦。群衆は蹴散らされた。おばあさんにインタビューしようとすると、「お前らはクリールが欲しいから本当のことを伝えないんだろう」と吐き捨てるように言われた。この過激な老人たち。ファシスト打倒を叫び、エリツィンを裁判にかけろ、ソビエト連邦の復活を、と叫ぶ人々。この矛盾を背負った側にこそひょっとして歴史の原動力があるのではないか。悲しいものを見た印象だけが残る。ロシアテレビが「ＴＢＳ提供」のクレジット入りで夜のニュースのトップ項目で最高会議ビル内の模様を流す。撮影したマンフレートは「お金を払ってほしいよ」と笑いながら話している。

9月29日（水）。朝から何と雪だ。『ニュースの森』用レポートを旧コメコン・ビル前で撮るが、ミリツィアが道路の行き来を厳しく制限する。頭にくる。ＩＴＮ（イギリスの放送局）が昨夜撮ったバリケード封鎖のＴＢＳの映像を使わせてくれと言ってくる。

このところ独自の映像でいいものが撮れている。スタッフの夕食の心配をしなくて済むように、初めて日本食レストランに「出前」を頼んでみる。こちらから弁当を取りに行かねばならない。共同通信の松島記者は昨日23時頃最高会議ビルを出たそうだ。夕方ロンドン支局から箭内記者到着。支局が一遍に賑やかになる。夜、地下鉄バリカードナヤ駅周辺を取材。議会強硬派支持の「棄民」、日本の機動隊風の内務省部隊と対峙。老人が多い。口々に警官隊に対して「ファシスト！ ファシスト！」と叫んでいる。この「社会主義」に対する信念は何なんだ。

それにしても「バリカードナヤ駅」でバリケードを築こうとする老闘士たちとそれを阻む警官隊。雪交じりの攻防を間近で見て、今街頭で起こっていることと、議会内で起きていることとは何か本質的に違うんじゃないのかと思った。エリツィンと議会の政治抗争は、民衆レベルのこの動きとあまり関係ないのではないか。街頭で動き回っているのは、ソビエト社会主義体制を支持する昔の価値観の人々である。彼らは2年前の8月クーデターの続きをやっているのだ。日本食レストランの「出前」、値段がバカ高い。そして値段ほどうまくない。

9月30日（木）。未明、装甲車移動。午前、北辻、マンフレート、セルゲイのクルー、秘密のルートで最高会議ビルに入ってしまう。こういう時のセルゲイの交渉能力は抜群だ。北辻記者のことをロシアテレビの「キターロフ」だと言って誤魔化したそうだ。相手も「おお、そうか」とか何とか言って入れてくれたというのだから、相当疲れているのだろう。最高会議ビル内の模様をレポートしてきた。夜、昨日に引き続いてバリカードナヤ駅周辺。昨日より警官の数が増して、議会派市民は減る。駅前広場に立っているだけで蹴散らされる。そのやり方があまりにも横暴なのだ。年寄りを突き飛ばす。それをミーシャが撮影したら警官がやってきて「何を撮っているのか、貴様らは」とすごんできた。そしてミーシャに対して「外国の放送局に金で魂を売ったんだろう」と悪態をついた。カッと来た。ミーシャも一瞬腹を立てたようだが押さえていた。

　僕は押さえきれずに「警官の暴力もコムニストの暴力も本質的に同じじゃないか」と呟くと、アンドレイが猛然と食ってかかってきた。「あいつらは気が違っているんだ。あいつらを放っておくと大変な混乱が生まれる。警官のやっていることは秩序を守ること。金平さんはロシアのことを知らないんだ。僕はコムニストの恐ろしさをよく知っている」「でも、彼らは被害者だ、一種の」「金平さんはここに住んでいるわけではないんですよ。外の人なんだ。僕はここにずっと住むんですよ。コムニストと一緒に住むのは御免ですよ」「街頭で意思表示する自由は誰にでもある。コムニストにもある。それを押し殺すやり方は前の時代と全くおんなじじゃないか」「ロシアはまだ民主国家じゃないんだ。昨日まで全体主義国家だったんですよ。それが急に変われるわけがないんですよ。金平さんはそれがわからない」「あんな老人を突き飛ばして何になるんだ」「あいつらは結構攻撃的なんですよ。もう変われない人たちなんですよ」

　どこまで行っても平行線だ。アンドレイは心底「共産主義ソビエト」を憎悪している。

「昔は家族の間でさえ思っていることを自由に言うことが恐ろしかったんですよ」。「外の人」と言われればそれまでだ。僕はもちろんモスクワに永住する人間ではないから好き勝手な思い入れで喋ることができる。でもモスクワの人たちはそういう勝手な評論に腹が立つのだろう。今夜は韓国レストランから仕出し。これは値段も安くうまかった。夜、エリツィン、ロシア正教のアレクセイ2世の仲介によって議会勢力との話し合いに応じる意向表明。武力衝突回避の動き。

＊1　会議などの冒頭部分に限って報道機関の撮影取材をすること。いわゆる業界用語。日本に限らずロシアでもこのシステムが機能していた。

＊2　独立系通信社インターファクスの名物記者。生涯現場をモットーに、政治の世界のトップに食い込んでいる。ゴルバチョフ、エリツィンの時代をともに生き抜いてきた敏腕記者。

＊3　『月刊Ａｓａｈｉ』１９９３年10月号。保阪正康「シベリア抑留問題の虚と実　斎藤『大本営発表』に異議あり」。

絶望的な民衆蜂起としての「十月」について

１９９３年10月

10月１日（金）。朝、眠りかかったら５時前、東京から電話入る。アレクセイ２世の仲介による話し合いで、武装解除の合意が成立したという。昼ニュースに入れたいというう。寝ぼけ眼のまま支局へ。カメラが立ち上がらない。マイナス・ワン（＊１）の回線もダメ。情報も何とかボンヤリわかった程度。どうしようもないままオンエア時間突入。メロメロ。段階的武装解除、その前提として最高会議ビルへの電気・暖房を復旧することなどが内容。しかし、すぐにこの合意は最高会議側から拒否される。これはまだまだダメだぞ。

最高会議の中に入ったセルゲイたち、頑張っている。ガーリャさん、休みが欲しいという。このクソ忙しいさなか頭にくるが仕方がない。お孫さんの顔を一刻も早く見たいのだろう。２週間くらいは、と思っていたら何と３週間は欲しいという。さすがに呆れてしまった。彼女の思いはこの国がどうなるかなどという次元にはなくて、お孫さんの顔を見るという一点にのみある。そういう意味では徹底したエゴイストだ。東京から応援２人。到着は深夜３時。

（以下、この日記、記す余裕なく中断）

10月9日（土）。この日記が中断してから、ちょうど1週間たった。この間に起こった事柄は僕の記者生活の中でも一生忘れられないものとなるだろう。うむ、ちょっと陳腐だな。そういうありきたりの表現を超える何か重苦しいものを背負い込んでしまったような気がしている。以下の記述、僕のつけている「取材日録」から主だったものを再構成して記すのみ。

10月2日（土）。「世紀末モスクワを行く・パート7」の荒編（＊2）。午前3時半に終了。編集の飯柴君は疲れ切ってホテルに泊まるのも苦痛だというので拙宅に泊まってもらう。午前9時支局。今日の動き方。①集会班。箭内、南川、ジーマ　②最高会議班。北辻、マンフレート、セルゲイ　③集会・周囲班。中山、アンドレイ、ミーシャ。午後集会取材中のアンドレイから一報。衝突・発砲・流血の事態。外務省前、バリケード作り投石。放水車出動。

10月3日（日）。午前11時。オクチャーブリスカヤ広場まだ30人くらい。そこでの集会・デモ一切禁止と警察スピーカーで流している。昨日衝突のあった外務省前スモレンスカヤ広場に人が向かっているとの報。最高会議ビル内のセルゲイから携帯電話入る。ビルがブラインドをおろし始めた。クラッシュあるだろう。最高会議ビルに向かってクリムスキー橋、警察官の隊列突破。モロトフカクテル（＊3）を持っている。15時10分。スモレンスカヤ広場からの一群。昨日よりもひどい衝突。警察ガス弾使用。アメリカ大使館方向へ群衆向かっている。およそ1万人。

15時27分。銃撃戦の報。４台の装甲車動く。セルゲイとともに支局を飛び出し、クトゥゾフスキー大通りを最高会議ビルの方向へ駆け出す。とうとう始まってしまった。必死の思いで駆ける。最高会議脇のクトゥゾフスキー橋のたもとまでわずかの地点。群衆が最高会議ビル方向へなだれ込んでいるのが見える。パン、パン、パンという乾いた銃撃音。クトゥゾフスキー大通りの一群の人々、一斉に路面に伏せる。支局に帰ってスーパー速報を流さなければ。ところが、足のふくらはぎががくがく震えて歩けない。こんな経験は初めてだ。身を伏せながらそこへ走ってきた警察の車に乗り込む。「すぐそこまで」と怒鳴る。支局まで階段を駆け上がって東京の泊まりに電話。すぐにニュース速報入れるように怒鳴る。ところが東京の泊まりがピンと来ないらしい。状況が切迫しているのが伝わらない。何やってるんだ！　夜ニュース枠を拡大要請するも「４分半くらいしかとれないよ」とのんびりと間の抜けたことを言ってくる。小池（こいけ）デスクの自宅などに電話。緊急事態発生を伝える。外信泊まり、まだ、応援要請していない。怒鳴る。

現在の２班、最高会議ビルの中の１班。それぞれ展開中。興奮した声で連絡入る。議会支持派の群衆がビルになだれ込んだ。ルツコイ、バルコニーから演説。箭内チーム、中山チームとともに今バルコニーの下にいると携帯電話。ルツコイ、内務省幹部（ウラジーミル・パンクラートフ少佐ら）の逮捕を要求した。オスタンキノＴＶ、市役所を攻撃せよ、と呼びかけた。たいへんな事態になった。特別番組開始。到着した３班の現場レポートを次々に放映。16時45分旧コメコン・ビルも占拠された。

17時35分、群衆多数、トラックなどに分乗してオスタンキノＴＶへ向かっている、との報。市民乱入の際、内務省部隊３００人くらい、議会側についたとの現場情報。群衆らに拍手と歓声で迎えられたという。これはヤバい。血の日曜日になる。モスクワに非常事態宣言。アンドレイ、ミーシャ、オスタンキノＴＶへ。18時20分、箭内現場情報「トラック6台、バス3台がオスタンキノに向かった。中に武装兵士多数」。箭内クルー、オスタンキノへ転戦したいとの意思表示。止めるが「是非行きたい」と箭内。北辻クルー、最高会議ビルの中、興奮状態。事態の展開読めず。

18時25分、セルゲイから電話「ハズブラートフが演説、今夜までにクレムリンを占拠する」。オスタンキノＴＶ、今攻撃を受けていると放送。アナウンサーが市民に助けを求めている。19時26分、オスタンキノ放送停波。ロシアテレビはまだ流れている。オスタンキノでは大変な衝突があった。今、トラックがオスタンキノに突っ込んでいるという。アンドレイたち、オスタンキノから引き上げてくる。ひどく興奮している。ミーシャが怯(おび)え切っている。箭内らはまだオスタンキノにとどまっている。

最高会議ビル、20時半に電気がカットされて闇に包まれる。中にいる北辻クルーから連絡。いよいよヤバい状況。ＣＮＮのクルーがカメラにケーブルをつないだままビルに置きっぱなしにして退去の準備を始めたとのこと。もう危ない。北辻クルーも退去する。21時過ぎ空挺(くうてい)部隊モスクワに投入の情報。アンドレイとレニンスキー大通りに部隊を捜しに行くも見つからない。クレムリンとモスクワ市役所に集まっているエリツィン支持派の市民を取材に。まだそれほど数は多くない。テレビにはガイダール、ルシコフ（モスクワ市長）らが次々に登場。インターファクス通信「30分以上配信がなければ占拠されたと思ってくれ」と打ってくる。

22時過ぎ、オスタンキノTVへの攻撃は撃退されたと放送。23時過ぎ、ロシアテレビの『ヴェスチ』がオスタンキノTV放送再開。午前1時過ぎ、チェルノムイルジンがモスクワに軍を投入すると発表。「軍を入れるのは平和的な市民に銃口を向けるためではない」。エリツィンの消息、今はクレムリンにいるとの側近情報。箭内クルー支局に戻る。午前4時過ぎ、コスチコフ報道官、テレビに生出演「少し前に大統領と会ったが、通常どおり職場に出るようにと語っていた」。オスタンキノTVはロシアテレビの番組をそのまま流している。

10月4日（月）。朝6時半過ぎ、クトゥゾフスキー大通りでアンドレイ、ミーシャと政府軍を迎えうつため待機していると、1台の装甲車が最高会議ビル目指して走ってくる。僕らはそちらに向かって駆け出す。と、何か変だ。迷彩服のようなものを着た男が装甲車から降り立ち、銃をこちらに構えている。「あれは政府軍ではない！」ミーシャが叫んでものすごい勢いで僕らを置いて逃げ出した。僕もアンドレイもあっけにとられた。「ルツコイ派の奴らだ！」僕らも全速力でミーシャのあとを追う。川岸通りの最高会議ビル対岸まで達して向かいを見ると、政府軍装甲車が最高会議ビル前に集結し終えている。そしてすぐに銃撃始まる。ここも危ない。とっさにレポートを撮る。7時18分、最高会議正面玄関から１００人ほどの政府軍兵士「万歳！」を叫びながら一斉突入。9時前、支局の横のクトゥゾフスキー大通りに待機していた戦車13台が進撃開始。9時半頃、旧コメコン・ビルから黒煙。箭内クルーは今日は最高会議ビルの真向かいのウクライナホテルに場所をキープ。明け方日の出から撮影、レポートを続ける。

戦車の進撃とともにアンドレイ、ミーシャも取材に散る。北辻、マンフレートは支局屋上から撮影するが、流れ弾が飛んでくるうえ、ＶＴＲカメラが武器と誤認される可能性が強いので危ない。9時47分、戦車が砲撃を開始した。ズシーンというものすごい振動音が支局の窓を震わせる。こんな事態になるとは。10時半、マンフレートと最高会議そばまで接近。クトゥゾフスキー大通りは流れ弾で非常に危険な状態。こんな本格的な武力制圧の前にはルツコイなどひとたまりもないだろう。

11時34分、白旗を掲げ投降始まる。間欠的な砲撃と絶え間ない銃声。ルツコイの投降情報が流れ始める。最高会議ビルは砲撃で穴ぼこだらけになってきている。そこから黒煙がもうもうと上がり、中で火災が起きているのがわかる。まるで巨大な墓を見ているような錯覚に陥る。ウクライナホテルの箭内からの連絡。「非常に危険な場所。中は軍人だらけ。隣の部屋の１人が銃撃を受けて死んだ」。正午『ニュースの森』の生。こんな危険な状態なのにもかかわらず、クトゥゾフスキー橋のたもとに群衆が集まってきていて狙撃が加えられると蜘蛛（くも）の子を散らすように逃げまどっている。14時半、ラジオ「エホー・モスクヴィ」が最高会議ビルをほぼ制圧と放送。エリツィン、夜11時から朝

5時までの外出禁止令を発令。フランスのテレビ記者が15時半にハズブラートフ、ルツコイと最高会議ビルの中で会って「無条件降伏の用意がある」との発言を聞いた、とロイターが打ってくる。ああ、とうとう終わりか。死者情報500人説も出ている。この夥しい血の代償によってロシアが得たものは何なのか？

夕方、ルツコイ、ハズブラートフ逮捕。夜、砲撃を受けて最高会議の上部階が炎上している。屋上に上がって見る。旧ソビエトが炎上しているのだ、と思った。ロシアテレビでルツコイ、ハズブラートフの連行シーンが初めて放映される。その後、アナウンサーは「皆さんに感謝します」と付け加えていた。夜に入っても銃撃音が聞こえる。連行シーンを撮影したのは大統領のお抱えカメラマンのアレクサンドル・クズネツォフだ。素材を外国テレビ局に売りつけて稼いでいる男だ。アルファ部隊に密着してこれを撮影したとか。『ニュース23』の中継が途中でプッツリ切れる。怒り心頭に。『報道特集』のチーム、25時着の飛行機でモスクワにノービザで突入したと事後連絡を受ける。

10月5日（火）。疲労極限に。どさくさで気がつかなかったが、ガーリャさんはこの最中に予定どおりポーランドに行ってしまった。大統領府報道部、予定どおり日本への公式訪問を行うとステートメント発表。政権掌握ぶりをアピールするためだけの露骨な戦略。北辻、マンフレート、セルゲイのチームと最高会議取材で意気投合したロシアテレビの『ヴェスチ』チームの記者、マリーナが興奮した表情で支局にやってきた。たった今、最高会議ビルの中を撮影してきたという。ええっ！　内務省部隊とのコネを使って入ったのだという。『ヴェスチ』の放送時間までにはまだ間があるから使えと言う。さっそく『ニュース23』で放映。夥しい数の武器やウォトカの壜が転がっているルツコイの執務室、ハズブラートフの執務室も生々しい。マリーナは完全にセルゲイにまいってしまってるみたい。セリョージャ、セリョージャとセルゲイに付きまとっている。世の中には本当に女性が放っておかないモテ男というのがいるもんだ。エリツィン訪日でロシアテレビの受け入れ準備を始めなければならないことになった。

10月6日（水）。エリツィン、新聞の検閲復活。報復人事。ゾリキン憲法裁長官辞任。ANAの加藤さんによると、メージュドの丸紅のオフィスがめちゃめちゃになったそうだ。セルゲイが大変な映像を入手したという。そのカメラマンは現在逃亡中で身を隠している。大統領側の特殊部隊とマカショフ議会側警備隊長との緊迫したやりとりまですべて撮影されている。興味深いのは「女、子供を解放せよ」と特殊部隊が迫ったのに対して、その場にいた「女、子供」が「私たちはこの場にとどまる」と言ったことだ。セルゲイはさらに今日レーニン廟の警備が廃止されるとの情報も入手してきた。夕方、北辻クルーが見にいくと本当に警備がなくなっている。夕方、大統領府、検閲やめると発表。

10月7日（木）。国民服喪の日。3日当日、軍が動揺していたとの情報に関して、その日たまたまクレムリン内にいた『シヴォードニャ』紙の記者にインタビュー。「問題は軍の対応がどうしてあんなに鈍かったのかということ。中央の司令官たちは誰が勝者なのかをじっと見守っていた」と。エリツィン、憲法裁判所の機能停止。労働ロシアのアンピーロフ逮捕の瞬間の内務省ビデオが夜9時のオスタンキノTVから流れている。このような官製ビデオが放映されることにロシアのメディアはもちろん何の抵抗も感じていない。エレナ・ボンネルの記者会見。今回の武力制圧という事態に多少痛みを感じているのではないか、と思ったが大間違いだった。彼女は「まだ共産主義勢力が息を吹き返すおそれがある」と述べて、エリツィンの武力制圧を全面支持していた。あのサハロフ未亡人にしてこうなのだ。

＊　＊　＊

ざっと以上のようなメモしか残せない。今、実感しているのは、この「10月」の出来事は、社会主義ソビエトが真の意味で死滅させられた「絶望的な民衆蜂起」だということ。議会に突入した群衆は、ルツコイやハズブラートフを政治的に支持していた人々ではなく社会主義ソビエトを終焉に導いたエリツィンを憎悪する人々であり、その意味では過去の怨念に生きる時代の犠牲者たちだと思う。50代、60代の貧困層がその中核である。もっともこう言えば僕は何人かのロシア人スタッフに罵倒されるだろう。

10月10日（日）。訪日同行出張の準備。17時20分発の便で成田へ。

10月11日（月）。日本時間の午前10時前成田着。モスクワと東京はこんなに近いのに、これほど「空気」が隔たっているのが不思議だ。日本は暑い。エリツィンの悪評は感情的と思われるほど。時差ボケとれず。そのまま『ニュース23』第2部生出演。モスクワ出発時のエリツィン発言「領土問題を持ち出して訪日を台無しにしないように」。

10月12日（火）。朝9時55分からの『特番』。昼過ぎ財界昼食会に出、青木徹報道局次長と一緒にエリツィンを迎える。先方、青木さんをよく覚えていて抱き合って挨拶。エリツィンはシベリア抑留問題で頭を深々と下げて謝罪。珍しいシーンだ。エリツィンは武力制圧の正当性を主張した際、日本で60年代の学生反乱のときも武力が用いられ、それが正当化されたじゃないかという、とんでもない理屈を述べた。側近の誰かが入れ知恵したのだろう。

10月13日（水）。エリツィン・細川の共同記者会見を聞くため、10時半に社を出る。迎賓館に着くと顔見知りのロシア人記者たちがもう到着している。タス通信のアンナもいる。武力制圧後、エリツィン批判の記事を書いて検閲を食らった『ニザヴィーシマヤ・ガゼータ』には訪日同行取材のアクレディテーションが大統領府報道部から出なかったそうだ。それで同行記者の数は19人とか。会見場に入れる記者の数が相当に制限されている。大統領府報道部のオルフョーノフがロシア人記者たちと何やら打ち合わせをしている。質問の人数・順番・内容を調整しているのだろう。

会見は定刻どおり正午から。このチャンスに是非とも今回の武力制圧について聞きたかった。ところが何度挙手しても進行役の役人は当ててくれない。最初は外務省クラブ詰めの朝日新聞記者の質問。北方領土、56年宣言に関するもの。それ以降、記者たちの質問のほとんどは北方領土問題に関するものだ。これではエリツィンが不快に思うのも無理はない。予定されていた会見は40分ほどで時間切れになって終わってしまった。世界中のジャーナリストたちがまだあの武力制圧のことに関して誰もエリツィン本人に質していないのに、この記者会見では北方領土と経済協力の話しか出ないとは。エリツィンの所業を口では「独裁」とか「やり過ぎ」と批判しておきながら、またとないチャンスに外務官僚の利益を代弁するような質問しかしない日本のクラブ詰めの記者たちとロシアの特権記者たち。「談合でもあったんじゃないか。八百長だ！」と帰りしなに怒りをぶちまけたら、外務省広報の係官が気色ばんで「心外だ。事前に質問者の取り決めなんか何もしていない」と反論してきた。

10月19日（火）。快晴。ロシアによる日本海への核廃棄物投棄の問題、今日も続く。クルチャトフ文書。ゾルゲ事件の件、手配進める。ロシアの環境・天然資源省に電話で問い合わせると、天候がよければ明日20日にも2回目の投棄を行うという。呆れたのはロシア太平洋軍の担当者のコメントだ。「日本が処理施設建設に資金を出してくれれば捨てなくて済むのだ。日本の協力が双方の利益になる」。何という手前勝手な論理なのだろう。枝村大使が環境大臣に抗議と第2回目の投棄の中止を申し入れた後、大使館のブリーフィングを聞き、支局に戻ってロシアのやり方はあんまりだ、と話していると、アンドレイが食ってかかってきた。

「こんな争いは政治的な意味しかないんですよ」「何言ってるんだ。汚物を海に撒き散らすのはよくないよ」「じゃあどうすればいいんですか。ロシアの貯蔵タンクはこれ以上貯蔵できないくらい老朽化してるんですよ」「そうなった責任は誰にあるんだい？」「じゃあ、タンクがダメになってロシア人が汚染されていいんですか？　大体、責任は旧ソ連にあるんですよ。システムのせいだ」「そうやって君らは都合の悪いことは全部旧体制のせいにしてる。そのシステムに乗っかってきたのは君らロシア人じゃないか」「ロシアはこれまで何回も投棄してきているんですよ。何を今頃そんなに騒ぐんですか」「投棄の事実自体ずっと隠してきたじゃないか」「だからそれまでは日本も全然騒いでなかった」「当たり前だよ。君がロシアを想う愛国者であることはわかるけれど、海に勝手に捨てていいわけがないだろ」「処理施設ができるまで待つことはできない。仕方がないんですよ」「仕方なくないよ。どうして自前で解決しようとしないんだ。これは一義的に君らの国の問題じゃないか」「海に核廃棄物を捨てているのはロシアだけですか？」

　こういうやりとりを延々とやってしまって疲れた。アンドレイの愛国主義（大国主義？）は歪んでいると思う。しかしストレートにぶつけてくるのはいい。ロシアの役人あたりはみんなこんな考えの持ち主だろう。

　10月20日（水）。朝、起きられず。9時半に目を覚ます。東京に電話すると大きな国内ニュースが入っていて騒いでいる。皇后が59歳の誕生日の今日、倒れたとのこと。もう1つは野村秋介が朝日新聞社内で自殺したとのこと。さらにテレビ朝日の椿貞良元報道局長の国会での証人喚問が25日に行われることが決まったとのこと。いずれもメディア絡みの出来事だ。皇后バッシングを『週刊文春』などの雑誌が展開しているのをイヤな感じで眺めていた。その底にあるのはどうも「平民」出の美智子妃に対する身分攻撃のような気がしてならない。メディアが語義通り情報を「媒介」するのではなく、自らがことを起こしてそれを伝えてしまう、つまりマスターベーションのようなことをやっている。それが今の日本のメディアに顕著な特徴だ。

午前中、支局用のコーヒーやミネラルウォーターなどを買い出しに。夜10時過ぎ、支局に戻ってみると何と2回目の海洋投棄中止の報。慌てて裏をとり、朝用原稿、昼用電話レポート。

10月21日（木）。朝、東京よりの電話で起こされる。核廃棄物の2回目の投棄中止決定のレポート要請。東京からの応援組の中山にやってもらう。正式発表は午後2時。環境大臣の記者会見から原子力安全監視委員会のインタビューへと回る。それにしてもアンドレイには困ったものだ。彼は自分の信念として今回の海洋投棄は正当だ、という主張を変えない。だからインタビューの際も勝手に私情を挟んで「日本だって海洋投棄をしていたのでしょう」だの「安全性に問題はないのでしょう」などと質問している。

10月22日（金）。晴れ。最近アンドレイの精神状態が荒れている。午前中別室でアンドレイと話し合った。本音を言い合った。双方が傷ついた。僕はつまるところロシアの「通過者」だけれども、このモスクワで得た体験はかけがえのないものだと思っている。

現地スタッフとの関係もそのかけがえのないものの中に含まれる。けれども「通過者」と「定住者」の間にはどうにも埋めようのない裂け目がある。

昼過ぎ、「世紀末モスクワを行く」の撮り足し取材。クリストファー米国務長官とコズィレフ外相の共同記者会見が7時半から始まる。アメリカから同行してきたプラウダの特派員がコズィレフに「言論の自由を保障すると言っているが、一部の新聞の発行禁止は取り下げられないのか？」と質問すると、コズィレフはまともに取り合おうとせずに「西側にアピールしたいのだろう」などとかわしていた。アンフェアな印象を受けた。

10月25日（月）。ガーリャさんが25日ぶりに支局に出社。顔を見ても素直に「やあ、お帰りなさい」と言えない。でも、精一杯「ポーランドはどうでしたか」と聞いた。彼女自身も多少すまないと思っているような素振りはある。

タス通信が「日本だって核廃棄物を海に捨てているぞ」という記事を「至急電」として東京発で打ってきた。柏崎（かしわざき）・刈羽（かりわ）原発の廃棄物を毎年海に捨てていた（英語ではDUMP）という内容。夜のオスタンキノTVのニュースでもこれを伝えている。ところが調べてみると、原発から排出される廃液のことを言っているようなのだ。投棄と排出はロンドン条約でもうたわれているとおり、概念自体が異なる。国策通信社タスがロシア人の単純な愛国心をたてに打電したようだ。

ガーリャさんの帰り道、一緒に歩いて正直な気持ちを伝える。「一番大事なときにいないのは困るのだ」と。結局、これからも頑張るということでチョン。

10月26日（火）。日本は今日は「原子力の日」。「日本だって核廃棄物を海に捨てている」というタスの報道に対するリアクションが韓国から出た。日本はアンフェアだというわけである。投棄と排出が異なるもので、排出をやめるということになれば世界中の原発は稼働不能になる。個人的にはそれも結構だと思うが、科学技術庁や大使館がなぜこういう単純な「誤解」を解く努力をしないのか、理解に苦しむ。役人というのは本当にダメだ。日本がアンフェアだという印象だけがタス電で世界を駆けめぐった。夕方の飛行機でヨーロッパ支局長会議出席のためロンドンへ。

10月29日（金）。晴れのち雪。いっぺんに疲れが出て11時過ぎに目を覚ます。慌てて支局へ。ウラジオストクで海軍当局が核廃棄物の海洋投棄は継続すると記者会見で述べる。この国はどうなってるんだ。インターファクス、クナーゼ外務次官の発言として、日本は海洋投棄問題を政治的に利用しようとした、という見出しで打ってきたが、内容を読むと全然そんなことを言ってない。リア・ノーボスチも東京発で、北朝鮮が日本の原発の廃棄物を日本海に排出しているのはけしからんと抗議したと打ってきている。東京発のタスやリアなどロシアのマスコミの海洋投棄問題に関する記事には明らかに何らかの意図が見えている。

夜のロシアテレビのニュース『ヴェスチ』で、エリツィンが選挙候補者のメディア、とりわけテレビに対するアクセス権を等しく保証するという大統領令を出したというニュースが流れている。日本の状況の裏返しみたいだ。議会を武力で潰しておいてマスメディアへのアクセス権を細かく規定しているようなふりをするとは。しかもテレビ局に対しては政見放送料金の基準を公表するように求めている。ええっ？　候補者からカネをとるの？　思わず支局で叫んでしまったが、ロシア人スタッフは全然驚いていない。どうなっているんだろう。案外エリツィンはメディアと政治の関係の本質を見抜いているのかも。

10月30日（土）。朝から雪が時折降る曇り空。午後から最高会議裏の「棄民」たちの集会。あの最高会議を埋め尽くしていた人々の残党だ。祭壇が設けられ、花が手向けてあるらしく、口々に不満をぶちまけていた。ほとんどが老人だ。その後、「ロシアの選択」ブロックの署名集めの場所に回り、衛兵なきレーニン廟を撮って帰る。

10月31日（日）。トラブル続きで困る。電話修理、土日が重なり全くままならず。支局車のガラス窓が故障で全開状態のまま閉まらず。ビニールをガムテープで貼ったが情けない格好になった。もう1台の支局車を探すが見当たらない。金曜日にアンドレイが無断で乗って帰ってしまったことがわかった。そう言えば、金曜日、ジマに第2子（娘さん）が誕生して、彼らはそのお祝いに行っていたっけ。お祝い事があって酒盛りがある時には、ロシア人は完全にアナーキーになる。普段できないことを敢えてする。アンドレイがやって来た。何と乗って帰った支局車の窓ガラスが粉々に「破裂」してしまったというのだ。支局車2台とも窓ガラスのない状態。あーあ。外は雪がぼたぼた降っているというのに。支局下の駐車場が11月2日から一部ついに有料化されるという。最高会議ビルが武力制圧された後、そんなことにはおかまいなしで鉄柵がいつの間にかできていたが、その内側から有料になるという。フェデリコ・フェリーニ没。

＊1　テレビで生中継を行う場合、東京のスタジオなどと会話のやりとりをする際、相手の声だけが聞こえてくるように組んだ音声回線が技術上必要になる。これを日本の民放では「マイナス・ワン」と呼んでいる。

＊2　VTR作品で放映可能な完成バージョンに至る前に、大まかな構成をたてて、荒っぽい一次編集を行うことが多い。これを「荒編（あらへん）」などと略称している。

＊3　いわゆる「火炎ビン」のこと。

セルゲイがロシアを去った日

1993年11月

11月1日(月)。どんよりとした曇り空。雑用、雑用、雑用で1日が終わる。電話機故障の件。自宅及び支局の各1回線。調べてもらうとともに料金未払いで回線をカットしたという。何の予告もなしに。自宅分だけでもすぐつなげてもらうように頼むが埒が明かない。

ミーシャがいつも使っているビデオカメラに「手を触れないでください」と日本語で書かれた紙を貼って帰ってしまう。東京から応援のカメラマンの長谷川(はせがわ)さんが来たからこういうことをする。困ったものだ。カメラは彼の私有物ではない。カメラマンの職を失いたくないという自己防衛本能のなせるわざ。

11月2日(火)。今日も曇り。電話ちっとも回復せず。電話局に電話攻勢。ようやく昼頃つながる。10月31日非常事態の夜、オスタンキノTVでガイダールがモスクワ市民に「街頭に出よ」と呼びかけたことに抵抗して「家にとどまれ」と呼びかけた人気番組『ヴィッド』のキャスター、リュビーモフらの記者会見。彼らは即座にオスタンキノTVを追われたという。全く何たる「言論の自由」か。国策タス通信のこのところの報道ぶりといい、ロシアのマスメディアのエリツィン政権への服従ぶりの露骨さといったら。セルゲイ、今日から2週間、再びドイツへ。

11月4日（木）。11時からバブーリンの記者会見に行く。保守派勢力として生き残っているが以前と比べて生彩を欠いている。夜中、東京からもらった『欲望という名の女優 太地喜和子』（長田渚左 角川書店）を途中まで読む。太地喜和子という女優の激しい生きざまが伝わってくる。三国連太郎という俳優の人間臭さ、正直さに驚く。

11月5日（金）。11時からオスタンキノTVのラズーツキン副会長の記者会見。テレビと公正選挙という日本で目下話題のテーマ。来週の月曜日8日は休日だが来る必要があるか、と給食のおばさんのマーシャが聞いてくる。革命記念日の集会・デモは禁止、祝ってはいけない、というお達しが出ていても、ちゃっかり「仕事は休み」という点だけは残すというこの発想。全くロシア国民の勤勉さといったら。いいんだろうか？　国がこんな状態になってるのに。大きなお世話だな、これも。

11月7日（日）。寒い。76回目の革命記念日。今日はモスクワ市内のすべての集会・デモが禁止されている。朝9時過ぎ支局集合。十月革命広場に行くと、わずか３００人ほどの老人たちが地下鉄駅前のところでストップをかけられている。ものすごい数の警官だ。何人かが検挙される。それを取材していたマスコミの記者たちの中には声を出して笑っている者がいた。集会の自由がないのだ、今のモスクワには。コムニストというレッテルを貼れば彼らには何をしてもいいのだ。街全体は死んだように静か。レフォルトボ刑務所、赤の広場、最高会議ビル裏、いずれも警官が配置され平穏。

11月8日（月）。ユジノサハリンスクより佐々木記者らモスクワに来たる。東京より編集マンで旧知の安里、同じくモスクワ入り。昼、サトコで冷凍寿司を買ってきて食べてもらったが、結構美味しいと言っていた。そんなアホな。

11月10日（水）。快晴。マイナス14度。もう真冬のような気温。リャザーノフという映画監督のエリツィン・インタビュー、7万ドルで売り込んでくる。7万ドル？　ふざけんじゃない。エリツィン周辺の腐敗の証拠だ。リャザーノフは国民投票の前にも家族全員の提灯インタビューをやって、「大統領一家はこんなにつましい家庭生活を送っている」などとPRしたろくでもない男だ。

11月11日（木）。今日も快晴、マイナス14度。編集作業。ロシア総検事局から10月3日・4日の素材テープの提出について協力を求められる。断る。大統領府某氏来訪。大統領府周辺でフィラートフとイリューシン（大統領首席補佐官）の間が微妙になっているとのこと。編集、深夜4時に及ぶ。きのうのエリツィン・インタビューの件、東京のタス通信が15万ドルで時事通信の名越氏にオファーしてきたそうだ。

11月12日（金）。快晴、マイナス8度。編集安里、午前中ダウン。ようやく「世紀末モスクワを行く・パート9」の目鼻つく。ドイツのテレビARDが例のエリツィン・インタビューを買って今日流すという情報あり。この中でエリツィンがグラチョフ国防相批判をやっているという。ロイターが伝えてきた。

11月16日（火）。晴れ。マイナス9度。朝8時半から「世紀末モスクワを行く・パート8」の構成表作り。自宅のお手伝いさんのアーリャ、心臓が悪くもう2週間休み。支局経費底をつく。オスタンキノTVで例のエリツィン・インタビュー放映。これが7万ドルで事前に外国のテレビに売りに出された代物だと暴露したい誘惑に駆られる。

11月17日（水）。雪。雑用たまる。夜、届いたトゥーラでの軍事演習視察のテープを見ていると、特殊部隊員が極寒の屋外で空手の実演みたいなものをやらかして、レンガやら板切れやらを手や頭で割っている。それを壇上のエリツィンが満足げに見ているのだが、背景にヴィソツキーの歌を流しているのには笑ってしまった。

11月20日（土）。快晴。気持ちがいいほど空が晴れわたっている。その代わり寒い。ひどい頭痛。きのう支局で開いたミーシャの誕生パーティーで飲み過ぎた。午後3時過ぎからやり始めて終わったのは午後12時近く。9時間近く飲み続けた計算になる。支局にはタス通信のアンナやNHKのカリーナも来て賑やかだった。歌も歌った。酔っ払った。踊りも踊った。全く何をやってるんだろう、僕は。

11月22日（月）。快晴。マイナス13度。厳しい冷え込み。こういうのをマロースという。ハズブラートフが獄中で今日51歳の誕生日を迎えたとインターファクスが伝えてくる。夫人と面会が許されたそうだ。

今日からテレビで選挙のための政見放送が始まる。夕方、大統領府高官らと食事。クレムリンのエリツィンの執務室に一番近いのは誰の部屋か。答えはフィラートフの部屋。続いて、イリューシン、バトゥーリン（大統領補佐官）と続く。エリツィンの部屋にどれだけ近いかが「序列」となる。CNNのモスクワ支局長スティーブ・ハーストとシップマンという記者がエリツィンの命令に基づき勲章をもらった。10月の事件で勇敢な報道をしたから、ということらしい。確かにCNNは10月の出来事で決定的な役割を果たした。何しろクレムリンの中ではエリツィンをはじめほとんど全員がCNNで事のなりゆきを知っていたのだから。さらにあの惨事のさなかにエリツィン大統領側の重鎮たち(リュリコフとかコスチコフとか)が次々にCNNに生出演し、自らの立場をアピールしていたのを思い出す。放送の公正とか中立の概念とは極限状態ではこのようなものをいう。湾岸戦争の際のCNNの機能といい、今や放送メディアは戦争状況の一部を構成しているのだ。戦争状況の構成要素としてのメディア。こうした状況でこそ放送の公正と中立を主張することの意味をじっくりと考えることができるというものだ。支局員セルゲイから深刻な相談の続き。今日、彼は正式に日本にいる妻と離婚。新しい結婚は来年早々になるとのこと。

11月23日(火)。曇り。マイナス14度。寒い日が続く。セルゲイの将来について他のロシア人支局員が気づき始めているようで、奇妙な緊張感が漂う。それはロシアを捨てていく(捨てていける)者に対するどす黒い羨望の感情に近いのかもしれない。セルゲイ本人もつらそうだ。3人の男性ロシア人スタッフはセルゲイに対して露骨に距離を置いているのがわかる。

11月24日(水)。晴れ。18日にロシアテレビで放映されたコンサート番組はガイダールの「ロシアの選択」がスポンサーになって宣伝をしていた、これは不公正ではないかと他党派から批判が出た。ところが仲裁裁判所は放送料はあらかじめ定められた基準に沿って「ロシアの選択」から支払われたのだから何ら差別的ではない、というのだ。つまり金を払えば所定の政見放送時間以外でもOKということだ。

11月25日（木）。曇りのち晴れ。映画監督のガバルーヒンが昨夜の「民主党」の政見放送の中で、容赦ないエリツィン批判をやったことに対して、エリツィンも大統領府も「政見放送の時間に大統領や新憲法批判をやるのはけしからん」と警告。政見放送では何を言ってもいいはずだ。大統領批判をしてどこが悪いのか。この辺の感覚が理解不能なのだが、イズベスチヤは論評で「選挙民を愚か者扱いしている」などと政見放送で大統領や新憲法が「批判」されたことを「批判」している。この国の「言論の自由」の概念は僕らの考えるそれとどこか根本的に違っていると思う。

11月26日（金）。晴れ。午前中、ガーリャさん、ヴォロージャの誕生日パーティーのための買い出し。エリツィン、選挙ブロックの代表者と会見。この席で憲法に文句を言うブロックは政見放送の時間を取り上げるぞ、と脅した。同じアパートに住んでいるCNNのスティーブ・ハースト支局長が帰国のため昨日から引っ越し作業をしている。彼はモスクワ赴任中に妻子と別れ、美人の誉れ高い支局員嬢シップマン記者と同棲、結婚してしまった。ハースト自身は無能という噂も聞くが、CNNは世界ネットワークとして湯水のように金を使いアメリカの国益に沿った放送を流して、今回の10月騒乱の報道でも圧勝してしまった。80人近いスタッフをモスクワに集結させていた。その彼が帰国する。

それで驚いたことの1つは、メイドまで連れ帰ってしまうということだ。まるで長年親しんだ家具やらペットを連れ帰るように、メイドまで連れて帰るという発想。そのことを僕らの支局で話したら笑いながらセルゲイはこう言った。「可能性は2つあります。1つはスティーブ・ハーストがメイドともいい仲になっちゃっているということ。もう1つはメイドの夢をかなえてあげたいということ。どちらかです」。セルゲイは30日にモスクワを発つ。29日には支局員にこの旨を告げなければならない。夕方からガーリャさん、ヴォロージャの誕生パーティー。

11月27日（土）。曇り。支局で雑用に追われる。ツープ宇宙基地から来客。今、ロシアでは若い女性を使って頭が胴体より低い位置になるように1年間（！）固定し続けて人体にどのような影響が現れるのかを調べる実験を行っているという。純粋な人体実験である。倫理上問題があるのではないか、と尋ねたら、びっくりした表情で「どこに問題があるというのです！　人類の科学の発展のためですよ！」と逆にたしなめられた。この人たちとは相互理解に達するのが困難である。

11月29日（月）。セルゲイの件、昼食後、支局員全員に事情を話す。一瞬緊張が走った。沈黙を破ったのはミーシャで「おめでとう。お前のドイツの彼女は十分にこういう重要な決断をするに値する人物だ」と言って祝福した。アンドレイは終始複雑な表情だった。「ロシアの国籍はどうするのか」と僕に質問してきた。国を離れて移住する、ましてロシアを今の時期に出るということは同じロシア人同士では複雑な気持ちを呼び起こすに違いない。いずれにしてもセルゲイは明日の夜、ロシアを去る。皆でシャブリで乾杯した。

セルゲイの話ではドイツのベルリンには2つの国際空港があるが、1つはロシア人にとっては地獄、もう1つは天国ほどの違いがあるという。旧東ドイツ側のショーネフェルト空港はロシア人と見ると所持品検査が厳格を極めるばかりか、一定限度の外貨を所持していなければ即刻国外退去処分にされるという。もう1つの旧西ドイツ側のテーゲル空港は全くノーチェックでビザさえ持っていればいいという。だから航空券はどうしてもテーゲル空港行きを買わなければならないという。ロシア人にとってはまだ東と西の壁がこういうところに残っている。シュメイコ第一副首相、選挙戦から共産党とトラフキンらの民主党を追放せよと中央選挙管理委員会に要請、リャボフ中央選管委員長は新憲法案に賛成の立場を表明。全くこの国の「公正中立」な選挙とはいかなる程度のものか。もっとも日本もひとの国のことは言えた柄ではないけれども。

11月30日（火）。小雪交じりの曇り。12時半から日本食レストラン土佐藩でセルゲイの送別会を開く。皆それぞれの思いでセルゲイを送った。セルゲイはさばさばした表情だ。午前中に並んで切符も買ったという。セルゲイがロシアを捨ててドイツに移住する決心を促した一番の大きな理由は、大学時代の同級生（当時、東ドイツからの留学生だった）と「よりを戻した」ことだ。ともに今のパートナーと別れた上で一緒になる。子供はセルゲイたちが引き取る。ロシアを捨てるという行為が、残された（？）支局のロシア人スタッフにとってどんな意味を持つのか。僕には深層のところはわからない。けれどもセルゲイの人生にとって決定的な選択であることは言うまでもない。そういう重大な「選択」をした勇気に敬服する。今日はセルゲイがロシアを去った日だ。夜になっても小雪が舞っている。

極右の躍進、あるいは笑う報道陣

１９９３年12月

12月1日（水）。晴れ。１９９３年も師走を迎えてしまった。時間の過ぎ去るのが早過ぎる。きのうスベルドロフスクからモスクワ入りした佐々木氏ら、企画ものの編集にかかっている。夕刻、東京より成合記者到着。これで3記者3カメ体制。フル稼働すると相当な戦力になる。

12月2日（木）。12時からの元憲法裁長官ゾリキンの会見をのぞいてみる。記者会見のスペースも提供できず自室で大勢の報道陣に囲まれて怒りをぶちまけている。きのうゾリキンは憲法裁判事の職務を取り上げられたのだ。ベルリンに到着したセルゲイから電話が入る。無事入国、すでにいろいろな人と接触しているという。

12月7日（火）。快晴。選挙の取材、支局に応援に来てもらっている諸氏のためにも馬力をかけて全面展開しなければならない。3班フルに動く。僕らは企画ものでジリノフスキーの記者会見の取材。ミーシャが張り切っている。相変わらず精力的な人物。危険極まりない。極右だが、地に墜ちた感のあるロシア人のプライドを刺激するようで、ロシア人中心主義が受けている。会場から抗議をしようとした女性が1人つまみ出される。

12月10日（金）。『ニュース23』用に用意していた企画「ロシア版・TVと選挙」、コメ問題を全面展開するのでOA（オンエア）できないと言われる。昼、コンソーシアム（合同取材拠点）のフィードで初中継。場所はケンピンスキー・ホテル。夕方、極右候補ジリノフスキーの集会をのぞいて見る。この熱気は何なんだ！　確実にこの極右勢力は力を伸ばしている。12日の夜、クレムリンの大会宮殿に人を集めて選挙の開票速報番組を流すという。ロシアにしては画期的な試みなので取材を申し込んだところ、何と金を要求される。アクレディテーション、1人200ドル、カメラ取材に800ドル！　こういうことをして恥ずかしくないのか！　思わず支局で怒鳴ってしまった。しかしロシア人スタッフたちは「仕方がない」と言っている。この選挙番組のバックにはクレムリンの大統領府がいる。彼らの腐敗がこんなことをさせているのだ。午後、大統領府から、ジリノフスキーの記者会見で抗議した女性がつまみ出されるシーンのテープを提出してほしい、と電話がかかってくる。きのう日本で放映した中にそのシーンが含まれていたが、どのようにして大統領府が僕らTBSの撮影を知ったのだろうか、と不思議に思う。

12月11日（土）。午後4時過ぎ。アンドレイの父親死去の報。深夜、アンドレイ、電話で「明日は支局に出て仕事がしたい」と言ってくる。

12月12日（日）。雪。いよいよ選挙の投票日。朝6時半支局。薄暗いこのクトゥゾフスキー大通りの一角で灯（あか）りが点いているのは、CNNとTBSだけ。前日の打ち合わせにしたがって3班で動く。ラッキーなことにエリツィンの車列が偶然クトゥゾフスキー大通りを通っていったので、成合チームが追いかけて投票風景が撮れた。7時過ぎ、僕らのチームはアンドレイ、ミーシャというメンバーに変更してガイダールの投票するオーセナヤの第１３２小学校の投票所へ。雪の中を続々と人がやって来る。一旦支局に戻って、ジリノフスキーの投票する場所へ。極右旋風が吹き荒れている感じなので、たくさんのメディアが取材に来ている。

ジリノフスキーの投票は大騒ぎとなった。報道陣の数はエリツィンと同じくらいいる。化粧のきつい夫人を伴って日本のハマコーのようにパフォーマンス。記入した投票用紙の中身を報道陣にさらけ出して見せている。それにしても彼を撮影している報道陣の中に笑い顔の者が何人か混じっているのはイヤな感じがする。彼は一種のトリックスターのような役割を果たしているかのようだ。

確実な情報が皆無だ。中央選挙管理委員会も午後10時過ぎまでは何もしないという。投票終了。支局とクトゥゾフスキー大通りを挟んで向かい側にある第１２３０学校の投票所に開票の映像を撮りにいく。クトゥゾフ界隈の西側マスコミが何社か来ている。ワイワイガヤガヤと仕分け作業が始まる。断片的な情報で極右ジリノフスキーの善戦が伝えられる。

午後11時、国営オスタンキノTVで、クレムリン宮殿に政府の役人や著名人士を一堂に招いた『選挙ショー』なる番組が始まる。例の８００ドルを要求した番組だ。見ているうちにムカムカしてきた。刻々と入る選挙結果を肴にして飲めや歌えやの大騒ぎをする、途中、政府の幹部の演説が入るという最低の番組だ。最低などというのは生やさしい。歴史上最も醜悪な選挙番組とでも言ったらいいのか。同時にこの番組を流しているオスタンキノTVと実質的にこの企画を推し進めている大統領府の癒着と腐敗が透けて見える番組なのだ。

一緒に見ていたウィーン支局の牧さんが「まるで年末か大晦日のレコード大賞の番組みたいですね」と言っていたが、その通りのノリだ。司会者の女性が「新しい政治の年、おめでとう！」（ス・ノービム・ポリチーチェスキム・ゴーダム！）などとホザいてしきりに乾杯している。全く吐き気がするわい。この番組に盛装して出ていた政府の人間たち。コスチコフ。ポルトラーニン。シュメイコ。チュバイス（副首相）。大勢の新「特権階級」がその場に集合している。さすがにガイダールやブルブリスはいない。極右のジリノフスキー陣営がここまで伸びるとは。予想外のことだ。そのジリノフスキーもこの奇妙な晩餐に出ている。そしてジュガーノフ（中央執行委員会議長）も。オスタンキノTVでは延々とこの『選挙ショー』を生中継していたが途中で打ち切られた。

12月13日（月）。ジリノフスキーの極右進出はかなりの衝撃をヨーロッパに与えているようだ。コスチコフは共産党やこの極右との協同まで考慮しているとコメント。何ということだ。15日、東京に戻るための往復航空券を買う。疲れがたまっている。

12月14日（火）。雪。東京との打ち合わせで、今日は生中継がないことになっていたのだが、朝、電話が入り『ニュースの森』も『ニュース23』も生中継をやりたいと言ってくる。「極右躍進」という新聞の見出しに引っ張られたのか。確かに比例区の趨勢はジリノフスキーの率いる極右・自由民主党の大勝だ。これはショッキングな出来事である。社会不安とファシズムの台頭という絵に描いたような図式が当てはまってしまうが、実際にロシア国民が「改革派」よりも「ネオファシスト」に票を投じた背景は根が深い。午後、ジリノフスキー、スラヴャンスキー・ホテルの大ホールで「勝利」会見。蝶ネクタイ、タキシード姿で登場。こういうところが彼の本領発揮である。つまり生来のショーマンシップを身につけているのだ。驚くのは、マスメディアの記者、カメラマンたちの表情の中に笑いが見られることだ。まるで人気コメディアンを見ているような……。ミーシャも自分が撮ってきたテープを何度も繰り返し見て「面白い、面白い」と笑っている。確かに面白い。けれども……。

『ニュース23』用の中継は、雪の降りしきる中ケンピンスキー・ホテルのバルコニーで立ちっ放しになってすっかり体が冷えた。夕方6時45分から支局で今回の選挙「大取材」の打ち上げパーティー。みんなよく喋り、よく飲み、よく食べ、よく笑った。楽しい打ち上げとなった。しかし、どうも心が晴れない。あすの東京行きのことを考えると憂鬱な気分になる。

12月15日（水）。きのうの打ち上げの後、何人かはカラオケに繰り出し、さらにナイトクラブに向かい、ミリツィアに金を巻き上げられたらしい。ウィーンから長期応援の牧氏いよいよ帰任。僕も慌ただしく準備を切り上げて夕刻のアエロフロート便で東京へ。

12月16日（木）。成田着11時半。天気がいい。日本の冬はこんなに穏やかだったかな。

赤坂着午後2時。3時半、歩いて5分ほどのホテルのロビーで上司らと話し合い。胃液の分泌量が多くなったような気分。何というめぐり合わせか、今日、田中角栄が死んだ。僕の記者生活の中で消えない記憶の1つ、ロッキード裁判の田中一審判決を担当した時分の記憶がさまざまな感慨とともに甦ってきた。あの頃、夢中で働いていたが、田中角栄という人物像を一体自分はどこまで把握していたか。例えば角栄には自分の父親像が重なるようなところがあって、絶対に否定できないような魅力のようなものがあった。これは事実だ。もちろん戦後政治史の中で角栄の果たした役割は、功罪の「罪」の部分が圧倒的に多いことはわかるが。

父は地方銀行の外回りを長い間やっていた。子供の頃、酒に酔った父が、東大出の大蔵省の監査官にいじめられた話を悔しそうにひとり言のように話しているのを聞いたことがある。銀行にとって大蔵省の監査はもっとも恐いものだ。父は家が貧しく旧制中学卒という自分の学歴にコンプレックスを持っていた。だからメチャクチャに働いていた。子供の頃、早く帰宅した父など見たことがない。その父が田中角栄を尊敬している、と言ったことがあった。学歴のない人間が首相まで昇りつめるのは並大抵のことではない、と。確かにその通りだ。その父も今は72歳だ。テレビの画面に次々と映し出される角栄の在りし日の姿を、いつの間にか僕は自分の父親の姿と二重写しにしていた。僕の考えも宙に舞っている。

12月17日（金）。早起きして雑用を済ませ、リムジンバスで成田に着くと何とアエロフロートは4時間遅れの出発だという。時差ボケとハードスケジュールで頭は朦朧。機内で吉田司『世紀末ニッポン漂流記』（新潮社）を読む。面白い。シェレメチェボに着いたのは午後10時45分。ところが、ターミナルが混んでいるとかいうアナウンスで機内でそのまま2時間余り（！）待たされる。全くアエロフロートは国内線も国際線もやはりアエロフロートだ。乗員たちに、客に迷惑をかけているという意識が全くないことが腹立たしさを倍加させる。自宅に帰り着いたのは午前3時を過ぎていた。空港からの帰り道、暴走族（相手はBMWだった）にからまれた。走行進路を妨害しようとするのだ。よくないことはいつだって続けて起こる。

12月18日（土）。どんよりとした曇り空。今日で40歳になった。きのうからの疲れで何もする気がしない。

12月20日（月）。何とウポデカが新年の挨拶として支局にカレンダーを持ってきた！これは歴史的な事件だ！　ウポデカから何かを無償で受け取るなんてことは考えられないことであった。近所に住むJALの原田さん、突然帰国が決まったということで今日帰る。その引っ越しの際出たゴミ（花とかガラクタの類）が玄関口に段ボール箱に8箱くらい積み上げられていた。挨拶に行こうと通りかかると、メルセデスに乗ったロシア人男女3人がやってきてアッという間にそれらを全部車に積み込んで、早々2、3分で走り去った。ハイエナという言葉を思い出した。きのう「民主改革運動」のあのポポフがテレビで「ジリノフスキーとも一緒にやれる。彼は憲法会議ではよくやっていた」と語っていたそうだ。ポポフという改革派の正体などそんなものか。

12月22日（水）。曇り。今日はエリツィンの記者会見があるので午後1時にはクレムリンに出向かねばならない。と、思っていたら、共同通信の情報で、フジテレビの篠原昌人前ソウル支局長に懲役2年の実刑判決が出たという。例の軍事機密漏洩に関する事件だが、これは大変なことだ。どうして日本のメディアは彼に対して冷たいのか。取材活動の逸脱というが、むしろ取材活動の延長といった方がいいくらいだろう。あの程度のことはちょっとした記者ならばやっている。ただし注意深く。

久しぶりのクレムリン。警備がものすごく厳しくなっている。これは明らかにエリツィン政権の危険度が増した兆候だ。会見自体は、選挙の敗北にもかかわらず終始強気。いかにもエリツィンらしい。気にかかるのはエリツィンが選挙の結果を受けてますますマスコミ統制を強めようとしていることだ。それにしても、ロシア人マスコミのエリツィンに対するヨイショ発言は頭にくる。それに会見の始まりと終わりに一斉に拍手をするという共産党時代丸出しの慣習を恥ずかしいとも思わない今のロシア政府官僚の、そしてマスコミ幹部の存在には全く反吐が出るわい。

日本に対する言及が2カ所あったが、いずれも噴飯ものだった。1回目は、日本への公式訪問でクリール諸島（北方領土）を返さなかったのは国民の愛国心を考えると当然の処置だという趣旨の発言。その彼が2年前には「5段階返還論」なるものを日本でぶち上げていたのだから始末におえない。もう1つは、ネオファシズムが脅威ではないか、と朝日の徳永記者に質問された際のリアクション。「お前の国日本の方がファシストがいっぱいいるじゃないか」と反論していた。エリツィンの頭の中にはどうやらおそろしくねじ曲がった日本に関する情報がインプットされているらしい。どうせ大統領府報道部あたりの諜報上がりの2、3人からの情報がそのままノーチェックで大統領の耳に上がっているのだろう。自宅の前の広場に大きなモミの木が立てられて、イルミネーションがいつの間にか灯っている。

12月23日（木）。昨日の夜、東京に売り込んでおいた「ヤコブレフ、オスタンキノTV新総裁に」のネタ、『ニュースの森』でやりたいというので、急遽（きゅうきょ）、ミーシャ、ヴォロージャらに早朝集合をかける。時差の関係で日本時間の夕方4時半の星送りに間に合わせるためにはモスクワ時間の午前10時半までにすべての作業が終わっていなければならない。原稿を直し、レポートを収録し、ただちに編集。ぎりぎりで間に合った。カストロの娘、アメリカに「亡命」。

12月24日（金）。クリスマス・イブとは全く関係のない慌ただしい1日。せっかく昨日は徹夜をしたんだから、何とか精算を片づけねば。しかし厄介で、ギリギリ午後5時までかかり、しかも今月分は残ってしまった。手元に現金がないのだから仕方がない。銀行にも行けない。大統領の御用機関・タス通信が発表した今年の10大ニュースというのを見て笑ってしまった。以下、そのあまりの馬鹿馬鹿しさをとどめておくために記しておく。①新議会選挙と新憲法国民投票　②第2次戦略兵器削減条約調印　③バンクーバーで米ロ首脳会談　④大統領訪日　⑤東京サミット　⑥マーストリヒト条約発効　⑦武装反乱の制圧　⑧パレスチナ暫定自治合意　⑨南アフリカ新憲法承認　⑩チャイコフスキー没後百年祭。そこに滲む大国意識丸出しの感性。夜バイトのサーシャに「これ、ひどいんじゃないの」と聞いてみると、彼も「誰が考えても10月の事件（モスクワ騒乱）がトップです」と言う。タスはどうしてこのような「操作」を加えるのか。サーシャがちょっと小さな世論調査をやってみると言って、次々に友人に電話をし始めた。モスクワ大学の友人らは今年のニュースをどう考えているんだろう。興味が湧いた。結果はやっぱり皆10月の事件と選挙。これを一連の出来事と捉えている。それがあったり前というもんだ。

12月27日（月）。実質的に今日が仕事納めになる。今年の振り返りでラジオ出演2件。支局員給料支給、ボーナス分含め。外信部に今年最後の連絡事項。車の修理の件。雑件多数。学校の生徒を人質にとっていた軍事用のヘリコプターの乗っ取り事件、解決する。夕刻の飛行機でウィーンへ。28日から正月3日まで休みをとる。おさらば、１９９３年。この年もいろいろあったな。

1994

1月11日● 新議会開幕
1月13日● 米ロ首脳会談(モスクワ)。クリントン到着
1月16日● ガイダール副首相辞任
2月9日● **セミパラチンスク核実験場取材**
2月26日● ルツコイ、ハズブラートフら恩赦で釈放
3月19日● 羽田孜外相、訪ロ
3月29日● **支局車のベンツ盗難**
4月10日● NATO軍、ボスニア空爆
5月11日● エリツィン、ドイツ訪問
5月27日● ソルジェニーツィン、20年ぶりの帰国
6月6日● **モスクワ支局離任**

クリントンを「民主主義の伝道師」として迎えた
ロシア人のプライド、または卑屈

1994年1月

1月3日（月）。朝4時起き。オーストリアのサンクト・アントンのホテルを出発。雪がしんしんと降っている。雪道を重い荷物を抱えながら歩き、ようやく駅に着くとまだ誰もいない。列車の出発時刻は午前5時37分。それに乗り込み、およそ1時間でインスブルック着。空港で2時間待つ。空港から見える雪に包まれた山並みが美しい。チロリアン・エアのプロペラ機でウィーンへ。

すでにここにもロシア人の姿がちらほら。僕は彼らがロシア人であることをすぐに知覚できるようになった。第一に身のこなし。タバコを場所を問わず立ちながらすぱりすぱりやり始めること。集団で動いていること（まるで日本人の旅行客みたいに）。そして一番の特徴は、手荷物を死ぬほど抱えていること。その愛すべきロシア人とともにチロリアン・エア、オーストリアン・エアと乗り継いでモスクワに到着。あーあ。またまたモスクワに戻ってきてしまったなあ、というつもの感慨。ところが、僕らの荷物がいくら待っても出てこないのだ！　ロシア人が人から何と言われようと手荷物を死ぬほど持ち込む理由は実はこのことにある。荷物が出てこないことがあるのだ、しかもしばしば。僕らの荷物はどこへ行ったのだ？　係員にクレームをつけたが「あなたたちの荷物はアエロフロート便で後から到着します。ウィーンでの積み替えが間に合わなかったのでしょう」とすましたものだ。とほほ。

あの悪名高いアエロフロートなら運んできたとしても受け取れるかどうかはまた別問題なのだ。やむを得ず住所と連絡先を書いて「確実に届けてください」と念を押す。僕の後でロシア人の中年婦人が何やらまくしたてている。見ると布製の旅行カバンが無残に切り開かれていて、中身が抜き取られているのだ。あちゃー、イヤなものを見てしまった。婦人はまくしたてている。「一体誰が責任とってくれるの?」「タクシーが外で待っているけれどもそのカネは誰が払うの?」「中にあった品物の弁償は誰がしてくれるの?」それに対して係官の男はすっとぼけたように「アエロフロートが責任をとるだろうよ」「アエロフロートがタクシー代を払うだろうよ」「アエロフロートが弁償するだろうよ」という調子で全然うろたえていないのだ。この調子だと僕らの荷物もどうなるかわかったもんじゃない。帰宅して久しぶりに支局へ。イルクーツクでツポレフ機が墜落し、120人が死亡したことを知る。これはアエロフロートを笑ってすましている訳にはいかないな、という気になってきた。

1月4日(火)。支局に全員出社顔合わせ。午前11時半、オーストリアン・エアより朗報。荷物発見せり、と。支局に届けてもらうことにする。夕刻、支局用飲料水など買い出し。支局スタッフと簡単な乾杯。今年はどういう年になるだろう、と水を向けると一斉に議論が始まった。ジリノフスキーは最初は勢いづくがやがてダメになるさ。ガイダールよりもヤブリンスキーの方が信頼できる。チェルノムイルジンは失点がないから生き残る、などなど。リトアニアがNATOに正式加盟申請。極右の台頭とロシアの外交方針の右寄り修正に対応した防衛的措置だろう。NATOもそれほど寛大ではないことを知るべきだ。クリントンは今やエリツィンの言うことは大体イエスなのだ。タルボットというロシア問題の専門家の意見が対ロ政策に露骨に反映している。

1月5日（水）。リトアニアのNATO加盟申請に対して早速エリツィンは警告を与えた。これでは全く冷戦時代の〔NATO〕対〔コメコン・マイナス・東欧・バルト〕の図式への逆戻りじゃないか。午後、ガムサフルディア（グルジア初代大統領）自殺の報。夕刻、ロシア外務省Kと会食。日本大使館の交渉能力・情報収集能力が最近とみに落ちているという指摘。

1月6日（木）。朝、支局のガーリャさんからの電話で起こされる。ジリノフスキーがモスクワ郊外の町で下院（ドゥーマ）の議員証を受け取るというのだ。急いで身仕度して車で1時間半余りの現場へ。待つこと10分。例によってジリノフスキーの怪気炎を聞かされる。速射砲のように言葉が出てくる。「クリントンはモスクワなんかに来ないで母国でサックスでも吹いているがいい」「コズィレフを追っ払った後、私が日本に平和条約締結を提案する。断れば戦争だ。お望みなら太平洋艦隊が日本を封鎖しちまおうか。そうなりゃあ日本なんて飢え死にだぜ」こういう言葉がポンポンと出てくる。そして例によってロシア人ジャーナリストたちは笑って聞いているのだ。雪道で支局へ戻る途中、車の中で眠ってしまった。それで風邪気味だ。明日はロシア正教のクリスマスだ。支局のロシア人スタッフは休み。だから1人で支局に出る。

1月7日（金）。昨夜はとうとう明け方まで12月分の精算と『週刊金曜日』の原稿書きをしてしまった。家に帰ったのが午前5時。10時半に支局に出てガーリャさんに手伝いを頼んで精算仕上げ。ところが郵送する手段がない。あらゆる運送会社は休み。そこで急遽全日空のスチュワーデスさんに頼んで成田で郵送してもらうことにした。午後スチュワーデスのステイ先のホテルまで荷物を届ける。休日なので道路はガラガラ。こうして雑件を1つ1つ片づけていかねば後で大変な目に遭う。

1月9日（日）。保守派の集会午後2時から。のぞいてみる。最高会議ビル裏。何か集会参加者が殺気立っている。およそ1000人ほどか。久しぶりにウマラートバ女史の姿を見る。集会参加者の中にアコーディオンを弾いているおじさんが目についた。どこかで見たことがある。そうだ。あの10月3日の議会支持派市民の最高会議突入の際、アコーディオンを弾きながら進んでいったおじさんだ。まだ懲りもせずやっているのだ。そう、ここに集まっているのは絶対にもう変われない人たちなのだ。

1月11日（火）。新しく生まれた議会が開会。朝8時支局に。取材の段取りがうまくいかず、焦る。それにしてもジリノフスキーに対する我々も含めたマスコミの群がり方には異常なものを感じる。下院の議場となっている旧コメコン・ビルにジリノフスキーは何とアメリカＡＢＣテレビの車で乗り付けた。何ということだ。これが日本ならば大騒ぎになるだろう。ABCが密着取材のためジリノフスキーを「買い上げて」しまったのだ。アメリカのメディアの商品価値の追求にかけるエネルギーというのは想像を絶する。ジリノフスキーが「買い」とくれば、徹底的に買うのである。下院議場に至るまでには取材カメラマン同士の衝突さえ見られた。

午後、再び議場に戻って審議の具合を見ていてほとほと絶望的な気分になる。16時41分、ルキヤーノフが長老ということで議長団席につく。ジリノフスキーが盛んに野次っている。くだらない事務手続きを決めるのに何時間も費やし、全くそれに懲りないという体質は、以前の最高会議・人民代議員大会と何ら変わるところがない。「これじゃ、日本の小学校の学級会の方がマシだなあ」と思う。見ていて目についたことの1つ。代議員の服装が上等なこと。ネクタイなんかも質のいいのをしている。下院はあさって昼過ぎまで休憩。一体この下院（国家会議）というのは何なんだ。

1月13日（木）。クリントンは深夜1時過ぎにモスクワに到着した。『ニュースの森』用生中継のためにCBSのフィードポイントであるケンピンスキー・ホテルに行って驚いた。ここは現在モスクワでは一番高級なホテル、シングル1泊400ドルという場所。そこにCBSのスタッフが80人くらいいただろうか。ちょうど昼食時だったので皆がニュースルームなる貸し切りの場所の前の専用ビュッフェにガヤガヤたむろしていた、何でこんなに人数が必要なんだい？　今回はキャスターのダン・ラザー御一行も来ているからだろうけれども、この人数の投入の仕方は、まるでかつての米ソサミット、2大スーパーパワー時代のサミットの取材体制みたいだ。どう考えても変だけれども、フィードポイントを借りる身としては、この大げさな仕掛けも有り難いと思うしかない。議会をのぞいて帰る途中、移動するクリントンに出くわした。その車列のすごさといったら。前後5分間くらい、クトゥゾフスキー大通りの交通が遮断されて真空状態になっていたのには驚いた。クリントンは貧相なロシアの商店に買い物に出かけてみたり、盛んにパフォーマンスを繰り返している。ワシントン支局の斎藤さん、グリアと久しぶりに再会。

1月14日（金）。雪。ウクライナに「核のカード」を捨てるように説得したことを除けば、一体何の意味が今回の米ロ会談にあったのか。それにしても行事を見ていて目につくのは「全く大国意識丸出しのしつらえだなあ」ということ。本当に記者会見とか行事だけを見ていると、スーパーパワー時代に逆戻りしたような錯覚に陥る。

午後、クリントンはオスタンキノTVに行って、スタジオで生の特別番組「クリントン大統領と語ろう」（タイトルはこうではないが、これしか言いようのない）風のトークショーに出る。ロシアの市民との直接対話。スタジオにいる市民やモスクワ市内の赤の広場、サンクトペテルブルク、ニージヌイ・ノブゴロドを生で4元で結んでロシア市民がクリントンに質問するという番組だ。

最初に司会役として出てきたのがあのA・ヤコブレフ。オスタンキノTVの総裁に据えられたばかりのミスター・グラスノスチ。かつてのゴルバチョフの右腕も今や、クリントンのPR番組の司会者というわけだ。それにしてもクリントンはこういう番組出演がすっかり板についている。見栄えがいい。スマートだ。スタジオのお客役のロシア市民は憧れのような眼差(まなざ)しをクリントンに注いでいた。女性の中にはポーッとして見つめている人もいる。それでクリントンは、スタジオの中を自在に動き回って「誰か質問がある人は手を挙げてください」などとサービスにつとめ、質問に答えている。最初に質問したのはモスクワ大学の女子学生で「ロシアの教育制度の未来はどうなると思いますか」とか英語で聞いていた。「ロシアの経済と民主主義の未来は?」が次の質問。見ていて、この番組は一体、誰が、何のために、誰に見てもらうために、そしてこの番組を流すことによって利益を受けるのは誰なのか、ということを考えてしまった。

ついには13歳の子供が英語で質問して「あなたは昔ケネディ大統領と握手したんですね」と尋ねると、クリントンはその子を呼び寄せて握手したりして、まるで仕組まれた演出みたいだ。あざといのだ。ところがロシア人スタッフたちはこの番組を見ながら、「クリントンはなかなかいい」「政治の指導者はクリントンのように若くならなければならない」とか言っている。困っているロシアの国民と直接対話するアメリカ大統領のイメージ(映像)。まるで「民主主義の伝道師」だ。多分これが今回のモスクワ訪問の最大の成果だったのではないか。今この瞬間、ロシア人のかなりの部分がこの映像を見ている。と同時に、この映像はアメリカにも伝送されて、アメリカ国民もこれを見ているというわけだ。

気になったのは、クリントンが盛んに、ロシアを「偉大な国」「大国」「すばらしいエネルギーをもった国」とか、大国意識をくすぐるような言葉を連ねて持ち上げていたことだ。本当に今のロシアが超大国だと思ってるのかよ、と言いたくなる。核兵器があるから、このロシアを扱いかねているというのが冷徹な事実というものだ。こんな質問も出ていたぞ。「ロシアのデモクラシーはあなたの国アメリカのデモクラシーと同じくらいのところに行くまで、一体どれくらいの時間と距離があるんでしょうか」。あーあ。ロシアは今、アメリカの精神的植民地になろうとしている。クリントンを「民主主義の伝道師」と見るロシア市民の心の中にある矜持(きょうじ)、そしてそれと裏腹の卑屈さのようなものが感じられてとてもイヤだ。うまく言葉で言えないが、それはこういうことだ。ロシアは偉大な国、でもたまたま悪条件が重なって今は遅れをとっている、本来はアメリカと肩を並べる国なのに。そのアメリカの大統領がロシアに民主主義の、いや資本主義の、いや物質的に豊かな生活をいかに獲得するかのノウハウを教示してくれてるんだから、耳を傾けよう、と。

1月16日(日)。昼頃、支局で雑用を整理していると、東京からの電話。AFP電によるとガイダールが辞表を提出したという。驚いた。少し遅れてインターファクスも同様の情報。『フラッシュニュース』に一報原稿。チェルノムイルジンとの確執がここまで来ているとは。わずか2日前にクリントンに対してエリツィンが「改革のテンポは緩めない」と大見得を切ったばかりなのに、見事に恥をかかされたわけだ。

1月17日(月)。エリツィン、ガイダールの辞表受理。1ドル=1402ルーブルに。

モスクワ市、外国旅行者から1日当たり1ドルの「滞在税」を徴収するという。

1月18日（火）。ガイダールに続いて辞任が噂されているフョードロフ蔵相の記者会見が朝10時から。目が覚めたら9時半を回っている。慌てて着替えて支局へ。車に飛び乗って会見場に着くと、入口に同僚記者が2人ニヤニヤして立っている。何と会見はキャンセル。全く何てこった。ロシアの新政府の組閣、エリツィンとチェルノムイルジンの会談、6時間半に及ぶも結論出ず。エリツィンが明らかにおかしくなっている。コズイレフはロシア軍の旧ソ連諸国からの完全撤退に反対の意向表明。ルーブル暴落、1ドル＝1504ルーブル。

1月20日（木）。晴れ。久しぶりに青空が広がる。午後4時からチェルノムイルジンの新内閣に関する記者会見だったが、アンドレイとミーシャに任せる。

チェルノムイルジンは「フョードロフが大蔵大臣にとどまるかどうかは本人次第」と突き放した言い方をしている。何か自信が漲（みなぎ）っている。夜8時からフョードロフ緊急記者会見。案の定、辞任。今日の出来事は大きな意味を持っていると思う。つまりエリツィンがチェルノムイルジンに負けたのだ。

1月21日（金）。朝9時、支局に。アパートの1階のウポデカのコメンダント事業所のドアが開けっ放しになっていた。それで中が見えたのだが、何と床がぴっかぴか。壁も張り替えられ、見違えるように豪華になっている。ウポデカの懐具合がわかるというものだ。考えてみると、一方的な家賃値上げ通告に始まり、駐車場の囲い込み→有料化、税金徴収、外国企業で働くロシア人スタッフからの税金取り立て、独自通信回線事業の開始、ウポデカ所有の旧特権層アパート、ダーチャなど不動産の共同経営、と「ウポデカ」の資本主義化はほとんど「裏切り」に近いような発展ぶりなのだ。「裏切り」というのは、もともと彼らがKGBの出先機関で外国人の監視を主要業務としていたからである。まあ、いいか、昔の話だ。午後4時半、外務省パノフ次官。久しぶりの再会。日本は細川内閣の政治改革法案が参議院で否決され大騒ぎになっているらしい。

1月22日（土）。正午から「労働ロシア」「共産主義労働者党」などがレーニン没後70周年記念の集会、パベレツキー駅前広場で。のぞいてみる。およそ1500人ほどか。老人ばかりが目につく。アンナと会う。元気そうだ。クレムリンの雰囲気が変だという。エリツィンがずっと不機嫌で、何か起こるのではないか、と言う。バトゥーリンに安全保障の職務の実権はなく、みんなチェルノムイルジンにお伺いをたてているという。このところ検閲が厳しくなり、政府批判がご法度になりつつあるとのこと。赤の広場はミリツィアによって封鎖され、献花もできない。デモは不発。

1月23日（日）。朝起きて途中まで読んでいた岡田嘉子の予審調書と軍事裁判記録を読む。岡田嘉子の生きようとする「力」に感動する。名誉回復のきっかけがわかったのが収穫だった。それにしても「スパイ」という存在は一体何なのか？　並行して読んでいるクラウス・フックス（編注／ドイツの物理学者）に関する本でも感じるのだが、主義、信条、宗教、恋愛等というきわめて人間の本質に関わる動機によって、人間関係をある側面において「偽装」するという作業を続けること。「越境後」の岡田嘉子について書いてみたい気がする。「恋の逃避行」に至るまでの岡田嘉子伝には一種美化が施されているが、越境後の彼女の闘いこそ感動的だと思う。

このところ週末のストックマンにはロシア人がわんさかと押し寄せ、レジに行列ができて1時間待ちという状態だという。外貨系スーパーで買い物ができる特権的な外国人というのはもはや過去の話になりつつある。今や最も特権的なのは、にわか成金のロシア人たちである。彼らは運転手付きの高級車でスーパーに乗り付け、どういうわけか入手している数種類のクレジットカードで凄まじい量の買い物をしていく。大体がケバい化粧の女性が同伴している。

1月24日（月）。午前中、飲料水・食料・バッテリーなど購入。雑用多し。共同ニュースで22日、フランスの俳優ジャン・ルイ・バローが死んだことを知る。83歳。昼過ぎから雪もやんで明るい日の光が降り注ぐ。給食のおばちゃんのマーシャが窓の外を見て「もう春だわ！」と叫んでいる。『コムソモールスカヤ・プラウダ』紙の1面にチェルノムイルジンの学生時代の通信簿がでかでかと載っている。こんなものどこから手に入れたのか。でも成績は非常に悪くて、チェルノムイルジンにしてみると恥ずかしい感じの代物である。

夕方、運転手のアンドルーシャの机を買いに行く。レニンスキーの家具センターに行ってみると、たくさんの客が来ている。コーナー型の机を１００ドルで購入する。支払いを待っていると、中で店員が売り上げを数えていたが、何と100ドル札の束、束、束だ。あるところにはあるのだ。外貨がうなるように流通している。なかなか豪華な家具もおいてある。この流れはもう止めることはできまい。

1月26日(水)。忙しい1日だった。昨夜の酒がたたって頭が重い。1時からのジリノフスキーの記者会見。会見場のテレビカメラの台数25カメ。ドイツ国民同盟というドイツの極右党首フライとともに記者会見。ミーシャに言って『ニュース23』の「世紀末モスクワを行く」用に取材。カメラを引いて、ジリノフスキーに群がるマスメディアをうまく撮ってもらうように言った。朝日の徳永さんが会見でたまりかねたようにジリノフスキーに質問していたが、日本に対する過激な暴言を引き出しただけ。僕の横に座っていたロシア人たちは、ジリノフスキーの答えに声を出して笑って喜んでいた。

1月27日(木)。曇り。午前中、雑用を一気に片づける。夕刻の便でウィーン経由ブダペストへ。朝9時からロシアテレビで放映しているABCのピーター・ジェニングスの『イブニングニュース』をぼんやり見ていたら、ジリノフスキーのことを伝えていた。アメリカ国民はジリノフスキーの力をかなり過大評価しているのではないか。午前中、ロシアテレビではサンクトペテルブルクの対独九百日戦争50周年記念式典を生中継していた。エリツィンが臨席するその式典はソビエト時代の式典のように荘厳なもの。涙を流す老人たちの表情は美しい。画面には一瞬コムニストたちの掲げる旧ソビエト国旗が映っていた。大時代なナレーション。今日1日、ロシアテレビはソビエト時代に逆戻りしたみたいだ。夜遅くブダペスト着。

1月28日（金）。ブダペスト。『シラードの証言』（みすず書房）抄本コピー読了。科学者の持つべき倫理観について考えさせられた。本当に偶然だが（彼がハンガリー人とは知らなかった）、シラードはここブダペスト出身だそうだ。この目の前を流れているドナウ川を見て育ったのだ。クラウス・フックス、クルチャトフ、レオ・シラードと核兵器開発に直接関わった科学者たちの本を続けて読むと、そこには、国家と科学者の関係、科学研究がいかに国家という観念によって決定的制約を受けるものか、が浮かび上がってくる。科学研究の基盤造りが国家目標の方向と合致した時、いかに危険な状態が現出するのかを思い知らされる。フックスやシラード、エドワード・テラーらが亡命科学者であるという点が、この場合きわめて重要なポイントだ。

それにしても僕らはこういう科学者たちの苦悩・取り返しのつかない悔悟から一体何を学びとってきたというのか。核は今現在も僕らの世界の国家間の力学を根本的に規定している。核保有国であり、国家としての枠組みがぼろぼろになっているロシアという国にいるから、そのことが痛いほど実感できる。そして自分が日本人、原爆を実際に投下された国の人間であることの意味が、切迫感を伴って想起される。ブダペストは古いヨーロッパ文化の厚みを感じさせる。ここにはソ連支配下の臭いは残っているけれども、それ以前のヨーロッパの伝統文化の臭いの方が強い。ドナウ川の滔々（とうとう）とした流れを見ていると、都市の持つ地勢が決定的に重要な気がしてくる。ちょうどハンガリー出身のシラードの文章を読んだばかりだからか、都市と人物の関わりあいの必然みたいなものが見えてくるようなのだ。プラハとカフカ、ウィーンとクリムトみたいに。

1月29日（土）。陸路ウィーンに。快適な道程。ウィーン牧氏より支局経費受け取り。その際の話では、旧ユーゴの取材がメチャクチャだという。日本のキーテレビ局の間で、危険を伴うユーゴ現地取材を、下請け、あるいはフリーランスのテレビ取材チームに任せてしまって、その成果（＝VTR）のみを、しかも成功した場合のみという条件で買い取るシステムが多くなってきているという。つまり、途中で失敗しても責任は負いません、事故が起きても局として面倒見ません、という仕組みだという。僕だって危険なところには進んで行きたくはない。でもそれを、フリーランスとか関係別会社に請け負わせて、何かあったら知りませんから、はないと思う。そんなことをしていると、今にテレビ報道局の社員というのは「手配師」みたいな存在になると思う。

1月31日（月）。雑件多数。クリミアの大統領選挙で親ロシアのナショナリストが圧勝。ドイツに移住したセルゲイが里帰り。空港からまっすぐ支局にやって来た。みんなの歓迎を受けている。

セミパラチンスク、45年目の悲惨／夢か真か、ルツコイらの生還

１９９４年２月

２月１日（火）。今月18日、ロンドンで開かれる支局カメラマン会議（＊１）にモスクワ支局からも参加する件、東京からＯＫが出た。早速準備にかかる。ミーシャとヴォロージャは大変な喜びようだ。何しろ彼らは西側世界に一度も出たことがないのだ。午後、ロンドンから送ってもらった招待状を手に、イギリス大使館に勇んでビザ取得に出かけた。旧ユーゴのモンテネグロを訪問中のジリノフスキーのＶＴＲをテレビのニュースで見たが、彼を歓迎する集会の人数のすごいことといったら。

２月２日（水）。飲み過ぎと風邪気味で調子悪い。ミーシャとヴォロージャのロンドン往復航空券を買い、支局に戻って雑用。たまっていた請求書の支払いを済ませると、あっという間にドル現金がなくなっている。あーあ。

２月３日（木）。政府幹部会のマスコミ取材が御用新聞の『ロシースカヤ・ガゼータ』以外には禁止となる。ジリノフスキーがモンテネグロで「音波兵器」の実験でモスレム勢力を18人殺した、と物騒な発言。昼、Ｓ氏。「ノーヴォエ・ヴレーミャ」社長がきのう射殺された事件、今年１月のＫＧＢに関する記事と関連があるかもしれない、と。そこにはこれまで一度も出たことのない保安省の機構図が載っていたそうだ。日本漁船の

領海侵犯話、日本の仮想敵国化の材料にされる可能性あり。

2月4日(金)。朝から太陽が照っている。これだけで嬉しい。冷え込みもせいぜいマイナス11度。気持ちのよい天気だ。昼過ぎからジェーツキー・ドーム(孤児施設)に取材。予想していたよりも施設はちゃんとしている。何よりも子供たちの表情が明るかった。先入観でものを作ってはいけないのだ。今日は酒を断とう。

2月5日(土)。今日のような日をマロース(厳寒)というのだ。快晴で冷え込んでいる。マイナス15度くらいか。ジリノフスキーのユーゴ帰朝報告集会が2時から開かれるという。ところが午前中、ミーシャから電話が入り、熱があり今日は休みたいという。やむを得ず臨時カメラマンさがす。『鈴木いづみ』(文遊社)読了。死肉を漁るハイエナにはなるまい。夜8時過ぎから朝3時までロシアテレビ『プログラムA』の生放送取材。ビートたけしのジリノフスキー論(＊2)が面白い。彼は大衆が何に心を動かされるかを知っているので、ジリノフスキーの恐さが直観的にわかるのかもしれない。

2月7日(月)。マロース。快晴。気持ちがよい。ミーシャ休み。困った。どうもミーシャの病気の真の原因は、あさってからのセミパラチンスク取材にあるようなのだ。ミーシャはきのうアンドレイの家に電話をして「病院の証明書をとらなければならないが、どこか紹介してくれ」と言ってきたそうだ。危険なのは百も承知だ。こっちだって危険なところは行きたくない。でもそこにニュースがあるのなら話は別だ。やむを得ず、アンドレイ、ヴォロージャと3人だけで行くことにする。カメラはHi－8でも仕方がない。ガイガーカウンターを忘れないようにしなければ。夜8時半過ぎにミーシャから電話。「金曜日まで休まねばならないと医者に言われた」と弱々しい声だった。夕方、床屋。ロシア語がうまく通じず、2センチだけ切ってくれと言ったつもりが、2センチだけ残すというようにとられて、ばっさりと髪を切られた。

2月9日（水）。マロース。マイナス18度。朝6時半、支局集合。例によって「空飛ぶ理不尽」アエロフロートに乗る。ドモジェードバ空港で待つこと2時間、イリューシン62に乗り込む。何故（なぜ）か前から30席分の背が倒されていて客が乗れないようにしてあり、乗客がそこにドカドカ荷物を置く。そう言えば今回も荷物を預けるシステムはなかったなあ。全部手で持ち込むのだ。機内は寒いので皆コートを着たまま。帽子、手袋の完全装備。買った航空券には一応座席指定の番号が書いてあるのだけれど、アエロフロートではそんなものは通用しない。全部自由席だ、コックピット以外は。というよりも、乗り込む際にスチュワーデス（というよりも仕切り屋のおばちゃん？）が「あんたはあそこ、あんたはここ」というように座らせてしまうのだ。だから強制的な自由席なのだ。

離陸寸前、おばちゃんが雑誌を売りにくる。離陸といったって誰もシートベルトなんかしない。座席によってはシートベルトのないところもある。離陸して20分ほどでようやく機内も暖まってきた。離陸後25分。スチュワーデスが水を持ってきた。純粋に単なる水なのだ。離陸後1時間。機内がものすごく暑くなり、コートを着ていられなくなる。隣席の軍人が「ジャールカ（暑い）！」と言って天井の空気調整のつまみをいじっている。僕もこのつまみを回してみたが熱風が吹き出してきた。さっきから気になっているのだが、おばちゃんたちが次々にコックピットに食事を運んでいる。何しろパイロットを最優先する。こちらのシステムでは大変に偉い人なのだ。だからパイロットは飛行機にも乗客が全員乗り込んだ後悠々と現れ、一番最初に食事をして、着陸すると誰よりも早く降りる。離陸して1時間半、後ろの方にいるアンドレイとヴォロージャの2人の様子を見にいくと、きのう僕が買い込んできた食料をむしゃむしゃと食べている。全くもう。セミパラチンスクの食事がヤバいから非常食用に買い込んできたのに、これじゃあ着く前に食物がなくなってしまうではないか。そのうち食事が出てきた。チキンに簡単なパン、ジュース、紅茶、バターという粗末なものだが、以前と比べて進歩したのは、ナイフ、フォーク、スプーンが金属製になっていること。

さて、食事が済むと「チェルノブイリの子供たち救済クジ」(ロット)をおばちゃんが売りにきた。1回2300ルーブル。周りの人がほとんど買って試している。クジは簡単で爪でカバーを擦(こす)り取ると、そこに$10とか$20とか2列になって書いてあり、右の列と左の列が合えば、その金額がもらえるというものだ。セミパラチンスクへの機内でチェルノブイリ救済とはねえ。3時間40分の飛行でセミパラチンスク到着。見るとヴォロージャがすっかり酔っ払って舌と足がもつれている。どうしてロシア人はこうなんだ!　と叫びたくなるが我慢する。マイナス7度。思ったより暖かい。出迎えの軍関係者の用意したマイクロバスでここから140キロの距離にある実験場へと向かう。

実験場への途中、道路の脇に、夥しい数の戦車がうち捨てられていた。聞くと、東欧・モンゴルから撤退した旧ソビエト軍の老朽戦車だという。１００台ではきかない量だ。広大な実験場のそばには秘密閉鎖都市「セミパラチンスク60」があり、ほかには何もない。宿舎となるゲストハウスに案内された。建物は立派だが暖房が入っていない。お湯が出ない。したがって風呂には入れない。凍えないように彼らが電気ストーブを各部屋に2台ずつ用意してくれたが……。軍人を相手に夜中まで話が続く。核の危険性に関する西側の報道は情報操作・デマだという。特にネバダ・セミパラチンスク運動（*3）の連中は運動を利用してカネ集め・外国旅行を企む輩だと言う。反論する気がしなくなる。

2月10日（木）。「セミパラチンスク60」の町中を見る。小さな町だ。現在の人口は1万人強だというが、日に日に減っているという。最盛期には科学者ら数万人が生活していたそうだ。町の名前を「クルチャトフ」といっていた時期もあったそうだ。寒空の下、野外の市場では老婆が粗末な石鹸（せっけん）を売っていた。ゴーストタウン化が進んでいる。この冬は町全体の暖房・給湯が止まっているという。多くのアパートは人の住んでいる気配が乏しく、1階の窓の部分がレンガで塞がれていたり、窓からいきなりストーブの煙突が飛び出していたりで、寒さを必死にしのいでいることがわかる。

ソ連原爆の父クルチャトフの偉業を讃える博物館に案内されたが、荒れ果てており電灯も点かない有り様。展示物は50年代の核実験用の装置が主。展示物の中にどろどろに溶けた溶岩のオブジェのようなものがあり、持ってきたガイガーカウンターが激しく反応する。核実験に使われたケーブルが溶けたものだという。アイソトープ・マークが貼り付けられたものが無造作に置いてある。出口近くにはホルマリン漬けの豚の被爆した頭や犬の肺、その他の動物の変質した臓器が展示されている。情報機関担当者、軍研究者らと話す。疲れる。とりわけ反カザフ感情がひどい。ナショナリズムの固まりのような人たちだ。彼らは完全に「戦争科学者」なので「安全性」などという概念からは最も遠い位置にいる。明日、ポリゴン（核実験場）の上空をヘリで飛ぶ予定。上空から凍結中の核実験施設を撮影するのだ。

2月11日（金）。マイナス25度近くまで下がる。午前9時半朝食。食事の内容は3食大体同じ、粗末なもの。ヘリポートに向かう。午前11時離陸。上空から面積1万８００0平方キロメートルのポリゴンを見る。荒涼としている。羊の群れや狐（きつね）、野生の馬の群れを見つけた。目当ての凍結状態になっている核実験施設「デバイス１０８」の上空でそれを確認する。この下にプルトニウム爆弾がある。規模は10キロトン。この処置が全く放置されているのだ。解体もできないほど財政が逼迫（ひっぱく）しているのだ。最高会議ビルの修理に巨額の費用を投入している場合ではないのに。

1時間ほどしてヘリが突然着陸した。事前の話ではなかった動きだ。何と60年代の中頃に行われたという地下核実験場の跡（廃坑の入口）の近くに降り立ってしまった。近づくとガイガーカウンターの針が振り切れてしまった。恐ろしい。7分ほど撮影して離れた。すぐに引き返す。計2時間の飛行。午後、軍幹部と話す。激しいカザフスタン批判とロシア政府批判。彼の意見ではこのセミパラチンスクは近々完全なゴーストタウンになるという。オフカメラでの話が面白かった。いわく、去年10月の軍の最高会議攻撃は全く不必要だった。暖房がなく学校の授業が1日2時間しかできない。今の政治家は全く腐敗している。云々。会った時からこの人物が少し酒を飲んでいることに気づいた。

2月12日（土）。マイナス30度。軍人の1人がソ連製のガイガーカウンターを進呈したいと持ってきた。僕の持ってきた日本製の高性能のガイガーカウンターがあまりに敏感に反応するのが気に入らなかったらしい。「アメリカや西側のやつは皆過剰に反応するようにできている。このソ連製のは正確だ」。さらにストロンチウムやカリウム40なんていうのはウォトカを飲めば外に出て大丈夫だ、と言っていた。もう1人の軍人は自家製の純度96％のウォトカを持参。真っ昼間から飲もうというのだ。昨夜、僕らがモスクワから持ち込んだミネラルウォーターの空き壜を持ち帰り、それをいっぱいにして僕らの宿舎にやって来たのだ。

2人の軍人はともに熱烈な愛国者で、話を聞いていると同情を禁じえない部分もある。核開発に人生の大半を捧（ささ）げた軍人らの悲惨かつ冷徹な現実がそこにある。つまり彼らは、軍人としての人生の目的と、核兵器開発という当時の国家目的が見事に一致していた時期を生き、冷戦の終結＝ソ連の敗北・消滅とともに、その意味を理解することなく、いきなり無用者として切り捨てられた人間たちなのだ。だから未だに核兵器自体を否定するなんぞ「敵国のスパイ」か何かとしてしか想像できない。

　昼食後、町の中を再び散歩。寒さがこたえる。この町を歩いてみると悲しくなる。あちらこちらに犬を見かける。聞くと町を出ていった人たちに捨てられた飼い犬なのだ。皆一様に痩せ細っていて哀れだ。しかし、ここに残っている人間の方がもちろんもっと悲惨なのだ。

　2月13日（日）。午前中に訪ねてきた軍人ネフョードフ氏は泥酔状態になり、アンドレイが家まで送っていったとのこと。ヘリのチャーター代金のことで若干もめる。遅い朝食の際、純度96％のウォトカをお別れの印に飲んだら急に気分が悪くなり退席させてもらった。動悸が激しくなり急性アル中になったみたいだ。部屋で水を大量に飲んで横になる。情報機関の男の見送りでマイクロバスで140キロ離れた空港まで送ってもらう。また「空飛ぶ理不尽」に乗るのだ。でも帰りはわりとスムーズに飛んだ。午後7時定刻通り離陸。機内で宮本常一『忘れられた日本人』（未来社）を読んだら、これが実に面白い。時差の関係でモスクワに午後8時過ぎ着く。アンドレイとヴォロージャと3人で久しぶりにモスクワの街の灯を見たらなぜか大いに安堵した。自宅で5日ぶりに風呂に入る。

　2月14日（月）。何しろ雑用がたまっている。最大のニュースは支局カメラマン会議がボスニア情勢で延期になったこと。久しぶりに顔を合わせたミーシャも落胆していた。セミパラチンスクに着ていったセーター、ズボン、靴、何となく気持ちが悪く捨てる。

ゴミ箱に捨てたのだが、帰りに見ると誰かがゴミを漁っていったらしく、もう袋ごとなくなっていた。

2月15日（火）。北朝鮮に行っていた核科学者ら3人のインタビュー。結論は北朝鮮が核兵器を持っているなどというのはSFでの話ということで落ちついた。実際今の日本に蔓延している北朝鮮核開発話も意図的な情報操作の臭いが強い。ただしミサイル技術は全く別の問題だ。このあたりが混同されてメチャクチャな報道がなされている。

どうもセミパラチンスクの取材での放射線被曝（ひばく）のことが心配だ。特にいきなり地上に降り立って地下核実験場跡の坑道入口に入った時、ガイガーカウンターが異常な数値を示していたのが気がかりだ。支局の中で線量計で計ってみたら、アンドレイやヴォロージャが着ていった業務用の防寒着が高い数値を示した。ガーリャさんがそれを見て、支局の奥からなぜか殺虫剤のフマキラーを持ってきて、しきりにその防寒着に吹きかけている。あちゃー。

2月17日（木）。セミパラチンスクの反核映画『ポリゴン』を見る必要から無理を言ってJALのスチュワーデスに運んでもらった。JALの飯島（いいじま）氏によると、2月1日に法令が出て、今、ロシアの税関がメチャクチャになっているらしい。貨物扱いのものに対してヒドい税金をかけているという。特に引っ越しをする外国人に対しての扱いがヒドく、本に対しては１００％、家具やポスターにまで法外な税金を請求するのだそうだ。本の場合、例えば日本で買った本を、また日本に持ち帰ろうとすると、その本の日本での定価、つまり2000円の本なら2000円を税金として支払え、と言うのだそうな。以前はロシアを出国するユダヤ人の持ち物に対して嫌がらせに高額な税金を請求するという話を聞いたことがあるが、今は外国人全部に対してこういう措置をとるという。カネをとれるところからは徹底的にとるということだ。これでは誰もロシアに来たがらなくなる。あるイギリス人の話だが、ルイノク（自由市場）で30ドルで買った絨毯（じゅうたん）を持ち出そうとしたところ、空港の税関で引っかかり、1000ドル支払えと言われたという。怒ったそのイギリス人はその絨毯を叩きつけて「お前にくれてやる」と言ったのだそうだ。ところがその税関係官は「そうか、じゃあ貰っておく」と言ってその絨毯を持っていったそうだ。

夜、日本大使館新旧公使の歓送迎レセプション。30分だけ顔を出す。僕も自分が決して意地汚くないとは言わないけれども、寿司や日本食のビュッフェに群がりむしゃぶり食うロシア人紳士淑女の動きを眺めていて、気が滅入ってしまった。

支局に帰ると、ボスニア情勢で「エリツィン親書」なるものが特使によってセルビア勢力に届けられ、重火器の撤去に合意したという。NATOによる空爆回避＝セルビア救済に向けたロシアの抜け駆け的な行動だが、ロシア側は「これはロシア外交の大勝利」と自画自賛した声明を早くも出している。何という大国主義丸出しの意識だろう。そんなに簡単に和平が実現するならば誰も苦労はしないだろうに。エリツィンの手紙1本で事態が解決すると本気で思っているのだろうか。

2月19日（土）。快晴。セミパラチンスク企画に加え、ボスニア危機でのロシアの外交攻勢に関するレポートを送る。セミパラチンスクの編集、非常に手間取る。ヴォロージャとセルゲイと3人でかかりきりになり、結局10時間以上費やしてしまった。

2月22日（火）。外は春めいていい天気だ。日光を十分に浴びたい。バルコニーに出ると、しかしまだ寒い。今日オンエア予定だったセミパラチンスク企画、見合わせだという。理由を聞けば、25日、28日は内閣改造絡みで時間がとれない、明日あさってはオリンピックでダメだという。

12時に支局に戻って情報整理。アメリカでCIA高官夫妻が何とロシアのスパイ容疑で逮捕。この絶妙なタイミング。ボスニア危機でイニシアチブをロシアに奪われた腹いせみたいにも見えるが、それ以前からロシアに見え始めている度し難い「大国意識」についにアメリカも業を煮やしたか。

2月23日（水）。快晴。昨日のスパイ事件に対するロシアの反応に興味があったので、いろいろ当たるが「ノーコメント」ばかり。しかし明らかにロシアは不快感を持っている。けさ無名戦士の墓に献花した後、エリツィンがボスニア問題で5カ国サミット開催を提唱した。外交攻勢はやまない。明らかにロシアの「大国意識」が突っ走っている。

昼間2時間モスフィルムに行って支局を空けていたら、今度は下院が、モスクワ騒乱とクーデター事件の被告らの恩赦を決めてしまった。何ということだ。ルツコイやハズブラートフも入っている。これで本当に釈放されてしまったら、司法権などないに等ししい。明日のエリツィン議会演説の件、撮影のプール（代表取材）カードがどういうわけか日本テレビに渡っているというので、ロシア外務省に電話したが、責任逃れをしようとする。謝れば許そうと思っていたが、対応がヒドいので謝罪をしてくるまで徹底抗戦することにする。あの手の元KGBが多いのだ、外務省情報局には。余計な喧嘩をしてひどく疲れた。

2月24日（木）。雪。エリツィンの施政方針演説。『ニュースの森』『ニュース23』とも生中継。演説の基調にある「大国主義」について話す。『週刊金曜日』編集部から、2月25日発売号のジリノフスキー特集の3本の記事をファックスしてきた。そのうちのある論文を読んでみたけれども、あまりにもロシアの現状に対する認識が僕と異なっているので妙な気分になった。ジリノフスキーのようなファシストの台頭を阻むのが新憲法であって、日本のマスコミは憲法採択の意味を正しく伝えていない、というのが主旨のようだ。そもそもロシア人の法感覚についての理解が僕とは全く異なる。法感覚の全く異質な国の憲法に関して、日本流の憲法論議などやっても仕様がないのじゃないだろうか。当のエリツィンにしてからが、今後権力の危機が起こるたびに、何度も憲法を逸脱する措置をとるだろう。大体エリツィンとジリノフスキーを「民主主義」対「ファシスト」の図式で整理しようという考えが全然アカンのではないか。要するに社会主義ソビエトの破壊者であるエリツィンを、独裁党権力に対する果敢な戦いを挑んだ正義の体現者のごとく捉えるのは無理があるのではないか。エリツィンの軌跡は、むしろかなりの部分をゴルバチョフとの熾烈（しれつ）な権力闘争史として捉えるべきだと思うし、ロシアの時代になってもクレムリンに君臨する権力者の争いの側面から動きを見た方がはるかに合点が行くと思う。まあ、この点はきちんと論点を整理しないと。

2月25日（金）。レフォルトボ刑務所からの恩赦釈放話の雲行きがちょっとおかしくなってきた。下手をするとこれは何かある。夕方からアンドレイ、ウクライナに休暇で帰郷。忙しい時に困ったものだ。

2月26日（土）。朝、9時に支局へ。雪が降っている。ミーシャ、セルゲイとレフォルトボ刑務所へ。すでに１００人ほどの報道陣と若干の支持者たちが正門前に集まっている。雪の野外での張り番はこたえる。風が顔を刺すように吹いてくる。慌てて出てきたのでホカロンとかも持ってこなかった。だんだんと人が増えてくる。これは変なことになってきた。ロシアテレビのマリーナたちのクルーが午前11時前に来る。マリーナが来たということは確実に何かが起こる。そのマリーナから貴重な情報がもたらされた。午後2時半からカザンニク検事総長の記者会見が急遽セットされたというのだ。それ以前に釈放があるとはちょっと考えられない。そこで僕らは一旦支局に戻って、ホカロンなどをピックアップ、それから検事総局へと直行。全部で15人ほどの報道陣が検事局前に集まっていた。厳しいチェックを受けて会見場へ。ミーシャと2人で会見場に急ぐ。アンナの姿が見える。

定刻から5分遅れで会見始まる。カザンニクは緊張した表情で用意した声明を読み上げる。「……それゆえ私は辞任する」。この言葉が出た瞬間に一斉に記者たちが部屋の外に走り出た。一報を入れるためだ。これは大変なことになりそうだ。あと半時間後にハズブラートフが出所すること、ルツコイは手続きミスでちょっと遅れることなどが説明されたので、その足ですぐにレフォルトボ刑務所に引き返した。刑務所前の人数は朝方の何倍もの人数に膨れ上がっている。異様な熱気だ。赤旗をうち振る老人たちが「ルツコイ、大統領!」と連呼する。夜ニュースまであと2時間、急いでレポートを撮る。ミーシャ、セルゲイを残して大急ぎで支局へ。運転するハンドルを持つ手がこわばる。

素材伝送に立ち会っていると「出所」に間に合わない。急遽、ヴォロージャに電話して伝送を頼む。外信泊まりに連絡して伝送時間を押さえ、すぐにレフォルトボ刑務所に引き返す。午後4時半、さっきよりさらに人数が増え、ミリツィアが警備に出ている。正門から車で出られるように道をあけている。もう時間の問題だ。午後4時55分、脚立の上に上がっているミーシャが「ルツコイだ!」と叫んだ。人垣が一斉にゲート前へとなだれ込んだ。もう大変な騒ぎだ。歓声があがっている。ジャンプして正門の方を見ると、髭(ひげ)の長く伸びたルツコイの姿が見えた。表情がすっかり柔らかくなっている。何か痛々しい感じもする。何か喋っているがよく聞こえない。喧騒にかき消される。ルツコイを乗せたベンツが人垣の間を進んでいく。あたり一帯が興奮状態に包まれている。マリーナがやってきて、ハズブラートフ、マカショフ、アチャーロフ、ドゥナーエフら、みんな出所の画像を押さえたという。「後で支局にもっていくわ」と言われたのは嬉しかった。

　そうこうするうちに向こうに人だかりが見える。何とジリノフスキーが現れたのだ。この絶妙のタイミング。この恩赦は我々の党のおかげだ、としきりにアピールしていた。本来は主張が違うはずのコムニスト支持の老人たちまでもが、ジリノフスキーに笑顔を向けている。こういう人心掌握の術にかけては彼は実に鋭い。すぐさまそこでレポートを撮って支局に引き返す。支局に息せき切って駆け上がると、ヴォロージャが夜ニュース用の送りの最中だった。間に合った。すぐにルツコイ釈放の画像を入れられる。ボイスレポートを付け足してどんどん送る。と、そこへ、何とタイミングのいいことか、マリーナが現れて、ハズブラートフやマカショフらの釈放の映像を持ってきた。CNNよりも当日のロシアのテレビよりも先に全員の釈放の映像を伝えることができた。

一体、去年10月の「モスクワ騒乱」は何だったのか？　あそこで命を落とした140人以上の死は何だったのか？　1991年8月のクーデター事件は何だったのか？　この無茶苦茶な国では法というものに対する感覚が、少なくとも日本や西側世界とは全く異質なものである、ということを今さらながら思い知らされる。

　2月28日（月）。おとといの釈放ショックからなかなか抜けられず。エリツィンが何かやるのではないかという観測がロシアのマスコミの中でも広がっている。それはそうだ。あんな理不尽なことが罷り通るのならば、ロシアは世界から相手にされなくなるし、エリツィンも自分の無力ぶりを満天下に曝し続けることになる。午後、ガルシュコ防諜局長解任の報。さらにボスニアでセルビア機4機がNATO軍によって撃墜されるの一報。ヤバいことになってきた。ロシア側の反応をばたばたと原稿に書いて送っていると、今度はロシアがアメリカのCIA高官夫妻スパイ事件に関連して外交官追放を発表した。

3月1日（火）。快晴。今日ようやくセミパラチンスク企画が日の目を見る。午前中、旧最高会議ビル（ホワイトハウス）の修理に幾らかかったかを調べようと、ロシア政府の総務局建設部門に問い合わせたところ「国家秘密だ」との答え。ウポデカから現地雇用スタッフの税金・年金・保険に関して一括値上げを通告する手紙が来る。今後はサラリーの39％（これまでも27％も支払わされている）を支払えという。ロシア政府、3月7日月曜日を臨時の休日にすると決定。これで3月6日から8日（国際婦人デーで休日）まで3連休になる。いや、5日の土曜日だってまともに働かないから、4連休か。ロシア政府は何とか国民が働かないように働かないようにと、しばしば休日を動かしたり作ったりする。今はこの国は汗水を流して働くべき時だと思うのだけれど……。

ノーボスチのヴェーラが「ハズブラートフのインタビューが撮れた！」と言って支局に駆け込んできた。さっそく『ニュース23』に突っ込む。セミパラチンスク企画、時間が押してきて2本のVTRのうち、アバン部分のVTR1本がカットされてしまったという。夜、モスクワ・ロックのパンクたちが集まるカフェに出かけるが、4月まで修理中とかで閉まっている。骨折り損のくたびれ儲け（もう）だった。

＊１　ＪＮＮ（ＴＢＳ系列の放送ネットワーク）の海外支局に勤務するカメラマンの情報交換等のために、年1回程度開かれる会議。国籍、年齢、キャリアもさまざまで、多国籍会議となる。

＊２　『新潮45』１９９４年2月号「笑いごとじゃないよ『ロシアのヒトラー』」

＊３　ともに核実験の被害を受けたアメリカ・ネバダ州の住民とカザフスタンのセミパラチンスク周辺の住民が連帯して90年頃から反核運動に立ち上がった。映画『ポリゴン』の製作・公開、被害者への補償問題で一定の成果を勝ちとった。

「偉大な」と「尊大な」の間でものを考える

1994年3月

3月3日（木）。快晴。典型的なマロース。天気は晴れても心が晴れない。昨日、東京と電話で怒鳴りあった。例のセミパラチンスクのレポートのオンエアの件でだ。こういうことでいちいち頭にきている自分が情けなくもあり、何もする気がしなくなってしまった。午前中は国立古文書館。その帰り、支局用のミネラルウォーターを買うため、外貨スーパーマーケットのストックマンに寄ったら、連休を前にして客が溢れていて、レジの待ち時間が30分以上かかった。客の大部分はロシア人に変わっている。この様子を見ている限り「援助」という言葉はこの国とは無縁なものになりつつある。

しかし、今、目にしているこうした光景もごく例外でしかない。地方は貧窮をきわめているし、浮浪者の数も増えてきている。貧富の格差も天文学的に拡大してしまった。それは階層の間で、また、都市と地方の間で、さらにロシアと旧ソビエト諸国の間で、歴然としている。

3月4日（金）。マロース。拡大政府会議。取材のためのプールカードの入手手続きがきわめて官僚的になって面倒臭い。窓口が大統領府報道部から外務省情報局に移管され、情報局の裁量でかなりいい加減な配布が行われている。担当者に対する「つけ届け」などでカードを入手しようとするところもある。プールカードを買わないかという話まで来た。いろんな部分で逆戻りが始まっている。モスクワは明日から実質的にスタートする連休でみんな心ここにあらず、という感じ。

夕方、フリーランスのモロゾフがやって来て、セミパラチンスクの件で支払いが足りないとクレームを言ってくる。この銭亡者め！　思わずカッときて「お前もジャーナリストなら金まみれのこの取材方法を恥ずかしく思わないのか！」と怒鳴る。こちらも言いたいことを言ってすっきりした。この国の精神的な荒廃ぶりの凄まじさは、ここで空気を吸い、ここでメシを食わなければわからない。軍事機密、国家機密、友人のスキャンダル、ゴシップ、他社情報、何でもかんでも金次第だ。間に入ったアンドレイまでが「ここの国で仕事をしようとするならば仕方がないことです」などと抜かすものだから、またまた頭にきて「そういうことばっかり言って言い逃れしてるからちっとも変わらないんだよ、この国は！」とまたまた怒鳴ってしまった。

3月5日（土）。本当にいい天気だ。こんな日に支局の会計精算作業をしなければならないなんて。今後数カ月間のことを少し真面目に考えよう。もう残された時間は少ないのだ。記録しなければならないこと。書き留めなければならないこと。会わなければならない人。行ってみなければならない場所。このロシアとのつき合いも猶予期間に入ろうとしている。

3月8日（火）。国際婦人デーで今日も休日。穏やかないい天気。日向(ひなた)だと暖かいくらい。すっかり街の機能が停止している。東京は中村喜四郎(なかむらきしろう)代議士の逮捕許諾請求で大騒ぎらしい。午後からサトコアーケードをぶらついてみるが、ロシア人の家族連れで賑わっていた。休日に店を開いている。ロシアの店では信じられないことだが、外資系だとしっかり働くのだ。そこでみんなしこたま物を買っている。この風景がモスクワの街一般の風景になるとロシアも変わるだろう。

3月9日（水）。4連休をたっぷり休んでロシア人スタッフが支局に来た。みんな元気だ。月曜日にルツコイと会ったニクソンに激怒したエリツィンは、ニクソンとの会見をキャンセルした。政府高官にもニクソンとの会見をすべてキャンセルするように命じた。その言い方が「やつらにロシアが偉大な国であることを思い知らせてやる」という感情丸出しのもので、しかも当初ニクソン用にあてがっていたボディーガードや公用車まで取り上げるという大人げないものだった。

3月10日（木）。薄曇りから晴れへ。昨日のエリツィンのニクソンに対する態度を支局のアンドレイたちと話し合っていたら、ロシア人スタッフは皆、エリツィンの肩を持つのだ。潜在的にある「ロシアは偉大な国」という意識には辟易する。アンドルーシャが新車の白いジグリを買って出社。みんな「おめでとう」とお祝いを言っている。考えてみたら今日は3月10日。モスクワに赴任してからちょうど丸3年目の日なのであった。すっかり忘れてた。時間が過ぎ去るのは早い。

3月14日（月）。北風が強く寒い。朝一番、約束してあったアルヒーフの担当者に電話を入れると、「病気で休みです」と言う。公務員はよく月曜日に病気になる。3連休というわけだ。それならば約束なんかするな、と腹が立つ。まあ、いいか、ここは大国ロシアだ。何とエリツィンが今日から2週間、ソチで休暇に入ってしまった。ということは、19日からの羽田外相の訪ロはどうなるんだ？　確かエリツィンとの会談も予定に入っていたはずだ。つまり、またもや日本は袖にされたのである。大使館に電話するが取り繕うばかりでどうしようもない。このようにロシアは大国なのだ。この偉大な国の尊大な態度には最近つくづくイヤ気がさしてきた。「偉大な」と「尊大な」の間で物事を考えるのは疲れる。

3月15日（火）。雪交じりの天候。寒い。昼過ぎ、ミーシャが浮かない顔で支局に現れた。どうしたのかも何も話したがらない。せっかくロンドンに行く日なのに。やっぱり緊張しているんだろうか。ガーリャさんいわく、きのうミーシャとヴォロージャの2人に前もって渡した旅費兼予備費計1人当たり1000ドルの持ち出しを心配しているのだという。こういう恐怖体験は僕らにとっては想像もできないことだが、ミーシャには心底心配なのだ。それというのも、今でもロシア人の外貨持ち出しは1人当たり500ドルという上限があるのだから。ミーシャはガーリャさんに、支局業務用に持ち出したということを証明する文書をタイプしてくれ、と頼んだらしい。僕の考えでは、単に500ドル以上は申告しなければいいじゃないか、というだけなのだが。心配顔のミーシャとヴォロージャをアンドレイとガーリャさんで万歳三唱して支局から送り出した。彼らには初めての本格的な西側世界の体験だ。今から2人の珍道中が目に浮かぶようだ。

とにかく、ロンドンに着いてくれれば何とかなるだろう。

夕方、ロシアテレビのマリーナが支局に来た。彼女はチェルノムイルジンに同行取材してフィンランドから戻ったばかり。面白い話を聞いた。チェルノムイルジンがどんどん力をつけてきているそうで、今までのように、記者会見をイヤがることが少なくなったそうだ。フィンランドでは相手側との交渉で開口一番「あなた方はロシアにもっと投資をしていただきたい」と押しまくったそうだ。それに対してフィンランド側が「ロシアは我が国にまだ10億ドルの負債がある」と応えたところ、チェルノムイルジンは「10億ドル？　そんな些細な額のことで私の投資提案を台なしにするつもりか。プウッ！（唾を吐き捨てる音）！」とやり返したという。全くロシアは偉大な大国だ。プウッ！　こういう形で外交に臨まれた分にはたまったもんじゃない。きのうの夜からお湯が急にぬるくなってお風呂に入れず。頭がかゆい。

3月16日（水）。曇り。給食のおばさんマーシャが11時を過ぎてもやって来ない。珍しいことだ。何かあったのだろうか。心配だ。ガーリャさんが電話を入れても不在だ。11時半、マーシャがやってきた。一人息子が兵役に行くのかどうか軍に行って確かめてきたというのだ。マーシャは息子に兵役に行ってもらいたくないが、18歳になる息子の方は行きたいと希望しているとのこと。心配そうな表情である。

エリツィンの反対勢力のうち、ジリノフスキーを除いた中道・保守勢力が統一会派「ロシアのための合意」を結成。ルツコイを担ぐことになるのか。

3月17日（木）。快晴。ヨーロッパ事務所に電話を入れると、ちょうどミーシャとヴォロージャが来ているところだという。きのうの会議の後、皆でカラオケ・バーに繰り出して、2人は何とプガチョーヴァの『百万本のバラ』を歌ったらしい。すっかり観光客気分になっているようだ。午前中、アルヒーフ。マリーナは5月の連休にキプロスとエジプトに行く計画だという。キプロスという国は世界でも珍しくロシア人にとってビザの要らない国なのだ。それで最近大変な人気で、ロシア人観光客が押しかけているという。

5時過ぎ、ガーリャさんが「今日は主人の誕生日です」と言ってニコニコしながら帰っていった。夜、支局に戻ると、ドア入口に子猫が迷い込んでいる。眼（め）がしょぼしょぼしていて、いかにも病気という猫だ。支局に入れて、マーシャが昼飯用に作ったご馳走の残りを与える。ついでにミルクも与えると、何も食っていなかったらしくアッという間に平らげた。夜バイトのサーシャは猫の扱いに慣れており、ちゃっかり遊んでいる。彼の意見ではこの子猫は風邪を引いているらしい。「金平さん、風邪薬ありますか？」と言うので「人間用のタブレットならあるよ」と言うと、サーシャはそれを包丁で細かく刻んで子猫に与えてしまった。「こうやって私は病気の猫をよく治しているのです」。そして器用にトイレまで作ってしまった。この迷い子猫、どうするかなあ。これ以上手元に置いておくと情が移ってしまう。

3月18日（金）。雪が降りしきる。またまた冬に逆戻りしたみたいだ。朝、支局に出ると、もうとっくに昨日の子猫は追い出されていた。猫嫌いのアンドレイが怒って捨ててしまった、とガーリャさんから聞かされる。雪は昼過ぎまで強く降りしきり、交通があちこちで遮断されている。シェレメチェボ空港が閉鎖されてしまった。ミーシャとヴォロージャは今日帰ってくる予定だったが、これでは乗り継ぎ地のストックホルムで足止めを食らっているのではないか。

夕刻、雪が止む。空港に迎えに行ったアンドルーシャ、なかなか帰ってこない。きのうの子猫がやってきた。眼の赤さも引いて幾分元気になったようだ。昼飯の残りとミルクを与える。夜、9時前、ミーシャとヴォロージャが戻ってきた。元気そうだ。空港で機内に2時間足止めを食らったらしい。さっそく撮影してきた8ミリビデオを披露、実に楽しそうなロンドン行であったようだ。

3月19日（土）。快晴。羽田外相モスクワ着。東京から政治部記者15名同行。夜、同行記者と雑談。入浴剤の傑作「登別（のぼりべつ）カルルス」を買ってきてもらった。例の子猫、今日は支局のドアのところに待っていた。ミルクを与えるが飲まない。

3月22日（火）。快晴かと思いきや雪がぱらついたりする。寒い。午前中雑件処理。きのう1日、メトロポール・ホテルにいて支局を空けていたのだが、留守中のアンドレイらの働きぶりがヒドいので困った。新たなクーデター計画の発覚などという怪文書騒ぎが報じられていたのだから、きちんとフォローしていなくてはならないのだが、全然ノーケア。今日の『コムソモールスカヤ・プラウダ』でも大きく報じられているのだが全く動こうとしない。無関心。つまり、受動的、何かを命じられなければ動こうとしないのだ。日テレがルッコイの動きをキャッチして取材してきた。僕らは情報すら入っていない。不満がつのる。この問題は一度じっくり皆で話し合わなければならない。

夜バイトのサーシャがDDTというロックグループのCDを買ってきてくれた。夜、テレビでフィラートフがインタビュー出演してクーデター計画の噂やエリツィンの病気説を打ち消す。行方不明の子猫現れる。体がきれいになっている。誰かに洗ってもらったようだ。マーシャが昼作ってくれたハンバーグを与えるが食べない。

3月23日（水）。快晴。朝5時、東京からの電話でたたき起こされる。アエロフロート機がモスクワで墜落したというのだ。大変だ。支局に直行。下手をするとシェレメチェボからの生中継も考えられるな、と思っていたが、その後、墜落場所がシベリアであること、香港行きの便であることなど断片的な情報が東京から打ち返される。意を決してアンドレイ、ガーリャさんもたたき起こす。モスクワはまだ全然機能していない。全部東京の外務省情報なのだ。タス通信が6時16分にようやく一報を打ってきたが、何と東京発で内容を読むと「東京でロイター通信が報じたところでは」とある。全く何てこったい。午前10時頃になってようやく国家非常事態省の当局者が墜落を認める。僕らが国家非常事態省の連絡先さえ把握していなかったことに気づく。午後3時過ぎからみんなで反省会を開く。情報収集のシステムがちょっとおかしくなっていることを認めてしっかりやろうと確認し合う。

3月27日（日）。ウィーンの定宿アストリアホテルに飛び込んで泊まれたのはよかったが風呂がない部屋でちょっと不自由した。早起きして昨日からの読みさしの埴谷雄高の旧著『姿なき司祭　ソ聯東欧紀行』（河出書房新社）の続き。友人の榎本さんがこの間支局に置いていった本だ。これが妙ちくりんに興味をそそられるのは、この偉大な作家のソ連や東欧といった旧社会主義国家への思い入れの「事大主義」ぶりが、今から見ると恥ずかしいほどよく出ているからだ。

読み始めてからすぐに登場する社会主義国特有の〈カフカ的状況〉という語に思わずニヤリとさせられる。埴谷雄高という人は、この不条理な状況をすべて社会主義官僚制、もっと短絡的に言えば「変質した革命」の所産＝スターリニズムのせいに帰しているようだけれども、そうした思い詰めは今になってみると滑稽にも見える。社会主義国家が終わろうとロシアにおいては、なあーんにも変わっちゃいませんよ、と言わなくてはならない。１９６８年のこの「ソ聯・東欧紀行」の時の〈カフカ的状況〉はロシアにおいては今に至るも健在ですよ、と。でも埴谷雄高という人が信用できるのは、社会主義国家を駆け足で経巡りながら、なおも「本来の社会主義革命」とか「国家の死滅」とかに思いを馳せている点だ。こうしたユートピア志向は換言すれば〈希望〉を持つということだ。〈希望〉も喪失したうえ、ソ連邦の消滅からすぐに「マルクスの死」などを吹聴する輩に比べればどれほど信用できる人間であることか。

3月28日（月）。昨日から夏時間になってちょっと時差ができたみたいで眠い。午前中支局車のワイパー、飲料水など買い出し。昨日のエリツィンのモスクワの空港への到着の取材は許可されなかったという。例のお抱えカメラマンのサーシャだけが撮り、それを配ったというのである。まるで日本の宮内庁の御写真の御下賜みたいなもんだ。やっぱり何か変だ。健康悪化説は根拠なしではあるまい。

3月29日（火）。快晴。今日はかなり落ち込んだ。モスクワに赴任してから最大の物的被害を被ってしまった。支局車のベンツを盗まれたのだ。金額の被害も多大だけれども、それよりも何よりもこの国のモラルの欠如ぶりというか、倫理の退廃にほとほとまいってしまったのだ。

僕はVTR編集で支局に残っていたのだが、アンドレイとミーシャがパノフ外務次官の記者会見のカバーのため外務省のプレスセンターに行ったのが午後2時前。プレスセンターの前に車を停め、45分の会見が終わって戻ってみると車は跡形もなく消えていた。合鍵を持った犯人が車を持っていってしまったのだ。アンドレイから狼狽（ろうばい）した声で支局に電話が入ったのが午後3時少し前。ガーリャさんはほとんど半狂乱の状態で大声で電話でミリツィアに怒鳴りまくっている。こういう時のガーリャさんは本当に心強い。でもこの国の警察ほどあてにならないものはない。下手をすると盗みまでやる。一旦盗まれたものは諦めるしかないのだ。領事部に被害届けを出すため電話をかけるが、「またやられたんですかあ。最近多いんですよね」と気の抜ける言葉が返ってきた。

2日ほど前には東京銀行の支局長のベンツも持っていかれたという。ベンツとBMW

が最も狙われやすい。それにしてもこんの野郎！　支局関係で物が盗まれたのは、小物を除くと、以前屋上のマイクロ送信機が丸ごとかっぱらわれた事件、旧支局車のセドリックの前部運転座席が丸ごと取り外されて持っていかれた事件に次いで3件目だ。前の2件は泥棒氏の途方もない労力に感心すらしたものだが、今度ばかりはそういう余裕はない。ガーリャさんを除く男の支局員の反応が鈍いのも頭にきてしまう。まるで「仕方がないのさ」とでもいうようなクールな態度だ。このすさんだ世紀末モスクワ事情は東京には実感として理解できまい。おかげで「世紀末」の編集どころではなくなってしまった。こんな状況こそまさに「世紀末モスクワを行く」のテーマだけれども気力が湧いてこないのだ。

3月30日（水）。車盗難のショックからなかなか立ち直れず。街を走っているベンツが皆、支局車のように見えてしまう。1台そっくりなのがあって、そのナンバーまで控えてしまった。

4月1日（金）。エイプリルフール。朝早く起きて風呂に入ろうと蛇口を捻るがお湯が出ない。やむを得ず支局に早朝出勤。来た人に片っ端から「ベンツが見つかったよ！」とかついだら、マリーナを除く全員が引っかかった。わはは。東京は朝日新聞本社に右翼が人質をとって立てこもって大騒ぎのようだ。『情報スペースJ』の関係で何とか助力をと思うが、空回り。オウム真理教の本部に変装したアンドレイとマリーナが出向いて偵察してきてもらったが、カメラマンのミーシヤが2人の話を聞いてビビり出す。「ロシア人のカメラマンが行かない方がよい」と言い出してきかない。完全に恐ろしがっている。確かに殴られる可能性がある。その話を聞いて僕は迂闊にも怒ってしまった。ミーシャがあまりにも臆病に思えたからだ。肝心な時にいつもビビるようでは困るのだ。セミパラチンスクの時も、10月モスクワ騒乱の時も、1991年のクーデターの際もいざという時に彼の姿はなかった。それが悔しかったのだ。でもまあ仕方がないのだ。性格はみんな違うのだし。誰が好きこのんで危ない目に遭いたいと思うものか。

1994年4月

4月は花崗岩的な錯乱の季節だ？

4月2日（土）。ジリノフスキーの党の大会取材のため朝早く支局に出る。掃除のガーリャがもう来ていた。英字紙の『MOSCOW TIMES』のトップ記事は、シベリアで3月23日に墜落したアエロフロートのエアバスA310機の事故原因は、コックピットにパイロットが自分の16歳になる息子を入れて操縦させているうち、誤って自動操縦装置を解除してしまったからだ、というショッキングな内容の記事。アエロフロートならあり得るよな、と思ってしまう。

ジリノフスキーの党大会の会場は異様な熱気に包まれていた。イラクやセルビア、ドイツ、フランス、ポーランド、スロバキアなど14カ国からの代表者が来ていた。ナチス党大会的全員一致の繰り返しで気持ちが悪い。それにしてもジリノフスキーのエネルギッシュなこと。1時間15分の大演説を最初にぶちかました。ロシアは偉大だ、の繰り返し、その裏返しとしてロシア以外の民族への侮蔑と攻撃に満ちている演説内容だ。これが今の一部のロシア人に受けるのだ。去年10月の最高会議ビル事件の武闘派の1人アチャーロフの姿も見える。「（ジリノフスキー）自民党に政権への道を」「我々には偉大なロシアが必要だ」のスローガンが掲げられている。大会では2004年までジリノフスキーを絶対権限を持った党指導者とすることで全員一致。会場で会った他社氏から「車の件、大変でしたね」と話しかけられる。この種の噂の伝播速度は大変に速いのだ、このモスクワでは。

4月3日（日）。快晴。気持ちがいい。これで春の到来か。午後から10月モスクワ騒乱半周年記念集会・デモの取材。1905年広場に着くと数千人の群衆。赤旗と帝政ロシア旗と幾つかの民族主義団体の旗。老人が圧倒的に多いが、若いのも結構いる。13時40分、死者の遺影を先頭にホワイトハウスまでのデモ。まるで亡霊の行進だ。重苦しい怨念の集団。けれども涙を流している人々の悲しみの深さを疑うことなどできない。エリツィンが「ならず者」と呼んだ人々も悲しみの感情は持っている。これが復讐の感情に変わる時が恐ろしい。でもあの群衆もモスクワ全体から見たらほんの一握りであるという事実は否定できない。

4月5日（火）。快晴。ベンツ盗難の報を聞きつけたホンダから「お気の毒ですがお困りでしょう。是非我が社の車を」と電話がかかってきた。夜、タス通信がアエロフロート機の墜落事故原因、やっぱりコックピットにクルーが自分の子供を招き入れ操縦法を教授していたことが判明、と打ってくる。タスはその直前まで、「事故原因は最終報告を待って初めて明らかになる。子供に操縦を云々の情報は外国の航空会社の利益に奉仕するだけである」という「専門家」のコメントを流していたのだ。やはりボイスレコーダーという隠せぬ証拠があるので諦めたのだろう。

4月6日（水）。晴れて温度も心地よい。朝日新聞の森支局長に会ったら、ちょうど今し方、支局車のBMWがウポデカの前に停めていたわずか30分ほどの間にドアをこじ開けられて、中にあった携帯電話を盗まれたという。しかし車本体を持っていかれなかっただけ僕らよりマシというものだ。空港にANAの加藤夫妻出迎え。到着が若干遅れたのでシェレメチェボで小一時間待っていたが、空港の荒み方をあらためて目にして情けない思いに駆られた。昨日のアエロフロート事故の話ではないけれど、ロシア人が使うとどうしてこうも荒んでしまうのか。

まず空港の全体の照明。今さら言っても仕方がないけれども、どうしてこんなに暗いのか。そして床や椅子の不潔なこと。そしてそこかしこにたむろする白タクの運転手たち。たまに通りかかる清掃ミニカー。これが大抵老婆が運転していて通った後も全く床がきれいになっていない。むしろ汚くなっている。アイスクリームを売る男。タバコをぷかぷか吹かしている空港職員たち。秩序という言葉が無意味な空間だ。トイレが汚い。鍵が壊れていたり、便器が破損していたり、トイレットペーパーも備わっていない。これがエリツィンのいう「大国」の空の表玄関のトイレだ。公衆電話機はほとんど引きちぎられた状態で使えない。エリツィンのいう「大国」の空港の電話はこんな状態なのだ。空港前の車の無秩序な喧騒。マフィアの経営する駐車場。パスポートコントロールや税関の職員のカフカ的不条理な対応ぶり。筆力ある作家ならば「小説・シェレメチェボ空港」という不条理小説が書けそうだ。全く「大国」を自称するのなら、空港のトイレくらい修理しろよな、と言いたくなる。

夜8時の『ヴェスチ』の後のニュース解説番組『パドローブノスチ』を見ていたらぶったまげた。ニコライ・スバニーゼというコメンテーターが、ジリノフスキーがユダヤ人の血を引いていることがわかった、と言っている。そして、その「証拠」としてカザフで入手した戸籍文書のコピーを示しながら「父親がエーデルシュテインというユダヤ人の苗字で、ジリノフスキー自身もこの姓を名乗っていた」と言う。さらにおしまいには「ジリノフスキーは自分の父親はロシア人だと言っていたが、自分の父親を裏切るような人物を大統領に選ぶのはいいことですか？」と問いかけて番組を終えたのだ。何というヒドい番組だろう。ロシア人のユダヤ人に対する差別意識の凄まじさは根が深いが、こんなやり口で差別感情を助長するのはひど過ぎる。いくら相手がジリノフスキーだからと言って何をやってもいいというわけではないのだ。

4月7日（木）。今日も晴れ。早朝、支局まで歩いていて、ちょっと駐車場に目をやると、僕らの場所に見知らぬロシア人が自分の車を停めている。「ここは僕らのスペースだよ」と言うと、「そうか、でも車がないじゃないか」と平気なのだ。どこうともしない。駐車場料金を支払って契約しているという事実なんか彼には関係ないのだ。空いているから停める。何が悪いんだ、というわけだ。朝っぱらからこの種のことに立腹していたら身がもたない。

支局に着くと、掃除に来ているガーリャの元気がない。聞くと、彼女の恋人が急死したのだという。56歳。突然死だったのだそうだ。出勤してきた秘書のガーリャおばさんに慰められても、掃除のガーリャは目を泣き腫らしている。雑件がたまっている。車の盗難の被害届けのコピーを提出せよ、と東京から言ってくるが、警察の係官が全然いない、つまり持ち場にいないのだ。アンドレイは「仕方がない」と知らんぷりだ。ロシアテレビのビザの申請係の女性も休暇中でいない。

ロシアの上院がカザンニク検事総長の辞任を認めない決議。一体どうなってるんだ？今、この国には検事総長が2人いるという奇妙な事態になっている。さらにエリツィンが昨日発した大統領令（ラトビアにロシア軍の基地を維持するという内容）は「技術的な間違い」であった、と大統領府が撤回声明。コズィレフも否定のコメントを出す始末。エリツィン周辺は何かがおかしくなっている。ブルブリスが「ロシアの選択」を脱退。

4月8日（金）。快晴。朝8時半、支局に出ると「細川辞任」のファックスが東京から入っている。びっくり。ロシアの政治もヒドいけれども日本の政治もおぞましいなあ。さっそくロシアのリアクションを取材しようと、とりあえずロシア外務省に電話。するとパノフは17日まで不在（休暇?）。クリプツォフもいない。ようやくソロビヨフ（外務省の担当局長）がつかまって「細川が辞めました」と伝えると「ええっ！　そうですか」と初耳だったようだ。タス通信がもう1時間以上前に打ってきているんだから、きちんとカバーしているべきだと思うけれども、こんなものだ、日本の首相辞任の反応なんて。ロシアの反ユダヤ感情という企画をやろうと思い、『パドローブノスチ』のジリノフスキー＝ユダヤ人報道についての意見をマリーナ、アンドレイに聞くと、2人の間で論争になってしまった。ロックバンド、ヴェージュリヴイ・アトゥカスのマネージャー氏、支局に来る。夜11時まで「世紀末モスクワを行く・パート10」の編集。

４月11日（月）。快晴。きのうの夜、ＮＡＴＯがついにボスニア空爆を決行した。エリツィンは今日からスペイン訪問だが、ブヌコボ空港で「ロシア抜きのこのような決定は許されない」と不機嫌な表情で語っていた。けさ早くクリントンと電話で話したらしいが不調だったようだ。アメリカもボスニア政策でロシアにイニシアチブを取られることの危険性を感じ始めたのか。

ウクライナの特殊部隊が黒海艦隊基地で反乱というニュース。雑件に追いまくられながらニュースを送るが、日本は首相空白、連立与党の崩壊で全然時間枠がない。日本の報道の集中豪雨型は経験済みだ。こんなことならばエリツィンに同行してスペインの空気を吸ってくるべきだったかなあ。

４月12日（火）。快晴。ＮＡＴＯの空爆再度。ロシアの反ユダヤ企画もボツになって散々だ。昨日今日とマーシャが腕によりをかけて作った昼ご飯が美味し過ぎる。でも量が如何（いかん）せん多過ぎる。これじゃあ豚になる。ロシア人スタッフは皆満足げに満腹状態。天気もいいし、いよいよ全くロシア人が働かなくなる季節が近づいているぞ。早々とロシア人スタッフが帰宅した後、支局でひとり立ち働いていると自分が馬鹿に思えてくる季節だ。「世紀末モスクワを行く」の台本作りで１日が終わる。

４月14日（木）。晴れ。気温低し。昼間ソファで小一時間寝ているうちに、マリーナとミーシャがホワイトハウスで開かれるバスの展示会にチェルノムイルジンが来るというので撮影に行った。自発的に取材に行くなんて、何と珍しいことよ。撮ってきた素材を見ると面白い。何とホワイトハウスの内側に日本の迎賓館みたいな柵を作っているではないか。これはニュースだ。チェルノムイルジンはすっかりボスぶりが板について、今や指導者の風格が出てきてしまった。エリツィンに何かあればこの人物だろう。

午後から「世紀末モスクワを行く・パート11」の編集作業。東京の小池デスクからの電話。明日の北朝鮮、金日成の誕生日に西側メディアとしてＣＮＮ、ＮＨＫ、ワシントンタイムズが平壌に入ったという。どうやって？　それを解く鍵は『ワシントンタイムズ』だ。有名な統一教会系のメディア。ところが今や文鮮明は北朝鮮のよき理解者なのだ。かの新聞のコネクションを使ってＣＮＮの北京特派員、マイク・チノイが入ったのだ。金日成とのインタビューも考えているとか。ＣＮＮの戦略はすごい。これはアメリカの国家戦略の一環と言ってもよい。ＣＮＮというメディアに乗ることが北朝鮮にとっていかなる致命的意味を持っているのか、かの国の首領様はもちろんご存じないだろう。ＮＨＫもこのコネによく乗ったものだ。しかし真相はまだ闇だ。

4月15日（金）。朝からどんよりとした曇り空。寒い。風邪気味で頭が痛い。ＣＩＳサミット。もはやＣＩＳという絵に描いた餅も風前の灯か。カザフのナザルバーエフ大統領の提唱する「ユーラシア同盟」構想は魅力的だが、ロシアが飲まず、ナザルバーエフは今日のサミットには病気を理由に欠席している。旧ロシア帝国・旧ソビエト連邦の復活のような「求心化」が今の流れだ。北朝鮮平壌からのCNNのマイク・チノイのレポートを見る。金日成とも会っている。NHKも現地からの記者レポートを入れたそうだ。ロシアからは共産党の代表団とジリノフスキーの自由民主党のベンゲローフスキーが招待され、北側と何らかの接触をもったようだ。でも日本はミッチー（渡辺美智雄）が自民党を出るとかいうニュースで大騒ぎらしい。おかげで北朝鮮話は1分ちょっとしか入らないとか。

　キエフからウクライナTVのクラフチュク番記者、セルゲイが支局に来る。ウクライナの経済は瀕死の状態だという。6月26日に大統領選挙を実施する方向は避けられず、次期大統領はクチマが最有力だとか。夜、黒海艦隊分割でエリツィン＝クラフチュク会談。「世紀末モスクワを行く・パート11」の仕上げ段階。時間が足りない！

　4月18日（月）。曇りのち晴れ。気温が高い。このところミーシャが朝9時半頃支局に出てくる。30分も早く来る理由はどうやら家族のための買い物をしてくるからなのだ。牛乳とか肉とかをこまめに買ってきて支局の冷蔵庫にせっせと入れている。こちらもミネラルウォーターなど大量に買い出し。

　イギリスの『サンデー・テレグラフ』紙が「原爆の父」オッペンハイマーが原爆の開発段階から詳細な資料をソ連へ渡していたことを暴露する回想録記事を掲載。僕らが追ってきた内容とほぼ重なる内容だけれども、これからすぐにオッペンハイマーを「ソ連のスパイだった」などと決めつけるのはどうかしている。エンリコ・フェルミ（イタリアの物理学者）やレオ・シラードまでも協力者と決めつけているらしいが、回想録の著者がソ連の情報機関責任者であるという事情と、スパイ情報の特質、さらに原爆開発が反ナチス運動と社会主義インターナショナリズムの気運の中でユダヤ人を含めた亡命科学者を中核として進められた事業であるという「科学史」の視点からものを見なければ、このような記事も単なる「スパイ」というレッテル貼り作業に堕してしまうのだ。

4月19日（火）。雨のち曇りのち晴れ。支局に電気の検針員を装った変な2人組が来る。機器を見ていたがガーリャさんが誰何（すいか）すると「タイフーン」とかいう会社だという。ウポデカに至急問い合わせると「そんな会社は知らない」という。最近、この手の人間が外資系の事務所に上がり込んでものを盗んでいくケースが増えている。先週もフジテレビのカメラマンが上着のポケットに入れていた財布をやられた。

『TIME』誌がオッペンハイマー＝スパイ説の詳報を掲載した。ワシントン支局からのファックスで知ったが、回想録でこの説を「暴露」した人物がアンドレイが最近接触した人物だったのでちょっとびっくり。「オッペンハイマー＝スパイ説への疑問」というレポートを作って東京に送った。あさってからロンドンへ健康診断を受けにいこうと決断する。夜、とうとうエリツィンがボスニアのセルビア勢力に三くだり半の声明。

4月20日（水）。快晴、気温低し。「世紀末」のオンエア、下手をするとゴールデン・ウィークになる。季節感が全くズレてしまうが、まあいいか。

1ドル＝1800ルーブル台に。政局がおさまらない故。

4月21日（木）。陽光ふりそそぐ。午後5時前の便でロンドンへ。BA（ブリティッシュ・エアウェイズ）は満席のため、オーストリア航空でウィーン乗り換えになる。ロンドン着1時間遅れて夜9時過ぎ。箭内が空港に出迎えに来てくれた。明日の検査のため絶食。

4月22日（金）。いい天気だ。朝からグリーン・メディカル・センターで家人とともに健康診断を受ける。大失敗をやらかしてしまった。検査には便の検査というのがある。事前の連絡では「密閉した容器」にモノを採取して持ち込むように言われていた。でも「密閉した容器」なんて気のきいたものをモスクワで入手するのは大変だ。今回モスクワからたまたまご一緒した同業の浜崎（はまざき）さんに聞くと「写真のフィルムのケースがいい。ちょっと大きめだけど密閉性もあるし、黒いので中も見えない」と言う。いい考えだ。そこで写真フィルムをホテルまで持ち込んだのだが、箱を開けてみるとフジカラーのフィルムケースは透明なのであった。まあ仕方がないか。紙に包んで持っていこう。そう考えて朝早起きし、ホテルのトイレでフジフィルムの透明ケースに採取した。

ところが朝慌てていたのでそれをホテルに忘れてきてしまったのだ。気づいたのは診療所の近くまで来てからだった。どうしよう。今からホテルに取りに帰ったのでは予約済の診療時間に間に合わない。ホテルに電話して保管しといてもらうか。いや、もうこの時間だ、部屋に掃除が入っている。大体英語でうんこのことを何と言ったっけ。FECESだったかな。床に置き忘れてきたのでもうきっと掃除のおばさんが発見したに違いない。運の悪いことに、そのフジフィルムのケースには、家人と自分の名前を英文でしっかり書きこんである。やむを得ず知らんぷりすることにする。大便の忘れ物は生まれて初めてのことだ。

4月23日（土）。朝方強い雨。ホテルのテレビの『SKYNEWS』でニクソン死去を知る。「世紀末モスクワを行く・パート10」の冒頭で、ニクソン＝ルツコイ会談を入れておいたが、まさかあんなことの後わずか1カ月半でこの世を去るとは。ウォーターゲート、ベトナム反戦、ケネディ、サイケデリック、フラワー・チルドレンといった幾つかの言葉が浮かんでくる。60年代は確実に遠ざかる。まるで僕らが「戦前」に抱くような疎遠な感じを、今の若い人たちは60年代70年代に抱いているのだろう。

4月25日（月）。曇りのち雨。きょうはジリノフスキーの48歳の誕生日。日本は羽田が首相になったとか。ほとんど興味がわかない。エリツィンの手記なるものが日本の出版社からも出るという。同朋舎出版という出版社らしい。どこ経由で版権を手に入れたのかだけを知りたくて電話で聞いた。独占版権を持っているイギリス人の代理人と東京から直に交渉したらしい。ロンドンで『SUNDAY TIMES』の抄訳を読んだが、結構面白かった。売れるかもしれない。夕方ロイターを読んでいると、何と社会党が連立政権を離脱という至急電が入ってくる。一体日本の政治はどうなってるんだい？

4月26日（火）。晴れ。ロシアのナイトクラブ「マンハッタン・エクスプレス」で昨夜爆弾事件があったそうだ。アメリカ人で賑わっていたナイトクラブだが。ジリノフスキーの誕生パーティーのVTR映像見る。最後にはジリノフスキーが踊り出す。踊るジリノフスキー。知人から電話。アメリカのABCが先週の金曜日にエリツィンのインタビューを行った。その音声テープを買わないか、という。驚いたことにこれは大統領府報道部からの申し出だという。外貨ドルを支払えというのだ。全く腐敗ここに極まれり、だ。

ドイツにいるセルゲイから電話入る。一時帰国して秋までモスクワにいるが、働きたいと言う。承諾。午後、ヴェージュリヴイ・アトゥカスのリーダー、ロマン・スースロフが奥さん、マネージャーとともに支局に来る。いろいろ話を聞くが、雄弁なタイプではない。しかし、頑固な性格のようだ。会場が確保できず、コンサートは絶望的な状況だという。午後5時過ぎ、ロイターが名古屋空港でのエアバス飛行機事故を速報。大惨事になっているようだ。CNNを見ると、NHKの映像を使っている。ロイターがフジテレビをクォート（引用）しているので、映像の特ダネでもあるのかと思っていたら、案の定、炎上する事故機の映像はフジの独占だったとか。

4月27日（水）。晴れ。パリの長谷川厚子（あつこ）さんより電話。ユダヤ系ロシア人のロックグループ、ニエ・ジュダーリのCDをパリ支局に頼んでいたのだ。ようやく入手できそうだと言う。彼らのCDはモスクワでは手に入らないが、パリなら手に入る。電話での話が弾んで、いかに日本のTVジャーナリストがダメか、基本的な訓練がいかにできていないか、それに比べてフランスのTVジャーナリズムがいかにしっかりしているか、などとお喋り。

マリーナは、明日からキプロス、エジプトの旅に出る。ミーシャも明日から家族連れでダーチャだ。明日は「国民和解」協定の調印式があるというのに、やっぱりダーチャの方が大事なのだ。当然と言えば当然だよなあ。ガーリャさんも30日からポーランドだし、今の季節モスクワで働いているのは日本人記者とガイー（交通警察官）くらいなものだ。

4月28日（木）。晴れ。「国民和解」協定調印のセレモニー。クレムリンで大げさな式典。テレビで生中継。ジリノフスキーが出席している。やはり自民党は調印したのだ。彼はエリツィンと真っ向から対立するのをいつも巧妙に避けてきている。不思議なことに共産党のジュガーノフの姿がある。どういうことか。調印したのだろうか？　ところが共産党は調印式に出席はするがサインはしないという態度をとったのだという。奇妙だ。日本は組閣の日で海外ニュースは入る余地なし。ある情報通氏によれば、エリツィンの手記の日本訪問キャンセルの件り、日本語バージョンとロシア語バージョンの内容が違うそうだ。

4月29日（金）。晴れ。昨日の飲み過ぎで頭痛がひどい。モスクワの気分はすっかり連休状態になっている。『ボルチモア・サン』の特派員がサマチョーチナヤでツィガンの子供の集団に襲われて財布やクレジットカードなどを奪われたという。夜、日経の田中氏とペンタホテル。モスクワにボスニア人の集まる「カフェ・サラエボ」というのがあって、そこにはモスレムも正教徒もクロアチア人もみんな集まって仲よくやっているらしい。モスクワには2万人のボスニア（国）人がいるそうだ。最近のツィガンの被害の話をしたら、田中氏からこんなエピソードを披露された。

最近、NATOの代表団がモスクワを訪れた折、ツィガンの襲撃に遭い、何と850ドルとクレジットカードを強奪されたらしい。ところが外務省が「これではロシアの面目丸潰れだ」として、モスクワ市内のツィガンを仕切っている親玉に、「とにかくモノを返してほしい」と持ちかけたそうだ。そして、何でもそのモルドバからやってきている親玉が号令を発したところ、お金とカードが戻ってきたというのだ。全く嘘のような本当の話がごろごろしている。

4月30日（土）。曇り空。後任の成合、モスクワ入り。シェレメチェボ空港に出迎え。自分が3年余り前に前任者の小池さんに出迎えられた日のことを思い出す。あの当時に比べれば、随分物事が変わってしまった。さまざまな思いが重なり、若干感傷気分。アンドレイに言われた人生の意味「一体何のために生きてるんですか、あなたは？」という問いに対する答えを避け続けている。仕事の面でも自分はロシアのことが実はわかっていない。ニュースを伝えるということが自分の生活とどういう関係にあるのかも真面目に考えていない。つまり、その場その場を自分の体面を保つことばかり考えながらやり過ごしてきたのだ。いい加減にせずにきちんと仕事に向き合え。

夜、ささやかな歓迎の宴を「サッポロ」で。ロシア人スタッフは全員が休暇に入っている。夜、成合の宿舎であるスラヴャンスキー・ホテルに送りがてらとどまっていたら、大使館の公用車がたくさん停まっている。何か今日はあったっけな？　横を大使館の車が通り抜けていく折、座席に小沢一郎（おざわいちろう）そっくりな人物が座っている。まさか。でもひょっとしてね。秘かにエリツィンと会ってたりして。

5月1日（日）。晴れ。メーデー。労働組合系のデモを見にいったらすっかりお祭り気分だった。転進して旧十月革命広場のアンピーロフたちの労働ロシア系の集会に行くと、こちらの方が若干人数が多い。ちょうど1年前、ここから出発したデモがガガーリン広場のところで、警備と衝突したのだ。その日のことを大昔の出来事のように思い出していた。今は状況がすっかり変わった。デモが動き出すと同時に、先回りしてガガーリン広場の手前で待機していた。アンピーロフは相変わらず元気がいい。どこにそんなエネルギーがあるのか。

5月3日（火）。晴れ。今日までロシア人スタッフ休み。何と一昨日見た人物は小沢その人であった。確認をとるため、公使に電話を入れるが答えず。しかし、否定もせず。短いニュースを東京に送る。

再び、時は流れ人はまた去る。思い出だけを残して。あるいは〈最終回〉とうとうロシアとの別れを迎えたこと

1994年5・6月

5月5日（木）。雨。エリツィンのドイツ訪問の予定わからず。このところ、一気に何か気が抜けたような心理的空白状態になっている。やはりモスクワを離任することに関係があるのか。自分のいた3年3カ月ほどは一体何だったのか、と。ロシア人スタッフにきちんと話をしなければならないが、ガーリャさんが16日まで休暇先のポーランドから帰ってこないので困る。明日にでも残りの皆には話をしようか。

5月6日（金）。久しぶりに晴れる。ルツコイの単独インタビュー入手。コンサート中止の代替手段として急遽セットしたヴェージュリヴイ・アトゥカスのギグは、現地に行ってみると、モスクワ建築専門学校の地下にある物置みたいなスペースだった。えっ！　ここでやるの？　思わず頭を抱えてしまった。それに約束の6時になっても、ドラムス1人を除いては全然メンバーが現れない。全く、商業主義の拒否は結構だが約束くらいは守ってほしいものだ。6時半過ぎにロマン・スースロフが奥さんと一緒に現れる。7時過ぎにベーシストが到着するが、彼らの言うところではピアニストが来るかどうかわからないとのこと。ピアニストはきわめて神経過敏な人物で、よく行方不明になるという。グループの中でも何か「変人」扱いされているようだ。7時半を過ぎてもピ

アニストは現れない。ロマンが「仕方ない。ピアニスト抜きで始めよう」と言ってくる。

ギグの会場は本当に小汚く狭い地下スペースなのだが、だんだん目が馴染んでくると何も感じなくなった。そして8時近くになっていよいよ始めようかという段になって、マクシム・トレファンというそのピアニストがグループのマネージャー氏に連れられて到着した。急いでヤマハのクラビノーバを組み立て始めた。マクシム氏はその場で裸になって服を着替えている。ヴェージュリヴイ・アトゥカスの仲間らしい人たち、全部で20人足らずがこの場にいる。果たしてどんなギグになるやら。PAとかほとんどなきに等しい。こんな粗雑な設備で、そしてこんな狭苦しいスペースで一体何ができるのか。だんだん不安になってきた。

ところが演奏が始まると、途端にものすごい音を出し始めた。全くのリハーサルなしのいきなりぶっつけ本番でこれだけの音を出している。テクニックを超えて鬼気迫るものが伝わってくる。これは今の世紀末モスクワで体験し得る最も贅沢なギグだと思うようになった。ロマン・スースロフのボーカル、ギターといい、ベーシスト、ドラマー、そして「変人」扱いされているピアニスト氏の音楽的才能は驚くばかりだ。『カンタータ』や『イカロス』『ワルツ』『ボサノバ』『ポートレイト』といった聞き慣れた曲をやり始めた頃には、すっかりこのグループに魅了されていた。やっぱりすごいわ、こいつらは。ギグが終了したのは、午後10時半を回っていた。たっぷり2時間近くの演奏を目と鼻の先で聞くことができた。全く「商売」とは無縁にこういう人物たちが音楽活動をやっているのは、考え方によっちゃ一番自由でわがままな生き方かもしれない。日本に紹介したくて仕方がないけれど、今の日本の腑抜けた音楽状況には合わないかもしれないなあ、などと逆に考え込んでしまう。

5月7日（土）。快晴。どうもタス通信を見ると、小沢のお忍びモスクワ訪問中にロシア側情報当局者と接触したかのような報道がなされているらしい。日本大使館が必死に否定している。まさか僕の書いた原稿が一人歩きしているのではあるまい。ブレジンスキー（元カーター大統領の補佐官）の論文「ロシア帝国再編の脅威」を読んで、ロシアに対する現状認識に全く共感。しかしブレジンスキーにしてもアメリカの国益なるものを中心に据えて馬鹿正直にこのような論を展開しているのであって、そのアメリカだって絶対的な正義の守護者ではないのだ。3時に支局に出てきたアンドレイに6月帰国の件を話す。「6月？　そんなに早いんですか」。ちょっと戸惑った様子だった。今後のことなどを率直に話し合った。9日にはミーシャとヴォロージャにも話さなければなるまい。

5月9日（月）。曇り。戦勝記念日の取材で朝9時、ミーシャとともに無名戦士の墓へ行くと、何と登録されている社以外は墓のそばまで近づけないのだ。去年はこんな手続きはなかった。ロシアのテレビとアメリカの全ネットワーク、ドイツのＺＤＦ、それに例のお抱えカメラマンのサーシャらが中に入っている。こんなくだらない取材にもいちいち登録手続きを必要とするとは。本当にロシアは大国だわい。日本の社はＮＨＫもフジも墓のそばまで近寄れない。つまり登録を忘れていたのだ。

エリツィンの顔はどことなく冴えない。コルジャコフ（大統領警備総局長官）が珍しく軍服を着ていた。昼過ぎからの反対派の集会・デモには成合に行ってもらう。取材テープを見ると、ルツコイがデモの先頭に立っている。デモ参加者の数もかなり多い。インターファクスは1万8000人と打ってきたが、どうもそれ以上はいるようだ。オスタンキノTVもロシアテレビも戦勝記念日一色。セレモニーのニュースばかりを流している。今年の戦勝記念日は何だか異様に戦時色＝戦勝国意識が目立つような気がする。こんなぼろぼろのロシアで49年前の対ナチス戦勝利を大々的に祝って何になるというんだろう。

今日、支局に出てきたロシア人スタッフ、ミーシャ、ヴォロージャ、アンドルーシャに、6月上旬に帰国しなければならなくなった旨1人1人に伝えた。皆、心から残念だと言ってくれた。今年いっぱいはいるものと思っていた、と言う。もう少し早く説明しておけばよかったかもしれない。夜10時過ぎ、支局の窓から1人で見る花火は実に綺麗だ。あんなウクライナホテルでも花火の輝きに照らされて美しさを増す。何か感傷的な気分になっている自分がいる。

5月10日（火）。晴れ。処理すべき雑件多く、朝8時に支局に出る。今夜発つルフトハンザ便のチケット購入。ケンピンスキー・ホテルのカウンターで行列もなくスムーズに買えた。「世紀末モスクワを行く・パート11」にいろいろ追加しなければならない情報が多い。ヴェージジュリヴイ・アトゥカスやニェ・ジュダーリの詞を東京の西本に送る。そのためにニェ・ジュダーリのテープを見ていたら、何たる偶然か、まさにその最中に、リーダーのレオニード・ソイベルマンから支局に突然電話が入った。ジュネーブからかけているという。連絡をとり合う約束をする。

夕刻の便でボンへ。ルフトハンザのエコノミー席には、おそらくドイツ系ロシア人だろう、ロシアからの移民の群れがいた。老人と子供という組み合わせなのだ。おそらく働き手はすでにドイツで待っているのだろう。一目見ただけで、周りの人たちとは違う雰囲気を漂わせている。普段着のまま、体臭か衣服の臭いか。薄汚れた服。バーブシュカ＝老婆たちは一様にプラトーク（スカーフ）を巻いている。旧東ドイツ圏に移るのだろうか。乗り換えのフランクフルトの空港では、タラップの真下でパスポートの提示を求められた。後で聞くと、ロシアからの便のみにそのような措置をとっているのだそうだ。フランクフルトの空港ではバーブシュカたちが、エスカレーターに乗れずにバタバタ将棋倒しになっていた。このような群れがロシアから大挙して押し寄せてくるのをドイツは恐れているのだろうか。あれらのバーブシュカたちは目的地に行き着いたのだろうか。夜遅く、ボンのホテルに投宿。

5月11日（水）。快晴。正午、ベルリン支局の梅本さんと再会。エリツィン＝コール会談前のぶら下がり会見を見にいく。関心が薄いかと思っていたら、結構大勢の報道陣が来ている。エリツィンはドイツが気に入っているらしく終始機嫌がよさそうだった。

今回の会談の議題の1つに、ロシア軍のドイツからの撤退式典の開催場所をめぐる確執がある。エリツィンは米・英・仏との共同式典をベルリンで開催することを強硬に主張している。ドイツは当初旧西側連合国とは別個にロシア軍の撤退式典をワイマールで開催するつもりだった。これにロシアが猛反発した。大国ロシアを仲間外れにしようとしている。ロシアを二流国扱いしているというのだ。今のロシアにとっては、プライドに関わる重大問題というわけだ。

夕刻、ボンの最高級ホテル、マリチムで共同記者会見。結構面白かった。案の定、エリツィンは「ロシアは大国だ」を繰り返す。だからG7サミットではなくて、来年にもG8になるべきだ、というのだ。その言い方がいかにもエリツィンらしく、聞いていてイヤになるほど下品だと思う。同じように下品なコールのほうも、ロシアをできる限り大国として遇していく姿勢を見せている。例のロシア軍の撤退式典もロシアの顔を立てた形で、結局ベルリンで開催することになってしまった。米・英・仏とは別個だが。最近のロシアの外交に顕著に見られる大国主義の復活をテーマにレポートを東京に送る。ボンの小さなインデペンデントのプロダクションに頼んでカメラも衛星伝送もすべてスムーズに行く。

5月13日(金)。晴れ。昨日、ボンからベルリンに移動した。東側にあるホテルが宿舎。ベルリンはまるで夏だ。午前中クーダム(編注/ベルリンのメインストリート)をぶらつく。雑然とした感じが東京に似ていなくもない。

午後、梅本さんの案内でベルリンの数カ所を回る。クリスタル・ナハト（編注／１９３８年に起きたユダヤ人迫害）で有名なユダヤ人シナゴーグ～旧ユダヤ人居住区～「壁」の残存地区～トルコ人の蝟集（いしゅう）するクロイツベルク～旧チェックポイント・チャーリーなどを見て回った。ユダヤ人シナゴーグには柵が張りめぐらされて銃を持った警官が厳重に警備していた。旧ユダヤ人居住区の古い建物の壁には無数の弾痕が残っている。残っている「壁」はもう完全に観光オブジェ化している。クロイツベルクの雰囲気は面白かった。完全にトルコ人とパンクが住んでいる町という感じ。ベルリンはあちこちが工事中で騒然としている。旧チェックポイント・チャーリー周辺ではトルコ人たちが旧ソ連軍兵士の帽子やら肩章やらマトリョーシカやらを売っていた。たまたま入ったミューゼアムは、ヨーロッパ・ドイツから見た「自由獲得の歴史」博物館みたいになっていて、ポーランドやチェコでの市民の人権闘争や「壁」をめぐるさまざまなストーリー、果てはグリーンピースの環境保護運動まで写真や文章が展示されていた。ＶＴＲのモニターも設置されていて、チェコのミラン・クンデラ原作の映画『存在の耐えられない軽さ』が流れていた。「ガンジーからワレサまで」と銘打った文章を横目で眺めながら、随分大雑把な括り方だと思ってみたり。ところでその一室に、旧ソビエトの自由獲得の歴史展示室みたいなのがあって、サハロフ、ソルジェニーツィンらのことが紹介されていた。サムイズダート（＊１）の現物なんかも展示されている。１９９１年のクーデター事件が１つの部屋を使って大々的に紹介されている。「ついにロシアの市民も自由を求めて立ち上がった」みたいなストーリー展開に違和感を抱いた。主役はゴルバチョフと戦車の上のエリツィンだ。1993年10月の事件を経験した後では「本当にそうかな？」と言いたくなる。

夜、ベルリン支局の梅本さん、南川さん、そしてセルゲイと久しぶりに再会。セルゲイは元気そうだ。「ベルリンは物の面では不自由がないですが、心の面では自由な気分ではありません。ドイツ人はロシア人のように心を開くことはありません」そんなふうにこぼしていた。奥さんはフンボルト大学の閉鎖にともなって7月でペルシャ語教師の職を失い、セルゲイの方もあてにしていた職探しがうまくいっていないようだった。結局ウィーンに移ることを考えているという。

5月14日（土）。早朝便でモスクワ戻り。風の噂では、ルツコイが、先週の水曜日の朝、テニスコート・チャイカに現れたそうだ。コート料が馬鹿高いので、僕らも含めモスクワ在住の外国人が辟易しているコートだが。昨日、創価学会池田大作様御一行140人がモスクワに到着したとか。

5月16日（月）。快晴。久しぶりにガーリャさん支局に出てくる。元気だ。お孫さんを映したホームビデオをみんなに披露してご満悦。帰任の件、ガーリャさんとマリーナに話す。成合との引き継ぎのために外務省高官とアポをとろうとするが、ほとんどが外遊中で不在。みんないい季節は働かない。処理すべき雑件山積。

5月18日（水）。快晴。暑い。引き継ぎの挨拶回り。外務省情報局〜有力者B氏〜渡辺幸治大使、東郷和彦公使。B氏によると、TBSの支局車のベンツが盗まれた日、モスクワ市内では全部で29台のベンツが盗難に遭ったという。B氏の情報力は正確無比である。夕方、ミーシャが深刻な顔つきで聞いてくる。「金平さんが帰国した後、アンドレイが2番目の特派員（フタロイ・コレスポンジェント）になるのか。もしそうなるのなら俺は支局のカメラマンを辞める」という。困ったものだ。「世紀末モスクワを行く・パート10」ようやく本日オンエア。アンドレイとミーシャの様子がどうもおかしい。気にかかる。時間がない！　時間が足りない！

5月19日（木）。曇り。昨日に続く挨拶回り。夕方、ガソリンを入れに行った先のアンドルーシャから支局に電話が入る。事故に遭ったのだ。電話を受けたアンドレイが「体は大丈夫か?」と興奮気味に尋ねている。車同士で衝突したらしい。すぐに現場にアンドレイ急行。心配だ。今日はモスクワ時間の午後7時から「世紀末モスクワを行く・パート11」（最終回）のオンエア・生中継があり、その準備も手につかない状態になった。

出ていって小一時間ほどでアンドレイ、アンドルーシャが戻ってきた。聞くと、アンドルーシャには全く責任はなく、相手方のベンツに乗った「リツォ・カフカス・ナツィオナーリノスチ」（コーカサス人面の奴らという意味。アンドレイの常套句だ）が逆走してきたために衝突したとのことだった。ところがアンドルーシャがひどく落ち込んでいて、とうとうぼろぼろ涙を流して泣き始めた。何ということだ。「世紀末モスクワを行く」の生中継が迫っているのに、アンドレイとミーシャ、ヴォロージャはアンドルーシャを慰めなければならない、と言ってウォトカを飲み始めた。アンドルーシャは本当に子供のように泣いているのだ。見ていて情けなくなるほどの落ち込み方だ。まあ、いいか。

「世紀末モスクワを行く」最終回の放送も何とか終わる。ニェ・ジュダーリについてきちんと喋りたかったのだが、時間がなくて終わってしまった。すると、一遍に何か気が抜けたような気分になった。激しい虚脱感。そうこうするうちにモスクワ市内で人質を取った籠城事件が発生して、警官が撃たれて死亡したという一報。成合、ミーシャらが現場へ。

夜11時近く、帰宅しようと支局を出かかると、そこに同僚氏とアンドレイが乱入。完全に酔っ払っている。アンドレイはエノケンの「俺は村中で一番～モボだといわれた男～」という古い歌を日本語で歌いまくっている。仕事をしている成合の迷惑にもなると思い外に連れ出す。ところが支局脇にあったはずの酒場に行ってみると、入口に紙の封印がしてあり、何か法律上のトラブルがあったようで閉鎖されてしまっているのだ。やむを得ず明日の引っ越し荷物を作っている自宅へと招く。家の中は家人が作った段ボール箱や荷物で目茶苦茶になっている。モスクワに捨てていこうと放り出してあったギターを取り上げて、同僚氏がアンドレイと一緒にロシアのロマンスを歌い出した。あまりにも哀切きわまりない曲を続けて歌うので僕と家人の涙腺が緩んだ。最後はなぜか岡(おか)

林信康（はやしのぶやす）の歌を歌い出した。奇妙な長い1日だ。

5月20日（金）。曇り。船便で荷物を出す日。昨日はほぼ徹夜状態。僕はビールを飲み過ぎて腹痛を起こし、荷物作りをほとんど何もできなかった。ソファの上で寝転がっているばかり。朝10時、業者到着。引っ越し会社の柴（しば）さんとロシア人の荷物梱包（こんぽう）係3人。4時間程で梱包終了。おにぎりを出すとロシア人梱包係も「うまい、うまい」と言って平らげる。ソルジェニーツィン帰国、27日にウラジオストクから入るという。見にいきたいが……。28日に日本人記者会の送別会を設定されてしまったので行けないのだ。支局車の破損の件、事態は思ったより相当ヒドそうだ。車の前部が大破している。アンドルーシャが落ち込んでいた理由も納得できた。何とかせねば。また処理すべき雑件が増えた。

5月23日（月）。曇り一時晴れ。朝、731部隊関係で古文書館へ。支局車の件、修理何とかなる見通し。午後4時、クレムリンでスハーノフ補佐官に帰国挨拶。久しぶりに執務室で会ったのだが、新しい執務室は眺めがよく、広さも以前の2倍ほどもある。出たばかりのエリツィンの写真集と自著を披露してくれた。その写真集を見ると、エリツィンの大統領就任以来の活動ぶりが網羅されているのだが、日本に関する写真が1枚もない。それ以外の訪問国についてはほとんどある。エリツィンはよほど嫌日感がしみついたのか。スハーノフによれば、新しいアパートに引っ越したのだが、エリツィンと同じアパートで、そこにはグラチョフとかイェーリンとか、閣僚がみんな一緒に住んでいるという。権力に溺れている姿が見えてくる。執務室を辞去してその足でオルフォーノフとも挨拶。帰りの車の中で、以前共同通信にいたジェーニがクレムリンに就職したことなどを知った。自宅のお湯が出ない。例によって風呂に入れなくなった。

5月24日（火）。快晴、夕刻から小雨。朝早く支局に出ると、掃除のおばさんのガーリャが話があると言う。聞くと、家人が乗っている車カリーナを譲ってほしいと言うのだ。かのカリーナについてはその前に運転手のアンドルーシャから「是非譲ってくれ」という申し入れがあって、原則的にはそうしようと思っていた。ほとんど捨て値である。ところがガーリャの眼差しがあまりにも真剣なので、滅入ってしまった。彼女にとって日本車を乗り回すことは実現可能な夢の1つである。聞けば今はあのおんぼろジグリが新車で4000～5000ドルもするというのだから。

来月15日から国際電話の料金が2倍になると秘書のガーリャさんが騒いでいる。クリミアの動きをめぐってロシアとウクライナの間で緊張が続く。昨日からモスクワで始まった交渉も不調のようだ。成合と一緒に各支局挨拶回り。東京から遅れて着いた日本の新聞を見ると、哲学者の廣松渉が亡くなっている。ちょっと驚いた。例の朝日新聞の「東亜新秩序」みたいな錯乱気味の論文はこの死を予期していたのかもしれない。哲学者のアルチュセールの晩年のように、一種の錯乱と狂気が支配していたのだろうか。お湯が止まっていて今日も風呂に入れない。

5月27日（金）。晴れのち曇り。ソルジェニーツィン、20年ぶりの帰国。モスクワの反応はクールだ。テレビニュースは専らミネラリヌユ・バドゥーで起きたバスジャック事件の続報に費やされている。支局のロシア人スタッフは「犯人はやっぱりチェチェン人だ」と言って納得している。午後3時のオスタンキノTVのニュースでソルジェニーツィン帰国についてどんなふうに伝えるか注目して見ていたが、項目は結局一番最後、スポーツニュースの前に短く報じるのみ。しかも「映像はイギリスのBBCが独占契約を結んでいるのでお伝えできません」とアナウンサーが伝えていた。4時のロシアテレビのニュースではちゃんとやるだろう、と思って見ていると、ヘッドラインでは紹介していたが、項目はやはり後の方だった。レポートも外国の報道陣がウラジオストクの空港に大勢参集している映像を主眼に置いてクールに伝えていた。ロシアテレビで夜、大島渚(おおしまなぎさ)の『愛の亡霊』を放映。見てしまう。

5月28日（土）。曇り空。処理雑件多し。夕刻より日本人記者会主催の送別会。テレ朝支局長夫妻との合同送別会となる。出席者44人。2次会→3次会と朝6時に至る。送別会にてさまざまな人間模様を垣間見る気分。

5月30日（月）。ウィーンのホテルでCNNをつけたら、ホーネッカーの死を報じていた。ソルジェニーツィンの帰還といい、ホーネッカーの死といい、時代の清算のような出来事が続く。

5月31日（火）。午前中、ウィーン支局に。銀行からの米ドル引き出し及び口座閉鎖のため。昨日はニューヨーク支局の2人が来て、今日ザグレブ入りしているという。取材目的は国連の明石康（あかしやすし）特別代表の活動を取材するためだという。これがNYの国連カバーの日本人記者だけを対象にしたプレスツアーで、現地の取材の便宜（バスのチャーターやらアクレディテーションやら取材ポイントの設定やら）を図ってくれるのだという。現地では明石付きの秘書に日本人の若い女性3人を抱えていることが不評を買っているとか。

6月1日（水）。雨。今日、正式にモスクワ支局から帰任の辞令が出た。支局の机の整理をし出す。ソウルより金泳三の同行取材で西嶋（にしじま）特派員モスクワ入り。日テレの同行記者山口（やまぐち）氏、旧知の間柄で、支局に挨拶に見えて久方ぶりの再会。夜、ベガバーヤ・ホテルで日本飯屋に入ったら澤地久枝さんがいた。メトロポール滞在中の立花隆（たちばなたかし）さんに会いたくて、夜10時過ぎに駆けつけたが遅かった。先方はくたびれ果てて寝ていた。何だか慌ただしくなってくる。最後まで手を抜くな。

6月2日（木）。クレムリンでエリツィン・金泳三の共同会見。これでエリツィンの顔も見納めだ。慌ただしさが増すばかり。夜、送別会。少し飲み疲れてきた。

6月3日（金）。快晴。帰国便の手配。会計精算。ロシアテレビに退任の挨拶。時間が足りない。夕刻より支局でスタッフ全員と送別会。東京からの出張組、ソウルから出張取材の西嶋氏を交えての楽しい会となる。西嶋氏の韓国民謡もよかった。マーシャのロシア民謡もよかった。セルゲイの変な隠し芸もよかった。30センチのセルロイド定規でカリンカを演奏するのだ。

さて問題はアンドレイだ。アンドレイは今日から6月下旬まで休暇をとる。ウクライナ行きの汽車が夜出るので午後6時には支局を出なければならないと言う。5時半から会を始めてわずか30分しか参加できなかった。これで彼とは当分会えなくなるかもしれない。アンドレイとの3年間のやりとりが次々に想起されて胸がつまる。帰国の件を明かしてからのアンドレイとの感情の齟齬（そご）はとうとう解決できなかったというべきだろう。アンドレイの動揺というか、「しょせんは金平さんも帰ってしまうんですね」といういつかの一言が思い浮かんだ。成合との引き継ぎのこともあり、何とか休暇入りを延ばしてもらえまいか、と彼に頼んだが、彼はそれを聞き入れなかった。彼にしてみれば精一杯の一種の「抵抗」の意思表示なのだろうか。正直なところ、アンドレイとはきちんとした形でお別れをしたかった。つまりモスクワ最後の勤務日に握手をして別れて空港に出発したかった。でも、その前に彼の方が休暇に入って、僕らから去った。

それにしても、この数日間彼は新しいボスとなる成合に従って実によく働いたように見える。ロシアテレビとの交渉を精力的にこなした。あれほどイヤがっていた取材対象とのレストラン接待も苦言を言わずにつき合うようになった。何かを自分の中で割り切ったのだろう。午後6時を過ぎて、僕と固い握手をかわして、彼は支局を出ていった。さようなら、アンドレイ。君はものすごく頑固で誇りが高くて、女と歌が好きで、優秀ないい男だった。僕のようなろくでもない日本人特派員もどきによくつき合ってくれたものだ。

送別会の座が盛り上がったところで、ロシア人スタッフ全員からの贈り物ということでガーリャさんから宝石箱を手渡された。「この中にはお金では買えない宝物が入っています」と、たどたどしい口上付きだったので、中を開けて見ると、支局のロシア人スタッフ全員と僕の顔写真がセロテープで縦に鎖状につながれたものが出てきた。胸がつまった。

6月4日（土）。晴れ。朝8時半、立花隆さんから電話。今日モスクワを離れるけれども若干時間がとれるので会えるという。11時半にメトロポールでピックアップ、東京新聞陸口（むぐち）氏とともに焼肉。航空便出し。会計報告修正。午後、「世紀末モスクワを行く・番外編」の取材で赤の広場、ホワイトハウスビル。夕方7時からウランバートル劇場という映画館でヴェージュリヴイ・アトゥカスのコンサート。これが実に何の変哲もないロシアの映画館なのだ。要するに会場が一番の難点なのだ、モスクワのミュージシャンにとっては。コンサート自体は例によって力強いロマン・スースロフのボーカルがよく通り、ピアニストの繊細なタッチもよく聞き取れてよかった。この間のギグはなかなかよかったのだけれど、ピアノの音が小さ過ぎた。だから、なおさらこの日のピアノがよく耳に入る。

夜9時からの有志の送別会に出席するため、前半だけ見て帰る。送別会の方は料理を各家持ち寄りで朝6時まで続いた。後半は疲れたのと寂しい気持ちに襲われたのとで何となく黙り込んでしまった。

6月6日（月）。快晴。モスクワ離任の日。とうとう、この日がやってきた。目覚まし時計を6時半に合わせていたが、起きたのは午前9時過ぎ。支局に出るともうガーリャさんやミーシャが来ていた。ミーシャによると、おとといのヴェージュリヴイ・アトゥカスのコンサートで、ロマン・スースロフが「この曲をTBSモスクワ支局の友人、カネヒラに捧げる」と言って1曲歌ったそうだ。支局の身の回り品の最終整理。挨拶文書き。それにしてもちょっと困ったのは航空券がまだ来ていないことだ。出発当日までチケットを手に入れてないとはドタバタもいいところだ。気持ちが急いている。落ちつかない。

10時過ぎには支局スタッフ全員が揃った。あまりまともに顔を見ると感傷的な気分になるので実務を続けた。ワープロをパッキング。3年間書き続けてきたロシアからの手紙もこれでおしまい。夜バイトのサーシャが「母が焼いた」と言って大きなピロシキを持ってきてくれた。午後3時半に支局を出る手はずになっている。午後2時過ぎ、ようやく航空券到着。3時、支局に報道各社の人、モスクワでの知人らが見送りにやってきてくれた。モスクワ恒例の「ドーム送り」のセレモニー。このモスクワでの濃密な人間関係の締め括りは盛大な見送りの儀式というわけだ。

空港に向かう車も到着。スーツケース3個。これで3年3カ月住み慣れたクトゥゾフスキー界隈ともお別れだ。「一期一会」という言葉の響きを噛みしめながら、見送りの人たちに別れを告げた。今はロシアに感謝したい気持ちでいっぱいだ。いつも、こんな国、こんなロシアと悪口を言ってきたけれども、ここでは僕はかけがえのないものを受け取った。別れの時刻が来た。支局の下で見送りの人たちと別れを告げ、ガーリャさんと別れの言葉を交わした直後に一気に涙腺が破れてしまった。車に乗り込んでみっともない顔になった。家人も同様の状態になっている。素直な気持ちでモスクワに「ダスビダーニヤ（さようなら）」を言おう。ありがとう、モスクワ。さようなら、ガーリャさんの変なニッポン語。さようなら、ミーシャの好色コレクション。さようなら、ヴォロージャの職人気質。さようなら、セルゲイの冷静沈着な勇気とニヒリズム。さようなら、マリーナの流麗な日本語。さようなら、アンドルーシャのアナーキーな車の運転。さようなら、マーシャのおいしい昼食と笑顔。そして、今日はいないアンドレイの誇り高さと頑固さ。僕はあなたたちを忘れない。そしてこの一方通行の手紙を送りつけられた被害者の皆さんにも謝らなければ。こんなものでも「書き続けること」がモスクワでの生活の支えになっていたような気がします。さようなら、ロシアより愛をこめて、そして、ロシアへ愛をこめて。１９９４・６・６。イタリアに向かう機内にて。

＊1　ソ連体制下での非合法地下出版物・ビラ類。

単行本あとがき――東京より愛をこめて

本編でも何回か引用した次のようなフレーズがあります。――時は流れ人はまた去る。思い出だけを残して――江戸アケミという今は亡き破滅型ロッカーの歌の一節です。3年3カ月余のモスクワ支局生活で僕が出会った人々は、それぞれに忘れがたい思い出を残して去って行きました。幸福なものであれ、不運なものであれ、自分にとってあれほど濃密な関係の切り結びというのは、しばらくは訪れないかもしれません。それほど彼の地での出来事は波乱に富んでいました。と言っても、1991年8月のクーデター事件、社会主義ソビエトの消滅、1993年10月の「モスクワ騒乱」といったニュースの見出しになるような出来事を念頭に置いているのではありません。公私という区別で言えば、私的なことどもが強烈に思い出されるのです。ともに、笑い、泣き、怒り、許し、喜び、悲しみ、愛し、憎み、惹かれ、離れ、疑い、罵り、なだめ、醒め、酔ったことどもの記憶です。

本書は、僕がTBSモスクワ特派員としてモスクワ支局に赴任していたうち、1991年6月から1994年6月にかけて、書簡・日記形式で書き続けていた「身辺雑記」をまとめたものです。当初、書簡形式の一部はTBS発行のメディア情報誌『調査情報』に連載されていたものですが、その後の事情で掲載中止となり（同時に会社から譴責処分を受けた）、その後は「私信」として個人宛てに出し続けていたものです。だらだらと綴っていたこの「身辺雑記」は、束ねてみると原稿用紙900枚を超える分量になっていて、今回本にするにあたって3分の1以上をカットせざるを得ませんでした。

さて東京に帰国後も、この身辺雑記「ロシアより愛をこめて」のストーリーは勝手に増殖し、そのうちの幾つかは僕も予期しない展開を見せたようです。

まず、1993年1月の手紙で触れたマリナ・ヴラディの回想録『ヴィソツキー』に登場する日本人ですが、何とその人物とめぐりあってしまったのです。それも偶然に。その人物は仏語翻訳・音楽評論の永瀧達治（ながたきたつじ）さんという方で、ひょんなことからお会いして、僕がマリナ・ヴラディの回想録に登場する例の日本人のことをべらべら話したところ「えー、それは僕ですよ！」と告白されびっくりした次第です。永瀧さんの言によれば、1980年、ヴィソツキーが42歳で急逝した年、東京で開かれたジャン・ルイ・シェレルというフランスのデザイナーのファッションショー会場で、ヴィソツキーの歌声に初めて接し、いてもたってもいられなくなって、そのままパリのマリナ・ヴラディのもとへ駆けつけたというんですから、全く無謀ですよね。ちなみに永瀧さんの奥様はフランソワーズ・モレシャンさんです。

さて、もう1つのストーリーですが、例の盗まれた支局車のベンツ。これが何と去年（1994年）の9月、モスクワ市内で見つかったのです！　これはほとんど奇跡に近い出来事です。検問にあたっていた交通警察からモスクワ支局に電話が入り、確認に行ったところ間違いなく支局車だったというのです。しかし、その車、盗人から転売されていて、見つかった時点では、マフィア風の恐いおっさんの持ち物ということになっていたようです。盗品ということで、支局に一応返されたようですが、交通警察からは「謝礼」を要求されるし、何よりも運転手のアンドルーシャが恐がって運転したがらないのだそうです。アンドルーシャに聞くと「いつ力ずくで取り返されるかわかったもんじゃない。最近目付きの鋭い得体の知れない男が遠くから車をじっとみている」と言って怯えているのです。

　そして、ドイツへ移住したセルゲイのその後ですが、移民政策の厳しくなったドイツではなかなか職にありつけず、結局、ウィーンに移り親子4人で暮らしているそうです。ドイツ語もかなり流暢（りゅうちょう）になったようですが、これからの道程も決して平坦（へいたん）ではないようです。でもセルゲイのこと、ガッツで乗り切るでしょう。

　つい2週間前、神戸を中心に大震災が発生しました。凄惨な出来事でした。僕らの報道のあり方をめぐってさまざまなことを再考させられた機会でもありました。正直なところその現場でみた光景に何か「既視感」のようなものを覚えたのは、モスクワでの生活があったからかもしれません。悲しみの涙。喪失感。ものを求めての長い行列。つながらない電話。ままならぬトイレ・風呂等々。でもそこから確実に人間の活力が生まれて来ていたのも事実です。彼の地と同じように。

　おしまいに、この本が生まれるにあたっては実に多くの方々のお力添えを頂きました。

そして最後はやはりモスクワ支局の現地スタッフのみんなに、今は、東京より愛をこめて、ありがとう！

1995年2月1日　阪神・淡路(あわじ)大震災の取材地から戻った東京で

補章　ウクライナより愛をこめて

（2022-2023）

あれから30余年後に

２０２２年2月24日。その日の朝、僕らはトルコのイスタンブールにいた。東京・羽田(はねだ)空港でトルコ航空便に文字通り飛び乗って、午前5時過ぎにはイスタンブール空港に着いていた。そのまま、ウクライナのキエフ（キーウ）行きの飛行機への乗り継ぎのために搭乗アナウンスが始まるのを仲間と一緒にゲートの待合スペースで待っていたのだった。ところがいつまでたっても搭乗アナウンスがない。結局、この日以降、ウクライナの上空を、民間航空機が飛行することは全くなくなった。なぜならばウクライナを舞台とした全面戦争が始まったからだ。

仕事がら、書くことは最も基本的な作業だ。アナログ世代の僕は常に手元にノートを持っていて、そこに何かしらを書きつけてきた。『ロシアより愛をこめて』を書き始めたのは１９９１年の5月。それから30年以上の歳月が流れた。ソ連は消滅し、ロシアとウクライナは別々の独立国になったはずだった。

そのロシアがウクライナに侵攻し、かつての同胞だった民衆や兵士らを殺戮(さつりく)している。心のひどい動揺を抑えながらも、僕は再び日記のようなものを書いていた。以降、この文庫版『ロシアより愛をこめて』には、２０２２年2月から3月のウクライナでの日記と、２０２２年から翌２３年をまたぐ年末年始の短期間、ロシア・モスクワに滞在した際のモスクワ日記を収録することとした。

この文章を書いている時点で、ウクライナでの戦争はまだ継続している。この戦争は一体どうなっていくのか。自分のなかで、さまざまな思念がおそろしく混乱・衝突しているのだ。それをそのまま、わけ知りな解釈に逃げることなく、書きつけておこうと思う。

ウクライナより愛をこめて

（2022年2月–3月）

2月19日（土）。『報道特集』の生放送の日。後半の特集は緊迫するウクライナ情勢。ガルージン駐日ロシア大使との緊張感を孕んだやりとりが、ごく一部だが放送されていた。カメラの前で大使は「ウクライナとロシア、ベラルーシは1つの国民であると考えている」と断言していた。驚いた。

そう言えば、先週の日本記者クラブでの駐日ウクライナ大使の「内戦」発言も考えさせられた。正確には、僕が質問で使った言葉は「内戦状態」であって、「（2014年に）同じウクライナ人同士が殺しあっていたのは、取材していて悲しい気持ちになった」ということを、日本語で喋ったのがいけなかった。通訳の方は「civil war」と訳していた。コルスンスキー大使は幾分怒気を露わにして、「『内戦』という表現を使うことには同意できない」と述べていた。大使は、あれはロシア軍の傀儡がウクライナ市民の一方の側を操っているという解釈なのだった。こういうことは、この日誌できちんと記しておいた方がいいのだ。

2月22日（火）。今日も出張先の福島はかなり冷え込んでいる。ベラルーシの件でSと話す。ウクライナ情勢がいよいよきな臭くなってきた。かなりヤバい。これはウクライナ東部に行くことを真剣に考えねばならない。8年前もあの地域の取材に行った身としてはなおさらだ。局にあがって打ち合わせ。すみやかな、かつ総合的な判断が必要な局面。結局、Kディレクター、Iカメラマンらと一緒にウクライナ入りすることが決まる。よかった。何と明日の夜、羽田を発つという急展開。トルコ航空はキエフへの便を飛ばしている。うまく行けば、最短で現地時間の24日朝にはキエフ空港に到着できる。Kディレクターは何と今日は社会部の泊まり勤務だという。ええっ？　航空券の予約やコロナワクチン接種証明書などすべての入国手続きを彼に一任しているので。かわいそうだ。急いで帰宅して、とりあえずの渡航準備。これまでの戦地取材の教訓から、荷物は少ない方がいいのだが、スーツケースだけは大きめのものにする。気候は日本とそんなに変わらないだろう。

2月23日（水）。朝早く目が覚め、パッキング終了。午前10時から、メディア学会の部会の沖縄報道をめぐる連続勉強会の打ち合わせ。ここのメンバーの人たちは皆ヤル気があって実務的でとても気持ちがいい。局に行って、最終的な準備を整えて、羽田空港へ。

19時30分に羽田でK、I、Tと合流。何とTは僕が教えている早稲田大学で修士論文の口頭試問を担当した学生だった。驚き。自分の教え子とウクライナに行くことになろうとは。22時30分に羽田を離陸。トルコ航空はさすがにがらがらで、エコノミークラスで3席を使って横になって寝ていくことができた。いつもは国際線に乗ると映画をみてしまうのだが、明日のキエフ入り以降の激務を考えて、ここは眠っておかなければならない。

2月24日（木）。トルコのイスタンブールに到着したのは、現地時間の午前5時過ぎ。1時間30分あまりのインターバルで、キエフ行きの便が出る。そこで僕らはターミナルへ急いだ。ちょっと走った。この2年ほど、コロナのあおりでしばらく海外に出ないうちに、イスタンブール空港の構造は少し変わっていた。バカでかい不夜城であることに変わりはないが、ターミナル数が増えた上、待機場所として使っていたラウンジの場所が変わっていた。そのまま順調に1時間半のフライトでキエフに入るはずだった。

ところが、何と出発間際になっても一向に飛び立つ気配がない。ええっ？　やはりただならない状況が迫っているのか。トルコ航空からは何の説明もない。一緒にキエフ行きの便を待っていた乗客たちが真剣な表情でネットやラジオから情報を収集している。彼らの多くはウクライナ人だ。何人かに話を聞いてみた。僕の下手なロシア語も通じた。

結局、キエフ行きのフライトは欠航（キャンセル）となった。理由については何の説明も航空会社からはない。困った。あわてて他の乗客らとも情報を共有して、チケットカウンターへと向かう。ウクライナ国内へはどこも飛んでいないので、近隣国に入って陸路、ウクライナ入りをめざすしかない。Kと共に冷静に考えて、①モルドバのキシニョフ（キシナウ）に飛んでそこからウクライナ南部の都市オデッサ（オデーサ）をめざす、②ポーランドのワルシャワかどこかに向かい、そこから陸路で（つまりウクライナの西側から）ウクライナ入りをめざす、③ルーマニアのブカレストへ向かい、そこから陸路ウクライナ領土をめざす。

オデッサ在住のコーディネーターの意見では、①が最も現実的という判断で、オデッサから車を派遣することも可能だという。チケットカウンターで行き先変更手続きをする。カウンターには乗客が殺到して殺気立っていた。ところがキシニョフ行きの便も結局、欠航となってしまった。何とロシア軍が南部からもウクライナに侵攻したとの情報。まいった。これではウクライナだけでなく近隣国の航空機も飛ばなくなるおそれが出てきた。

さらには何とオデッサ在住のコーディネーターのＬさんの自宅近くがさきほど空爆されたとの電話がＫに入る。Ｌさんは急遽、これからモルドバに陸路で逃げるという。オデッサまで攻撃されたということは、東部のみならず全面侵攻の様相か。再びチケットカウンターへ。先ほどにもまして大混乱となっていた。僕らの列の前にはベラルーシの北京オリンピック・チームの選手たち一行が並んでいた。ミンスク行きの便も欠航となって、彼らは急遽モスクワへと行き先を変更していた。

僕らはポーランド行きかルーマニア行きか迷ったが、ワルシャワ行きは2日後にしか飛ばないという。それでルーマニアのブカレストから陸路何時間かかるかわからないが、ウクライナ入国をめざすこととした。ブカレスト行きの便は夜になる。まいった。ここは頭を冷やして、計画を立て直さなければならない。それで全員ラウンジでいったん頭のなかを整理し、体を休めることとした。ロシアが全面侵攻したことをＢＢＣのワールドニュースで確認する。BBCの取材は圧倒的にすぐれている。きのうは東部地方の親ロシア勢力支配地区から、さらにキエフからウクライナ軍に同行して最前線の取材をしていた。いずれの記者も女性だった。現段階でキエフにとどまって取材している日本の大手メディアは、朝日新聞とTBSだけだという。他の社・局のなかには、退避せよとの会社命令が出されたところもある。ここは冷静に状況を判断する踏ん張りどころだ。

夜の便でブカレストに入り、真夜中の国境への移動は危険なので、ブカレストで一泊して朝、早く国境をめざすことにする。ブカレスト在住のコーディネーターのオリビアさんのお世話になる。頼りになる女性だった。日本語をほぼネイティブに話す。日本にかつて住んでいたという。ブカレストのホテルで少し話をしたら、音楽制作会社プラクトンの川島恵子（かわしまけいこ）さんの名前が出て来たので驚いた。ルーマニアの超絶バンド、タラフ・ドゥ・ハイドゥークスの日本公演招請の関係で知っているという。スモールワールド！　何だか嬉（うれ）しくなった。

2月25日（金）。朝6時にブカレストのホテルを出発。陸路の長い、長い道行き。最低8時間はかかるだろうと言われる。ドライバーはとても人懐っこいオヤジさんで、よかった。会話は英語。

まずはルーマニア・ウクライナ国境の町スチャーバをめざす。人口約10万人の大きな町だ。そこまでで7時間を要した。そこから国境の町シレットへと向かう。今回のチームのいいところは、素材の伝送手段を常に心がけている点だ。せっかく取材しても東京に送る手段がなければ無意味だ。ＳＩＭカードの確保を常に意識していた。Ｉはワシントン支局でもお世話になっていた仲間だ。その道のプロだ。シレットに近づくと様子が変わってきた。ウクライナから脱出してきた人々がいて、それを受け入れる人々の動きが目に入ってくる。Ｋが的確な指示を出してくれるので大いに助かった。ドライバーの話では、スチャーバのバス会社がバスをチャーターして無料で避難民たちを運んでいるという。さらにはシレットの村の住民たちが食料を避難民に無料で提供している。道路の両脇には車両がびっしりと停(と)められていて、避難民たちを待っているのだろうか。国境に近づけば近づくほど人が増え混乱していたが、ウクライナからやってくる人たちは女性とその子どもたち、老人たちがほとんどで、成人男性たちはいない。ウクライナのゼレンスキー大統領は、総動員令を出して成人男性に国家防衛の任務につくように要請したという。

ウクライナから逃れてきた人たちに取材をこころみた。切羽詰まった人々が多かった。これからどうするのか確たる当てもないようだった。若い人たちは英語が通じたが、英語が通じない人たちからも僕の下手なロシア語で何とか話を聞くことができた。小さな子どもとおばあちゃん、そして若い母親というグループがほとんど。夫の姿はない。哀(かな)しい別れをして国境を越えたのだろう。僕らを乗せてきてくれたドライバーさんは国境を越えると、こちらルーマニア側に戻って来られないのだが、僕らの機材・荷物がものすごく多いので気を使ってくれて、検問所までのギリギリの場所まで一緒に行ってくれた。戦争になると一番ひどい目に遭うのはこういう人たち＝民衆だ。

さて、ウクライナからルーマニア側へはものすごい数の人たちが押し寄せているが、逆の流れ、ルーマニアからウクライナに行く人はほとんどいない。ルーマニア側の検問所の管理官は、僕らはウクライナへと向かうと言うと「God bless you」と真顔で言った。僕ら4人はそれぞれ分担して荷物を抱えながら、ウクライナ側の検問へと移動した。わずか数十メートルの距離である。これらの場所はもちろん撮影禁止である。撮影がみつかると身柄拘束されるだけでは済まない。その時、前の方から若い母親が赤ん坊を抱えながら歩いてきた。その顔をみるとさめざめ泣いている。何という光景だろうか。これが戦争の顔だ。

ウクライナ側の入管職員たちはルーマニア側とは全く対応が異なっていた。何だか昔のソ連を思い出した。しかも入国と出国が同じ窓口になっているので、細い通路で大渋滞をきたしているのだった。こちらにやって来るウクライナ人の列をかき分けながら、僕ら4人は流れに逆らうように、大量の機材、荷物を抱えて少しずつ前へと進んで行った。僕らの前には3人組のインドの外交官たちがいた。これは後からわかったのだが、国境地帯にウクライナで勉学していた大勢のインド人留学生たちが国外に逃れるためにやって来ていたのだった。最後の最後まで国境を越えられるかどうかがわからなかった。最後の局面で、女性係官が「どうやって日本のあなたたちがここにやって来たのか。どの飛行機便でか？」と尋ねて来た。ウクライナ語だったが、ロシア語と似ているので大体意味がわかった。それで「東京からイスタンブール、ブカレストまで飛行機で移動して、車でここまで来た」と言ったら、「わかった」と言って通してくれた。やった！　通路を急いでウクライナ側に何とか出られた！　すると目の前にはルーマニア側とは全く異なる壮絶な光景が広がっていた。

まずは、ウクライナ側で僕らが頼んでいたコーディネーターのオルガと接触することが最優先だ。Kが電話をかけると、いた、いた、いた！　オルガが手を振ってこちらに近づいてきた。彼女は僕がこれまで一緒に仕事をした海外のコーディネーターのなかでは図抜けて優秀な人だ。２０１４年のウクライナ東部の軍事衝突の際に、コーディネーターをやり遂げたご縁で今回もお願いしたのだった。おびただしい数のウクライナ人たちが荷物を抱えて、検問を待っている。よく見ると、先頭の方の集団はインド人留学生だった。すごい数だ。とにかく大量の機材・荷物を車に積んでもらう。その一方で、ウクライナ側の国境での取材を始めなければならない。これらの避難民（refugees）の取材が必須だ。東京との時差が7時間なので、今はすでに東京は『報道特集』オンエア日の26日の午前0時頃ではないか。急いで取材して、それを東京に送らなければならない。K、I、Tが必死になって、送る手筈を考えながら取材をしている。オルガがいてくれて本当に助かった。彼女は日本語は話さないが、英語とウクライナ語、ロシア語が堪能だ。僕の下手なロシア語も英語も彼女の助けで何とか相手に理解可能になる。ここまで逃れて必死に脱出してきたウクライナ人の家族らはすでに疲れ切っていた。

くるのに体力と気力を使い果たしていた。何家族かをインタビュー取材して、車まで30分近く歩く。車が35キロほど渋滞していて、停車場所まで徒歩で移動するしかないのだ。編集時間が間に合うだろうか。まだ素材が送れていない。東京のスタッフには極限のエネルギーを要求しているような状況だ。祈るような気持ちで車に乗り込み、最短距離の都市チェルニウツィをめざす。Wi-fi環境が生中継可能かどうかをチェックしながらの移動。チェルニウツィの市役所庁舎の前の広場がどう考えても最適の場所のようだった。K、I、Tと話し合い、中継場所をそこに決めてホテルへと向かう。

市内のホテルは他都市からの避難民で満室で泊まれない。それで郊外の旧ソ連時代のロッジのような宿舎にチェックイン。雨風を凌げればいいのだ。それに加えてWi-fi環境。外観からは想像できないくらい、Wi-fi環境もまあまあ安定していたが、素材を安定的に送ることは困難のようだった。そこでオルガが手配してくれたSIMカードが絶大な威力を発揮した。宿舎は4人で3部屋しか確保できなかった。カメラクルーは申し訳ないことに相部屋となった。オルガの部屋はなく、彼女は運転手さんの家に居候させてもらうという。彼女自身もキエフから決死の脱出行を経てこのチェルニウツィにたどり着いたのだ。僕の部屋は5畳くらいの広さの屋根裏部屋で、旧ソ連時代を思い出した。一応シャワーはついていたが、トイレットペーパーがなかった。ホテルの食堂で全員で腹ごしらえをしてからとにかく眠る。一杯だけ飲んだビールが体にしみわたった。番組冒頭の挨拶の原稿や中継部分で話す内容を頭のなかでぐるぐる考えているうちに眠りに落ちてしまった。

突然の空襲警報と防空壕避難

2月26日（土）。朝、7時にチェルニウツィ郊外の宿舎を出て、きのう下見した生中継場所の市庁舎前広場に移動。オルガとドライバー、僕ら4人を乗せてミニバスで。20分あまりかかる。この町の道路は石畳のところが多いので車は揺れっぱなし。僕は慣れているが都会育ちのKはぶつぶつ文句を言っている。『報道特集』の中継はこちらからは3回のタイミング。冒頭の挨拶とVTRのリードと、3分程度の短い状況解説。あとはギリギリの時間まで伝送した素材の編集に、東京がどれだけがんばってくれるかにかかっている。オンエアまで短い時間しか残されていなく完全に徹夜だろう。祈るような気持ちだった。

広場に面した通りのATMの前にはすでに何人かが行列を作って並んでいて現金を引き出そうとしていた。それ以外はこの周辺に関する限り平常通りの風景のようにみえた。午前9時からのリハーサルに備えて場所決めなどをしていたら、何やら様子がおかしい。僕はミニバスに戻って原稿を書いていたのだが、みると僕らのチームに複数の男たち（地元警察官）が接近して来て何やら話をし始めているではないか。車に戻って来たオルガとK、Iに聞くと、「市庁舎は戒厳令が出ているので撮影禁止だ、ここでの中継は許さない」と言ってきたという。ところがオルガが機転を利かせてキエフの警察本部に直接「通報」して許可を得たら、地元警察官らは認めざるを得なくなって、すごすごと引き下がっていったのだという。オルガの一本の電話ですべてがクリアされたのをみて、僕はモスクワ特派員時代のいくつもの理不尽な出来事を思い出した。9時からのリハーサルも無事終了。あとは午前10時30分からの本番まで、車のなかで休んだ。

本番の冒頭で僕は次のように言った。

「こんばんは。戒厳令が敷かれているウクライナ南西部の都市チェルニウツィに来ています。ロシアが本格的なウクライナ侵攻を開始した翌日に私たちは、ルーマニア国境から、ここに来ました。途中、多くのウクライナ人が、避難民として祖国から逃れていく姿を目の当たりにしました。首都キエフは今、陥落の危機に直面しています。JNNの取材チームはキエフにとどまって取材を続けています。戦争によって平和な生活が蹂躙(じゅうりん)されるという歴史的に重大な局面に私たちは今立ち会っています。現場で何が起きているのか、総力でお伝えします」

挨拶の後は、オンエアの中身をIが設定したスマホの送り返し映像で必死にみていたが、あれほどの時間の追い込みで送った素材のエッセンスがきちんとセンス良く編集されているのを見て何だか胸が一杯になった。その後に言いたかったことは、ソ連の崩壊を直接現場で取材した記者のひとりとして、プーチンが今とっている行動がいかにパターン化したソ連時代の「偉大なるロシア」思考と同質なものかということだったのだが、果たして伝わったかどうか。これは「ロシア人とは何か。ヨーロッパとは何か」というアイデンティティーの本質にも直接関わる問題だと思う。ロシア文学や、ロシア文化の質の高さ、ロシア正教の問題、スラブ民族の一体性など、数えきれないほどの多くの課題が含みこまれている。この回の『報道特集』は、その他の取材も含めて内容がなかなか充実していたように思った。来た甲斐があったか。いや、まだ何も始まっていない。これからだ。今後の取材が重要だ。

その後、ランチをとって今後の取材計画を練る。この町の風景を見る限り、business as usual にみえるが。その後、水や食料やらの買い出し。ゼレンスキー大統領のロシア国民に向けたSNSメッセージが刺さる。とりわけロシア国営テレビのプロパガンダ御用機関としての役割について言及している箇所。何とこのチェルニウツィにも Curfew（夜間外出禁止令）が発令された。夜の10時から朝6時まで。宿舎の食堂も午後8時に閉まることになった。

2月27日（日）。ウクライナ本格侵攻から4日目。きのうの生中継でかなり疲弊したこともあって、正午に宿舎を出て取材スタート。チェルニウツィ市の志願兵、義勇兵受付所（commissionaire）の取材に赴く。プレス担当のタチアーナ・ポポーヴィチさんは迷彩服に身を包んだ若い女性で、歓迎された。まさか日本からこの地に取材陣が訪れるとは思ってもみなかったようだ。基本的には建物の内部は撮影禁止と言われ、タチアーナ氏が何人か選んで玄関口の外の路上に連れて来た志願兵にインタビューするが、その後、受付所の建物内部の取材が許されてから見た光景がより生々しかった。自分たちの祖国を守るというよりは、ロシアの侵攻に対して、立ち上がらざるを得ないという理不尽な状況が伝わって来た。迷彩服ではない普段着で椅子に座っていた志願兵らしい男性と妻に話を聞いた。過剰に愛国心丸出しの義勇兵タイプとは全く異なる普通の夫婦だったので、その分、いろんな思いが伝わってきた。外国籍のポーランド、ルーマニア、モルドバ、イタリア、スペイン、ジョージア（グルジア）、チェチェンから来た人々も申し込んでいるという。

志願所の建物を撮影していたら、すぐ近くで何とあるモニュメントをみつけた。詩人のパウル・ツェランの肖像とレリーフだ。思潮社のパウル・ツェラン詩集を読んだのはもう半世紀ほど前の学生の頃だ。まさか彼の生誕の地がこのチェルニウツィとは知らなかった。よくみると、ここはとても古いヨーロッパの街並みだ。東欧ユダヤ系の人々がかつて多く住んでいたようだ。アウシュビッツの悲劇の主舞台でもある。そのロシアがナチス化を攻撃するとして「東部ウクライナでジェノサイドがあった」とか言って介入してきた経緯を考えると、歴史のめぐり合わせを考えざるを得ない。敵を憎むあまり敵と同様の行動をするのだ。

夜、宿舎で眠っていたら23時半過ぎに、いきなり宿舎の受付のおばちゃんが息せき切って部屋をノックして来て「空襲が始まる。早く逃げて！」と言ってくる。鬼気迫る表情だった。ええっ！　僕は、となりのI、Tのいる部屋、そしてKの部屋をノックして起こして回って、避難が必要だと言われた旨伝えた。すぐに着替えてリュックを背負い、歩いて2分ほどの近くにある防空壕（地下シェルター）に誘導され避難させられた。この狭い地下の空間に、最終的には60人くらいの宿泊客及び近隣住民がいた。猫1匹と犬2匹も一緒だ。みんな不安そうな表情だ。Tが撮影を始めたら、赤ん坊を抱えた男性が怒ってやめろと言ってきた。その際、よく聞き取れなかったが、「キタイスキー（中国）」という語はわかった。彼はひょっとして僕らを中国人だと思っているのかもしれなかった。他の人々はとても静かだった。退避は1時間あまりで終わったが、まさか、ここでもこんなことが起きるとは。それにしても、ここの人は皆とても親切だ。僕の隣に座った4人家族はキエフからこのチェルニウツィに逃げてきたのだという。夫はITエンジニア、妻は科学者、高校生くらいの息子と赤ん坊がいた。夫はプーチンのことを「ゴプニク（盗人）だ」と言っていた。プーチンが、停戦交渉の設定と、核抑止力部隊を高度の警戒態勢に置くよう命じたとの報道。

2月28日（月）。ウクライナ本格侵攻から5日目。停戦をめぐる交渉のテーブルがウクライナ・ベラルーシ国境で今日開かれるという。開催にあたっての前提条件はないという。最初はミンスクでという提案だったが、ふざけるなとウクライナ側が主張し、ベラルーシ国境（ゴメリ州）で落ち着いたというが、話し合いの行われる場所というのは決定的に重要な要素だ。本来ならば全く中立的な第三国で行われるべき交渉だが、そうならなかった時点でウクライナはすでに劣勢だと思う。だが、国際政治の場では、プーチンはかつてない逆風に曝されていて、ここでさらにピョートル大帝のごとく振る舞えば、帝政ロシアが滅びたように、市民革命によってプーチン・ロシアは終わりを迎えるかもしれない。その意味で、今回のロシアのウクライナ侵攻は「プーチンの終わりの始まり」なのかもしれない。

僕らは、午前中にホテルを出て、町の中心部の様子を見に行くことに。まずは、チェルニウツィ大学。ユネスコの世界遺産になっている。見るからに由緒正しき古い大学だ。美しい。戒厳令下で閉鎖されていたが、トイレを借りる名目で中に入れてもらった。内部もすごいや。歴史を感じる。次に訪れた大聖堂広場には大祖国戦争の銅像が建っており、この地で多くの血が流れたことが歴史の記録として残されている。市民の生活は昨夜の空襲警報後もいつも通りのようにみえる。道行く人にインタビューを試みる。誰もがプーチンに対して怒りを露わにしている。昼食をとった後、SIMカード補充と買い出しに。あっという間に時間が過ぎる。首都キエフの状態がやはりかなり極限に近づいているようだ。だがここからでは本当のところはわからない。国境地帯に避難するウクライナ人が殺到しているという。ポーランドへ、そしてルーマニアへ。国連が予測しているところではウクライナ難民が70万人に達することもあり得るという。キエフにとどまっているTBSニューヨーク支局のクルーが無事出国できるように願わずにはいられない。他人事ではないし。僕らも出国の保証は現時点では、ない。

夜の21時30分頃にまた空襲警報のシェルター避難。空騒ぎに終わって15分あまりで解除。さらに23時30分頃に再び空襲警報でやむを得ずシェルターへ、この日2回目の避難。今回はなかなか解除されず1時間近く防空壕にいた。宿舎の受付のおばちゃんに何やら文句を言う人も出てきた。かわいそうに。受付のおばちゃんには何の落ち度もないのだ。ウクライナ当局の発表では、民間人の死者は、子ども14人を含む352人、負傷者は1684人だというが、ロシア側の死傷者はわからない。Kによれば、僕らが退避した防空壕（シェルター）はソ連時代につくられたものだという。核兵器にも対応していると か。ロシアからの攻撃でソ連製の防空壕に逃げざるを得ないという倒錯的現実。

ロンドン支局からの情報では、BBCの記者がウクライナからポーランドへ陸路、国境を越えるのに28時間かかったとか。「君と僕は同じ未来を見ている。ウラジーミル、一緒に駆けて、駆けて、駆け抜けようではありませんか」とかほざいて、27回もプーチンと会談したある国の人物がいた。その人物が、ウクライナ危機に乗じて、日本にアメリカの核兵器を配備して日米共同で運用する「核共有政策の導入」について議論すべきだとか発言しているという。無能低劣な権力者は核兵器よりもこわい。「プーチンの金魚の糞（ふん）」賞という勲章でもロシア政府から受け取ってはいかがか。

3月1日（火）。ウクライナ第二の都市ハリコフ（ハルキーウ）への攻撃が激化しているとの報道。僕らは、今日は、ロシア軍による巡航ミサイルの攻撃に遭ったイバノフランコフスクという場所へ取材に向かった。オルガがそこへ向かうべく経路や取材場所の安全性のチェックもしてくれた。チェルニウツィからは車で3時間くらいかかるという。今日は寒い。途中、雪がちらついてきた。途中、ウクライナ軍の検問が1か所あった。コルニッチ村での取材は断念し、ようやくたどり着いたイバノフランコフスクのその場所は、軍事施設が併用された空港なので撮影は禁止だという。どこまで近づけるかわからなかったが、近隣の住民の取材はできた。住民もピリピリしていた。それはそうだ。この地方都市に24日の早朝いきなり、巡航ミサイルが撃ち込まれたのだから。いかにもソ連時代のバーブシュカ（老婆）を思わせる女性の剣幕がものすごかった。プーチンは人殺しだと歩きながらまくし立てていた。その女性に話を聞いた。それをみていた集合住宅の住民が窓を開けて、その老婆に何やら怒鳴って喧嘩になっている。しばらくして地元警察がパトカーでやって来て、僕らのパスポート提示を求めてきた。スマホで顔写真も撮られた。だが事なきを得て取材を続けた。市庁舎のある中心部に移動したら、通行人から何か手伝うことがあるか、と声をかけられた。話を聞くとこの市の住人でIT関連の仕事をしているという。彼の仕事場にシェルターをつくったので見に来るかと誘われる。断る手はない。彼の仕事場の建物の中を入っていくと、何と寝具や食料、薬を備蓄した避難所ができつつあった。きのうから作っているのだという。英語を話す理知的な人物にみえた。

TBSのキエフ取材チームがキエフから出る列車に乗れたという情報。キエフ脱出は、東京の総合的な判断によるのだろう。キエフでの取材はシェルターとホテルの部屋を行き来して制限下にあるばかりか、屋外での取材もなかなか困難らしい。よくここまでとどまっていたものだ。キエフ情勢は今後どうなるのか実際のところ読めない。

夜まで続いたウクライナとロシアの停戦協議は成果なし。明日も行われるという情報と、もうないという情報が錯綜(さくそう)している。チェルニウツィまでの帰途、在ウクライナのトルコ人たちを救出するために、トルコから何と陸路38時間かけて(トルコ→ブルガリア→ルーマニア→ウクライナ)バスを連ねてやってきたトルコ赤新月社(せきしんげつしゃ)やトルコ人NGOスタッフ、それにトルコのテレビ取材チームが来ているのに出くわした。あわてて車を飛び降りて取材した。現場に出ていれば必ず多様な出来事に出くわす。特に今は。食事をとって、寒さと疲労で宿舎に入るとすぐに眠りに落ちた。

「ウクライナの清志郎(きよしろう)」に聞いた

3月2日(水)。何という一日だろうか。朝10時半に空襲警報が発令され、僕らはまたあのシェルターに避難させられる。朝の時間帯の警報は初めてだ。シェルターに来た人々の表情をみると疲れ切っている。そんななかでKが「壁をみてください」と言ってきた。最初はよくわからなかったが、何とシェルターの壁に「日の丸」の絵が描かれていた。クレヨンで誰かが描いたのだろうが、最初は子どもたちが描いたのかと思ったら、退避するときに実際に描いた男性が話しかけてきた。40歳くらいか。報道してくれてありがとう、と。警報はおよそ20分で解除された。キエフにとどまり続け、脱出のためキエフからの列車に乗ったTBSニューヨーク支局の取材チームが9時間の道のりを経て、西部の町リビウに無事到着したということだ。よかった。

今日は是非とも取材してみたかった人物に、オンラインでインタビューを試みる。ウクライナの国民的人気ロックバンド「オケアン・エリズィ」のリーダー、ヴァカルチュークさんに話を聞くのだ。僕は勝手に「ウクライナの清志郎」と命名しているけれど、Kは「ウクライナのサザン」とかわけのわからないことを言っている。彼は今回のロシアによるウクライナ侵攻後、すぐにキエフの街頭に飛び出して人々に抵抗を呼びかけていた。以降、国内を移動し続け、きのうは激しい攻撃を受けたハリコフにいた。ミュージシャンであるとともに、1人のアクティビストでもある。彼は1994年にオケアン・エリズィというバンドを立ち上げ、数々のコンサートを経て、ロシアやベラルーシにも大変な数のファンをもっている。ロンドンやベルリン、パリ、NYでの世界ツアーも果たしてきた。ウクライナ国内では1回のコンサートの観客7万人という記録をもつ。国連の親善大使、ウクライナ公式文化大使も務めた。本人はリビウ大学で物理学を専攻していたインテリだ。彼の音楽は多くのウクライナ人に圧倒的に支持されている。2004年のオレンジ革命（ウクライナ大統領選挙の結果に対しての抗議運動）を支持し、2014年のキエフ独立広場での反ヤヌコーヴィチ政権デモ（いわゆるユーロ・マイダン革命）の参加者の前でも歌った。ロシアのクリミア併合に抗議し、以降ロシアでのコンサートを取りやめた。本当に彼に話を聞くことが出来るかどうか不安だったが、何とできた！　聞きたいことは山ほどあったが、彼を長時間引き留めておくことは危険だ。現に今の居場所は明かせないと言っていた。ハリコフの被害状況をみてきたばかりだった。そのインタビューをごく一部だが記しておこう。

ヴァカルチューク：ロシア軍は初日に、ウクライナの大都市を爆撃しました。彼らが言っているように、戦略的に大事な軍事施設ばかりではありません。都市にとっての重要インフラも、何でもない他の場所も爆撃しました。それで女性や子ども含め、大勢の死傷者が出ています。15人から20人ほどの子どもたちが被害に遭いました。ひどい状況で、理性的に話をすることさえできません。心と頭脳がずたずたにされる思いです。

金平：あなたの音楽は大好きですが、こんな危機の中でのアーティストの役割とは何なのでしょうか？　あなたは音楽で世界が変えられると思いますか？

ヴァカルチューク：音楽はすでに世界を変えてきました。覚えておられるでしょうが、ソ連が崩壊したときも、それはテレビ局やロックなどが一役買っています。60年代、70年代にビートルズやローリング・ストーンズなどのバンドがいなければ、ソ連の崩壊はずっと遅れていたはずだと思うからです。音楽や精神的なものは、人々の心に浸透します。人々の意識をはるかに深く変えていきます。

金平：実は私自身、１９９１年にソ連が崩壊した時に、モスクワの特派員としてその出来事を取材していました。友人にはモスクワのミュージシャンたちもいました。当時抵抗していたのは彼らでした。彼らが保守派のクーデターに対して抵抗した。

ヴァカルチューク：しかし、もはやそうなっていないですよね。

金平：はい、もはやそうなっていないのはわかっていますが、ロシアやベラルーシで何かが起きて欲しいとも思っています。近い将来そういうことが起きるという希望はありますか？

ヴァカルチューク：はい。まず何よりも、ロシアとベラルーシの人々には、大勢で街頭に出てきてほしいと思います。心ある人たちはいるはずだという希望がなおもあるし、いつかは、警察に殴られるかもしれないという恐怖が、悪い人間になることへの恐怖にとって替わられていくと思うからです。そして彼らこそがこの事態を止める。実は、我々には何もできないんですよ。僕は兵士ではないし、銃を撃ってはいないと言うことはできるかもしれないが、それは沈黙へとつながります。この痛みに加担していることになってしまう。神道や仏教など日本の文化や宗教にこんな考え方があるのかどうかは知りませんが、キリスト教やユダヤ教では、何かをするよりも大きな罪は、冷淡、無関心でいること、中途半端でいることだという考え方があります。だからロシアの人々には、ウクライナの軍やレジスタンスよりも、また欧米の支援よりも、自らの未来を変えるのは、何より自分たちロシア人にかかっているんだということをわかってもらいたい。この先、どんな独裁者にも人生を台無しにされまい、とね。

金平：最後の質問です。ロシアの侵攻が始まった直後に、あなたが街頭を走り回って、人々に「侵略に抗議しよう」と訴えたことに衝撃を受けました。あの時、あなたはどんな思いでしたか？

ヴァカルチューク：そうですねえ。我々はみんなが何らかの危惧を抱いていました。死ぬかもしれない、けがをするかもしれない。人生が台無しにされるかもしれないので、戦争が怖いのは当然です。しかしここは我々の国土です。我々の国土なので強い意志を持っている限り降伏はしない。失うものは何もありません。

国土を失ってしまえば何もなくなります。つまり、すべてかゼロか、です。そして我々はすべてを望みます。

金平：わかりました。私は世界中の人々が連帯することを信じています。

ヴァカルチューク：どうもありがとうございます。日本の皆さんにひとこと言わせてください。まず、第一に、僕は日本文化の大ファンです。皆さんの心、皆さんの人柄、皆さんの習慣、すべてです。日本の大きな都市に行ったことがあるし、できるだけ早くまた訪問したいです。そして第二に、我々は戦争で勝ったらその後どうするのかという話をよくします。いろんなものが破壊された後ですね。私なら、日本は戦後、完全に破壊されていたが、彼ら日本人の気概は高く、一世代で国を再建したと言います。我々にはいい模範があるんです。

金平：本当にありがとう。

久々にインタビューをし終わってから充実感を感じた。こういう素晴らしいミュージシャンがいる。彼はこの後も国内を移動し続けるのだろう。彼は決して、よくありがちな、にわか愛国者みたいな歌い手ではないし、音楽を愛する1人の人間だ。自由と権利が蹂躙された時に、ひとはどのような態度をとるのか。そういう問いを投げかけられたように思った。だから、僕にとってはやっぱり「ウクライナの清志郎」だ。

宿舎のレストランで早めの夕食をとっていたら、レストランの支配人みたいなおじさんが、えらく歓待してくれて、店の奥からサマゴン（密造酒のウオッカ）を出してきて、僕らに出してくれた。これが効いた。まいった。水をガンガン飲んだ。いい気持ちになっていたところに、20時37分、今日2回目の警報が発令され、僕らはまたシェルターへ。まいった。クレヨンがシェルターに置かれていて、子どもたちが壁に絵を描き出している。「ウクライーナ、ウクライーナ」と口ずさみながら、国旗のカラーの青と黄のクレヨンで何かを描いている。そして、何と戦車の絵を描き出した。驚いた。この戦車は何を象徴しているのか。かなり昔、フリーランスのジャーナリスト遠藤正雄さんと共にアフガニスタンの戦争孤児たちのシェルターを取材した際に、そこの子どもたちが描いていた絵に、飛行機、爆撃機があったのをみて衝撃を受けたことを何故か思い出した。21時30分に警報解除。やれやれ、だ。

国連総会の緊急特別会合で、ロシアによるウクライナ侵攻を非難する決議が賛成多数で採択された。賛成は193カ国中、141カ国。反対はベラルーシ、北朝鮮、エリトリア、ロシア、シリアの5カ国、棄権は中国やインドなど35カ国だったという。ある種わかりやすい数字だ。21時47分、オルガからキエフ駅の庁舎ビルが爆破されたとの情報。ということは、TBSニューヨーク支局のチームはギリギリの段階でキエフ発の列車に乗り込んだことになる。部屋に引き上げて、眠っていたら、なんと真夜中の26時(つまり午前2時)に再び警報発令。まいった。急いで着替えてシェルターに向かう。こんな真夜中に。警報音がより鮮明に聞こえる。さすがにまいった。体もだが、精神的に痛めつけられる。避難先のシェルターではさすがに皆黙りこくっていた。警報が解除されて宿舎に戻る途中に空を見上げると、星が本当に綺麗に満天に輝いていた。

3月3日(木)。雪が降り続いている。寒い。ろくに寝ていない。体内時計が完全に狂ってしまった。午前6時半には目が覚めてしまった。ろくに寝ていない。この宿舎でもWi-fi環境はあるので、世界のニュースはどんどん閲覧できる。

バイデンの一般教書演説の全文を読む。「自由は常に専制に勝つ」「光が闇を打ち負かす」「ロシアのウソに真実で対抗した」「第2次大戦の後、欧州での平和と安定を確保するためにNATOは創設された。アメリカは他の29カ国とともに、その一員で、アメリカの外交、アメリカの決意は大きな意味をもつ」。——敵か味方か。二分法の考え方こそが恐ろしい。結局、権力とは何か、なぜ権力は人間を狂わせるのかという普遍的な命題の周りを僕らはぐるぐる回っている。そう言えば、日本にいたならば、今日は福島第一原発の構内の取材を行っているはずの日だった。残念。

午前11時に宿舎を出て、土曜日の中継場所の選定作業。Kの提案でウクライナ・ルーマニア国境地帯のテレブレチェ村の検問ゲート付近ではどうかということで状況をみに行く。いい考えだ。あわせてネット環境のチェックを試みる。2月25日に僕らがルーマニアからここに着いた時にいた長距離トラックの長蛇の列はきれいになくなっていた。あの時35キロと言われていた国境越えを待つ車の列も、今日見る限り激減していた。すでに昨日までの段階で13万9000人のウクライナの人々がルーマニアへ脱出したと入管当局者が明らかにしているそうだ。オルガが国境警備の職員に生中継の可否について訊いてきた。検問ゲートの撮影は不可だが逆方向のカメラ撮影ならよい、と。多くのウクライナの人々が車から降りて徒歩で国境ゲートに向かって移動している。乗り捨てられた車が雪をかぶって路肩に放置されていた。あちらこちらで家族が抱き合って別れを惜しんでいる光景を目にした。成人男性は国家総動員令でウクライナにとどまらざるを得ないので、女性と子ども、高齢者だけで国境を越えるのだ。これが21世紀の戦時下の光景か。胸が締め付けられるような思い。二重の意味で悲しみが増す。日本でもこのような事態になった時、このような光景が展開されるのだろうか。ウクライナの家族風景は、まるで昭和の時代の日本のようにみえる。

途中、なぜか日本語を話すウクライナ人の女性2人組が話しかけてきた。これから日本をめざすという。愛知と長崎。リュックを背負い、荷物を引いている。国境ゲートに向かって歩いて行った。幸運を祈るしかない。

帰途、水と食料を買い出しにスーパーマーケットに立ち寄る。物資の欠乏という状態は、ここチェルニウツィに関する限り、ない。物流はきちんとしている。戦時下の中東諸国とは大違いだ。パンも水もある。書籍のコーナーをみて驚き。何と日本の漫画『進撃の巨人』『ナルト』などが1コーナーをなすほど沢山並んでいるではないか。びっくりだ。これロシア語版だよな。ウクライナの人はロシア語も解するので読める。それにしてもすごい人気ぶりだ。

3月4日（金）。朝、4時に目が覚める。東京がウクライナの最大の原発、ザポリージャ原発が攻撃されたと騒いでいる。ロイターが第一報を報じた。ここは一番信頼できる情報を流しているので、チェックすると、確かに原発施設に対する砲撃があったようだが、原発の原子炉施設自体に大規模な攻撃が行われたのではないこと、さらに研修施設の建物で火災が発生したが、破壊的事態には至らず、放射線のレベルも上昇していないことなどをロイターは続報で報じていた。何だか全体的に、大変だ！　と煽り立てる傾向がないかどうか。ここは冷静な判断こそが必要だ。そこにテレビや新聞に「識者」「専門家」という一群の人々が登場して、煽る。だが、原発自体が戦場になることは異常事態であることは間違いなく、一歩間違えば破局的な結末をもたらす。だからこそ、ここは頭を冷やすことだ。

午前10時に警報発令。今までで一番早い。シェルターへと向かう。シェルター内はどんどん整備されていって、備蓄用の水や毛布などが増えていた。僕らも含めて35人プラス犬1匹のシェルター避難民。第2ラウンドの停戦協議。「人道回廊」確保の方針で一致。これは、戦闘地域での住民の避難や食料を輸送する間、一時的に交戦を停止して「回廊」＝通り道をつくること。朝日新聞もとうとうキエフを出ていったようだ。ゲルギエフがミュンヘンフィルの首席指揮者を解任された。

3月5日（土）。朝、7時半に宿舎を出て『報道特集』の生中継地点であるウクライナ・ルーマニア国境の村、テレブレチェへと向かう。ところがおとといに比べて車列が国境に向けてかなり長く伸びていて渋滞している。とてもゲート近くにまでは午前9時からのリハーサル時にたどり着けそうにない。まいった。歩くか。Kと話し合ったが、運転手さんが機転を利かせてくれて、路肩や逆車線を走行しながら15分遅れで到着した。一昨日よりはるかに国境を越えるウクライナ避難民も増えている。途中、車から降りて来たおばさんに「2日も車を運転して来てここで待っているのに、あんたたちの車を先に行かせることなんかできないわ！」と食ってかかられた。まあ。このおばちゃんの言う通りだと思う。

ゲート近くでリハーサルをしていたら、カナダの国営テレビのチームが取材にやってきた。他にはテレビの姿は見当たらない。国境警備の兵士が近寄ってきて「近すぎる。ゲートの撮影は禁止されている。もっとあっちへ移動せよ」という趣旨のことを言ってきたらしい。ウクライナ語でわからない。オルガが話をした結果、僕らは移動せざるを得なくなった。本番。本社からのオンエアの送り返し映像をみていたが、とても充実した放送内容になっていた。東京のスタッフの熱気が伝わって来る。オンエアは無事終了。緊張感が一気に解けた。さて、今後どうするかだ。ロシアのウクライナ侵攻の行方はまだ全く見通せない状況が続いている。ベラルーシの件、どうするか。ロンドン支局長の烅場（あきば）のチームがウクライナ入りで動いている。国境を出たり入ったりは非常に困難かつ大変だと思うが、東京の指示の一部が理不尽。まるでＮＨＫみたいじゃないか。ニューヨーク支局チームはこれからポーランドに出てアメリカに向かうのだろうか。これからウクライナがどうなるのか。ゼレンスキー大統領の徹底抗戦の呼びかけの先には何があるのか。全く見通しが立たない。世界で最も予測不可能な権力者プーチン露大統領の今後の出方が最注目点であることに変わりない。

雪の国境越え、赤ちゃん連れに自然に順番を譲る人々

3月6日（日）。きのうの『報道特集』の生中継が終わるや、情けないことに、どっと疲労が噴き出して体を少しだけ休める。だが荷物のパッキングやもろもろのことで、あっという間に時間が過ぎてしまった。食堂でランチをとっていたら、テレビでウクライナ軍を鼓舞するビデオ・クリップがまた流れている。バックにラップが流れているや

つ。スーパーマーケットの書籍コーナーで買ったウクライナの歴史の試験問題集をパラパラめくっていたら、本当に興味深くて、２０１４年のマイダン革命についての設問があった。古代史、つまりウクライナという国の起源にまつわる問題も相当に取り上げられている。ウクライナ語はよくわからないが、そこに添えられているイラストや写真に想像力をくすぐられる。ロシアからすればウクライナとロシアは同祖なのだが、どうもウクライナの教科書では微妙に違っているようだ。帰国してから誰かに概要を訳してもらおう。

パッキングが終わりかけていたら、部屋をノックする人がいる。ドアをあけると、隣室のウクライナ人家族の青年が立っている。最初の空襲警報退避の時に地下シェルターで話を聞いた家族の１人だった。彼らはキエフから逃げて来たと言っていた。彼は、僕らがチェルニウツィを去ることを知って訪ねてきたのだろう。この青年がプレゼントすると言って持ってきたのは、何と第２次大戦後もソ連と戦い続けた民族主義者の「ウクライナ蜂起軍」の旗だった。彼はいつか日本に行きたいので連絡先を教えて欲しいと言ってきた。ウクライナにもいろいろな人たちがいるのだ。

あしたは朝早くチェックアウトしなければならない。考えてみれば、このチェルニウツィの町のホテルはどこも避難民で満室だったが、このどこかの工場か何かの保養宿泊施設みたいなところに泊まれて本当によかった。受付の女性や食堂の支配人を含め、みんな親切だった。

3月7日（月）。朝、起床すると外は雪が降っている。不思議なもので、いざ去るとなると名残惜しさのような感覚さえ生まれてくる。たった11日なのに。小雪の降る中、ルーマニア国境の検問所に近づくにつれ、おとといとは明らかに様子が異なっている。車列がはるかに長くなっている。運転手のイーゴルさんともお別れだ。言葉は通じないが、コミュニケーションは何とかできた。僕らとともに仕事をしている期間中、彼は娘さんに赤ちゃんが誕生して「ついに、おじいさんになった」と言って、とても喜んでいた。検問所直近のガソリン・ステーションには、妹場ロンドン支局長の取材チーム（と言ってもカメラマンのWと2人だけだが）が、すでにルーマニア側からこちらに国境越えをしていて、僕らと落ち合った。妹場支局長と再会するのはいつ以来だろう。中東のレバノンかイラクかどこかでだったような気がする。妹場たちはすこぶる元気そうだった。防寒対策もがっちりとやっていた。この間、僕らの守護女神のように働いてくれたオルガともここでお別れだ。妹場たちと短く言葉を交わして、バスと若干の所持品もろもろを引き継いで、それぞれ別の方向に歩きだした。

雪がやまない。僕らはバスから大量の荷物を取り出して、分担して運び、ウクライナ人の大行列に一緒に加わることになった。長い長い列だ。屋外の吹き曝しで寒い。だがとにかく並ぶしかない。まあ最初は「どうということはないさ」とタカを括っていたが、雪の降る中、ただひたすら待つことが結構しんどい。体がぶるぶる震えている人もいる。感心するのは、赤ん坊や幼子を抱えた母親には皆無言で順番を譲って先に行かせていたことだ。ソーシャル・ディスタンスどころではない。列は人と人との間隔が数十センチ。Kは薄手の靴を履いてきてしまって「爪先の感覚がなくなってきた」と言って足踏みをしている。みるとウクライナの人々も無意識に体を動かして寒さを凌いでいる。雪がやまず、まいった。実際のところ、国境の検問窓口では、パスポートや書類をチェックしてスタンプを押してもらうだけなのだ。その窓口が何と本当に小さな窓の1か所だけなのだった。しかも「出る」人と「入る」人が同じ窓口。一体何をやっているのか。なかには並んでいるうちに体の具合が悪くなっている人もいた。救急車が来て待機している。こんなバカげた対応をしているウクライナ入管当局は大馬鹿者だと思う。

待つこと3時間30分。ようやくルーマニア側へと出た。そこは、11日前にみた風景とは明らかに違っていた。ウクライナ難民のための支援体制がしっかりとできあがっている。テントや仮設の建物がいくつも林立している。テレビ局の中継車もいるではないか。ルーマニア側でのアテンドをお願いしてあったサンドラさんと合流。12日前にお世話になったオリビアさんの娘さんだ。あのタラフ・ドゥ・ハイドゥークスつながりの。何と日本語を完璧にネイティブに話す。聞くと、ブカレストの日本学校に9年間通っていたのだという。国境近くの都市スチャーバに行ってまずは腹ごしらえ。

その後7時間近くかけてブカレストへ。さすがに疲れたが、運転手さんはもっと疲れただろう。

3月8日（火）。投宿したホテルがあまりにもウクライナと環境が違いすぎる。日本に比べれば安価だが、それでも何だかたじろぐ。窓からブカレスト都心の風景を眺めると18世紀に建てられたヨーロッパの古い建築物が林立している。国境とは何か。国境を越えると全く異次元の世界が出現する仕組みとはそもそも何なんだ。

　朝食をとっているとＫが来た。帰国モードに入っていたので、お昼をとって夕方に空港に出発しようと申し合わせて部屋で雑用をしていたら、Ｋが切羽詰まった表情で部屋をノックしてきた。ＰＣＲ検査で陰性の証明がなければ、ルーマニアからの国際線の便に乗れないと言う。えええっ？　Ｋが先日、国境で会ったウクライナ人女性たちの日本への脱出行を取材しようとフォローアップして、ルーマニアに逃れたばかりのこの女性らと連絡をとったところ、ＰＣＲ陰性証明必須の件が判明したのだという。まいった。Ｋはさすがで、サンドラさんとすでに連絡をとり、彼女の知り合いでアンドレアさんという方がＰＣＲ検査を急遽受けられる場所をみつけて手配してくれているという。大丈夫だろうか。アンドレアさんも日本語堪能のインテリ女性だった。何と日本の早稲田大学社会学部とＩＣＵの修士課程で留学生として学んでいたという。それで彼女の車でそのＰＣＲ検査の場所に行ったところ、駐車場のなかに設けられた「Covid-19 test」と書かれたコンテナ車が停まっていた。ところが窓口が閉まっているではないか。アンドレアさんは、すぐに近くの抗体検査を行っている場所を探し出して、そこに連れて行ってくれた。鼻孔で調べる抗体検査は結果が20分で出て、僕ら４人全員が陰性だった。だがこれだけでは心配だ。それでＰＣＲ検査の結果をなるべく早く出してくれるクリニックを調べてくれて、今度はそこへ移動。住宅街のなかのきちんとしたクリニックに到着。すぐに口腔内を調べる形のPCR検査を受ける。2時間、結果が出るまでかかるという。メールで送ってくれる。

僕らはアンドレアさんと話し合って、ウクライナ難民が到着し、支援場所となっているブカレスト北駅に向かう。驚いた。駅の構内にはテントが張られ、その中で一時的に休養することが出来るようになっていた他、赤ちゃんや幼い子どもを抱えた母親たちを助けるためにベビーカーが寄付され、無料の食料提供、さらにはペットの相談所まで設けられていた。駅全体、官民で全力をあげてウクライナ難民を支援しようという光景が広がっていたのだ。ウクライナ難民を隣国がみんなで助けている。

まだ何も終わっていない。必ずもう一度、ウクライナの地を訪れなければなるまい。

ソ連の亡霊どもが 彷徨っているロシア

金平茂紀のモスクワ日記 (2022年12月–2023年1月)

２０２２年12月29日（木）。今夜、ロシアのモスクワへと旅立つ。「観光」をしてくる。戦争をやっている国の首都で、人々は一体どんな暮らしをしているのか。年末年始の区切りの時期に、それを是非とも自分のこの眼で見てみたいと思ったのだ。もちろんニュース価値があると思う。だが局のプロデューサーらとの意思疎通が不調に終わり、結局、自費・自前で出かけることにした。やれやれである。きのうから徐々に旅行のパッキング作業をすすめてきたが、モスクワはどんなお天気なのか。寒いのだろうな。

僕は１９９１年の３月から１９９４年の６月までのあしかけ４年、モスクワで暮らしていた。ＴＢＳのモスクワ支局の特派員として濃密な時間を過ごしてきた経験がある。濃密という意味は、何しろその時期にこの地球上からソビエト連邦という国家が消滅するという歴史の教科書に太字で書かれている大きな出来事があったのだ。にわか仕込みのロシア語で、あの激動の時期にソ連の首都モスクワに赴任した時の不安は大変なものだった。その一方で、未知の国への抑えがたい好奇心のようなものもあった。ロシア人って、どんな人々だろう。ロシア料理はどんな味がするのだろう。どんなところに住むことになるのだろう。もう30年以上前のことだ。当時のＴＢＳ報道局外信部は、奇人・変人のオンパレードのような素敵な職場で、何でもあり。「宇宙プロジェクト」というとんでもない壮大な計画をソ連当局とのあいだで契約を交わして、日本で最初の宇宙飛行士としてTBS外信部デスクの秋山豊寛さんをバイコヌール宇宙基地から飛ばすという偉業を達成してしまっていた。僕をモスクワに特派員として送りこんだ黒田宏さん（故人）という外信部デスクは、東大でジャズをやっていた人で、夜はいつも酔っぱらっていた。ジョン・コルトレーンが来日した際に、TBSラジオのスタジオで、コルトレーンらにLIVE演奏させたつわものである。その黒田さんから、米原万里さん（故人）を紹介され、彼女の紹介で代々木にあったロシア語教室に毎朝会社に行く前に通う羽目になった。でもまさかその時は、この地上からソ連がなくなるなどとは想像さえしていなかった。

あれから30年以上の歳月が流れた。ソ連は消滅したが、そのソ連の一員だったウクライナにロシアがいま侵攻して戦争をしている。

＊　＊　＊

羽田空港第3ターミナルは、年末年始を海外ですごそうという人々でごったがえしていた。トルコ航空のイスタンブール経由でモスクワに飛ぶ。早めに家を出てよかった。定額料金で羽田まで送ってくれたタクシーの運転手さんは親切なお年寄りの男性だった。「くれぐれもお気をつけてくださいね」。かなり重たくなったスーツケースをトランクから降ろしながら彼は言ってくれた。

空港カウンターは出発時刻の3時間以上前なのに、すでにチェックイン受付が行われていて、ものすごい数の人々の行列ができていた。ようやく僕の番になってチェックインしようとしたら予期せぬ出来事が起きた。「ロシアに行かれるので、税関による開扉(かいひ)検査があります。別室に行っていただくことになります」。その若い女性職員に告げられると、すぐに税関職員（若い男女2人組）がやって来た。スーツケースを男性職員が運ぶ。そこから歩いて3分ほどのところにある税関事務所に移動させられ、別室で質問を受けた。何のためにロシアへ行くのか。所持している現金の総額をすべて申告していただきたい。僕は万一に備えて多めにキャッシュを持ってきた。何しろ今、モスクワでは経済制裁が発動されていて、西側のクレジットカード（ビザ、マスター、アメリカン・エクスプレス、ＪＣＢなど）が一切使えないのだから。男性職員は調査用紙に署名をするよう求めて別室へと消えた。そして戻ってきて、ちょっと額が多すぎるので、滞在日数を増やしてもらえないかとおかしなことを言う。僕は旅行会社の説明で、現金の持ち込み限度額を確かめてその半分にも満たないキャッシュを用意してきたのだ。そのことを説明すると、男性職員は再び別室に消えて、すぐに戻ってきて「1日あたりの限度額が10万円なので、全然このままでいいです」という。日本でこんな経験をするのは初めてのことだ。かつてのモスクワの空港ではしょっちゅうだった。ロシアの税関職員がキャッシュを一々数えるのだ。それも衆人がみている前で。僕は恐怖を感じて、いつも空港に支局のロシア人に迎えに来てもらった。襲われるのを防ぐためにだ。そんなことを思い出した。理不尽な記憶はなかなか忘れられないものだ。

さてこの税関の別室から携帯で電話をかけようとしたら、女性職員からやんわりと制止された。別の女性職員がやって来たので「なぜ、こんなことをするのですか。ロシアとおんなじことをやるなんて」と若干抗議気味に言うと、その女性職員は「戦争をやっている国ですからね。制裁も課していますし」とか言っていた。とにかく10分あまりで「開扉検査」は終わり、元の航空会社のカウンターで無事チェックインを済ませた。

飛行機は満席だった。僕のチケットは安価のものをネットで購入したので、座席の指定もできない種類のものだったが、ラッキーなことに窓側の席に座れた。僕の隣は、南浦和（うらわ）に住むというクルド人の男性だった。器用に日本語を喋（しゃべ）る。トルコに里帰りするのだという。イスタンブールまで13時間の長いフライト。映画でもみよう思ったが、みたい作品が全くなく、『トップガン マーヴェリック』をみてしまった。明らかに北朝鮮を想起させる某国の渓谷地帯にある核施設に、海軍戦闘機部隊が決死の破壊攻撃を加えて帰還するという、いかにもハリウッド映画だが、エンタメ映画としては大成功なのだろう。

イスタンブール空港に着くや、何とモスクワ行きの便は70分遅れるとの表示があった。助かった。ちょっと休みたかったのだ。順当に飛べば、イスタンブールでの乗り継ぎ時間は1時間40分弱しかなかったので。それとイスタンブール国際空港というのは、別名エルドアン空港という名称で、とにかく無意味なほどにバカでかいのだった。だから移動するだけでものすごく時間がかかるのだ。

モスクワ行きの便、乗客は当たり前ながらロシア人がほとんど。休暇先、避難先としてトルコはロシア人にとって大人気の国で、ものすごい数のロシア人がトルコに渡っている。ロシア人たちは機内でもうるさい。よく喋る。もちろん誰もマスクなんかしていない。これは羽田空港を出発して以降、一貫していることだ。マスクをしているのは日本人だけ。トルコ航空のラウンジから、少しだけパンと紅茶のティーバッグを持ち出した。モスクワのホテルでの備えだ。大晦日と元日は、さすがにお店は休みのはずなので。そういうことまで早々と気を回している癖は、モスクワ生活以来のことだと思う。

12月30日（金）。到着したモスクワのブヌコボ空港では、パスポートコントロールも税関もほとんどノーチェックというか、そこにいた職員たちは仕事をやる気が全くないようにさえ見えた。何だか気が抜けた。特にパスポートコントロールの若い女性係官は全くやる気がないようにみえて、何と背後のドアのところに若い男性がいて、何だか言い寄られているような感じで仲睦まじくお喋りをしながらパスポートをチェックしているのだった。何じゃ、これ。羽田空港の対応の方が異様だったのだ。

タクシーで宿となるホテルまで直行。1600ルーブル＋チップ（3000円くらい）。客から高額のカネをぼったくる不良タクシー締め出し政策がプーチンによって実施された後は、空港にタクシー受付の職員がきちんと配されていて、そこに頼んだら実にスムーズだった。空港からホテルまでの道すがらの風景をみたが、時折、ロシア軍を鼓舞するプロパガンダの掲示があった程度で、店舗にはきれいなイルミネーションが飾り付けられている。これが戦争をやっている国か、といきなり思わされるような展開だった。もっと緊張感が漂っているのでは、と勝手に思っていたのだ。中心部の街中の光景もいつものモスクワだ。ホテルのチェックインもスムーズに進む。これが本当に戦争をやっている国の首都か。午後4時すぎから旧知の人物と会う。もう30年以上も前に一緒に仕事をしていた仲間だ。ソ連保守派のクーデター事件やモスクワ動乱、グルジア内戦や、バルト三国の独立運動などを一緒に取材した。僕らもお互い相応に歳（とし）を重ねた。彼は恰幅（かっぷく）のよい紳士になっていた。他愛もない話に終始して別れた。ホテルの部屋の窓から外をみると、旧ウクライナホテル（現ラディソンロイヤルホテルモスクワ）やロシア最高会議ビルは派手にライトアップされている。どこが節電だよ。そういう要素は微塵（みじん）もない。

　これがプーチンの強がりのせいなのかどうか。少なくとも、泊まっているこのホテルも物資が足りないというようには全くみえない。東京からレンタルして来たポケットWi-fi も順調に機能している。G-mail もラインも Facebook も通じる。もちろんこれはポケット Wi-fi の機器のおかげだが。一般のロシア市民はラインや Facebook は使えない。最も機能しているのが Telegram というアプリだ。これは僕が想像していたよりもずっと緩いのか、あるいは意図的に強がっているのか、ウクライナ戦争で「劣勢に立たされている」とされるロシアの首都モスクワの混乱というイメージとはかなりズレている。もちろんこれから街中を細かくみなければわからないのだが。

モスクワ版『あなたは……』『日の丸』(ともに1960年代のTBSドキュメンタリー番組)の構想が徐々に頭をもたげてきた。今という時代は、TBSの後輩の佐井大紀(さいだいき)氏のように、やみくもにものごとを制作することが大事なのではないか。12の質問を寺山修司(てらやましゅうじ)がやったように考えてみる。

①　2022年はあなたにとってよい1年でしたか?
②　あなたにとって「幸福」とは何ですか?
③　ロシア国民は幸福だと思いますか?
④　あなたの将来の夢は何ですか?
⑤　あなたは他の人から愛されていると思いますか?
⑥　あなたは民主主義を信じていますか?
⑦　あなたはテレビのニュースを信じていますか?
⑧　あなたはインターネットの情報を信じていますか?
⑨　あなたはロシアの国旗をみて美しいと思いますか?
⑩　あなたはロシアの国旗のために戦えますか?
⑪　日本はよい国ですか?
⑫　2023年はあなたにとってよい1年になると思いますか?

これを街録してみようと考えているのだ。多弁なロシア人のことだ。大いに喋るのではないか。こんなことを考えているうちに疲れからか、いつの間にか眠りに落ちた。

12月31日（土）。さすがに強行軍の旅で疲れが出たのだろうか、昨夜はあれからすぐにベッドに倒れ込むように眠ってしまった。そして朝4時半に目が覚めた。時差の関係もあるのだろう。バスタブのない部屋なのでシャワーを浴びたあとに、ホテルの朝食会場に行くと、朝7時過ぎだと早いのか、誰一人客がいない。そこにホテルの従業員がいかにも無気力な様子で働いていた。だんだんと思い出してきた。公の場所で働いているロシアの人々の仕事に対する無気力さを。とにかく朝はきちんと食べておかないと力が出ない。がっつりと食べる。それで準備を整えてから、地下鉄に乗って、「ドストエフスキーの家」博物館へと向かう。

モスクワの地下鉄は、もともとが戦時用シェルターとしても機能するように設計されているので地下の深いところにある。エスカレーターのスピードも速い。クールスカヤ駅で乗り換えてドストエフスカヤ駅に着いたが、道行く人に「ドストエフスキーの家」博物館はどこかと訊いても誰一人知らなかった。地下鉄に乗っている人たちの表情やたたずまいをみていた。この独特の感覚。西ヨーロッパ文明とは明らかに異なる独特のたたずまい。それでも乗客たちの多くがスマホをみている光景は日本と似ている。何とかお目当ての「ドストエフスキーの家」博物館にたどり着いた。今回は観光客として1人で来ているので、自分でハンディカメラを回しながら「観光」した。ザスーリチ（帝政ロシア時代の女性革命家。ナロードニキ運動に参加）との交流や、ドストエフスキーの手書きの直筆原稿がみられたくらいが収穫かもしれないが、2021年に、プーチン大統領が生誕200年を記念してこの博物館に来て「ドストエフスキーはロシアの天才的な思想家で愛国者だ」などとほめたたえたものだから、ウクライナ侵攻後にドストエフスキーの評価が世界的に下落するという信じられないような現象が起きた。それで僕は、プーチンがどのような展示を見たのかを、この目で見ておきたいと思ったのだ。今日は大晦日なので午前11時から午後3時までのあいだしか開館していないとの情報を得ていたので、あわてて行ったのだが、おそらく今日の客は僕1人だけだったのではないか。説明員は各階に1人ずついた。ロシア語しか解さない女性たちだった。そのうちの3階担当の1人は熱烈なドストエフスキー信奉者といった感じだった。『カラマーゾフの兄弟』が一番好きな作品だと言っていた。東京から持参したポケトークという自動翻訳機がそこそこ役に立ったので笑ってしまった。これはロシア人に街録する時にも使えるかもしれないな、と。僕程度のロシア語の基礎知識があれば、これはなおさら役に立つ。必要最小な語彙が得られるからだ。

夕方から今日の残りの目的である、グム（モスクワ最古の国営デパート）、赤の広場、ワシリー寺院の大晦日の光景を見に出かける。この季節、日没が早い。午後4時にはもう真っ暗だ。午後5時過ぎにグムに着いたら、ものすごい人出だった。派手なイルミネーションで街中が飾り付けられていた。個人的な感想になるのだが、実に悪趣味な飾り付けだと思う。とにかくヒカリものだらけなのだから。それにしてもこの人出は日本の初詣の感覚に近いのか。多くの人がアイスクリームを頬ばっている。買い物、買い物、買い物。西側世界のブランド店は、一応灯りは点いているが営業はストップしているところが多い。Cartier の店舗をみたら「技術的な理由で閉店している」と表示があった。OMEGA の店舗も休業していた。そこから赤の広場に行こうとしたら「異変」があった。午後6時過ぎに「赤の広場は閉鎖されました」とのアナウンスを警官隊が突然おこなって、同時に鉄柵を設置し始めている。僕はそこに入ろうと何度も試みたが、警官に押し返された。すでに多くの人々が赤の広場にはいたが、そこから退去するように求められている。そういうことか。大晦日の夜の赤の広場は閉鎖された。そうなんだ。まいったなあ。赤の広場は閉鎖されたので、苦労して地下鉄を乗り継いでホテルに戻った。何しろ流しのタクシーがいない。みなスマホで予約してタクシーを確保するのが一般的なやり方らしい。そうすると僕のような外国人は、移動は地下鉄を頼るしかないのだった。

ホテルに戻ってテレビをつけると、愛国的なロシアの歌手たちが次々に登場して歌っていた。若いアイドル系のロック歌手 SHAMAN とかいう男性シンガーが登場して「Я Русский（僕はロシア人）」という歌を熱唱していた。愛国者である自分に酔っているような感じ。それと宗教色が前面に出ている。ロシア正教の聖職者たちが次々に画面に登場して聖歌のような歌を歌っていた。果ては初老の歌手がヴィソツキーの歌をバックに、独ソ戦争時代の映像を流しながら歌っている。これではまるでソ連時代への逆行ではないか。夜24時を過ぎてホテルの窓の外がにわかに騒がしくなった。花火だ。モスクワ市内のいろいろな場所で花火が打ちあげられている。日本に比べたら小ぶりだが各所で花火が次々に打ちあげられているのだ。冷静に考えてみる。やはりこの国は狂っていないかどうか。戦争をやめるには、もっともほど遠い地点にあるのがこの国の首都なのか。絶望的な気分になる。短いモスクワ滞在中に、この流れに抗う人に1人でも会えるかどうか。

1月1日（日）。外を見ると雪ではなく雨が降っているようなのだ。気温も3℃。これはかなりあったかい。午前7時に勇んで朝食会場に行くと、今日は元旦なので朝8時開店だと言われる。テレビをつけるが、この部屋のテレビが壊れていて、肝心のチャンネル1（ロシア公共放送第1チャンネル）が映らないのだった。ネットで日本のテレビ朝日のニュースサイトで、プーチン大統領がきのうテレビに登場してロシア国民向けのメッセージを放映したことを知る。ほんまかいな。誰もそんなものを見ているとは思えなかった。軍人たちに囲まれての演出だったらしい。

タクシーを頼んで、午前11時すぎに赤の広場に行くと、そこそこの人がすでに訪れているではないか。タクシードライバーはタジキスタン人だった。日本からのツーリストだと言うと、たいそう驚いて「トヨタのカムリは最高の車だ」とか話してきた。この国ではいまだに日本の代表的なイメージは、トヨタ、ソニー、カシオ、パナソニックなのだ。旧ウクライナホテルに行ってみる。このスターリン建築の代表格は、かつて目にしない日がなかった。このすぐ近くに僕は住んでいて、かつTBSモスクワ支局もこのすぐそばにある。数々の思い出が刷り込まれた建物だ。ホテルを見ていてもほとんど人の出入りが確認できなかった。モスクワ河を挟んだ対岸にはロシア最高会議ビルがある。通称ベールイドーム（ホワイトハウス）。ここに1993年、エリツィンが戦車から砲弾を撃ち込んだ。建物の上半分が焼け焦げて無惨な姿をさらしたものだった。今のロシア最高会議ビルは、プーチン大統領の御用機関のような機能しか果たしていない。そんな場所を訪れていたら、美しい女性が1人で観光をしていた。「新年おめでとう」と声をかけると、彼女はウラジオストクからやって来たツーリストだという。大の日本ファンで、YouTubeでしょっちゅう日本のことを検索しているという。モスクワは大きすぎるとか言っていた。キエフ駅もずいぶん様変わりしていた。昔僕がモスクワに暮らしていた頃は、この駅にホームレスの人々や少年らがたむろしていたものだ。近くの大型ショッピングモールにユニクロのロゴサインがみえた。

その後アルバート通りに立ち寄ると、ここにもロシア人の団体旅行客の一団がいた。昔のアルバート通りとはだいぶ変化しているように思ったが、今日は元日なので、明日以降に人々をみてみなければわからない。マクドナルドが撤退したあとに、そのノウハウを全部引きついで、後継店がちゃっかりオープンしていた。名前も「フクースナ・イ・トーチカ」（おいしい、それだけ、の意味）。ビッグマックに限りなく近い「ビッグ・スペシャル」というのを注文したら335ルーブルした。大体600円くらいか。店員もマクドナルド並みの愛想というか。店内もテイクアウトの列にも結構お客がいた。フライドポテトはマック時代より絶対においしくなった、と言い張るロシア人が多いという。

今度はワシリー寺院側から赤の広場に入ってみて驚いた。逆側からよりもずっと人出が多い。ものすごい数の人出だ。そこで確信した。これは実際にロシアの人々にとっては初詣なのだと。日本の神社やお寺の代わりに、ここでは圧倒的にロシア正教の教会と旧ソ連の名所がその役割を果たしている。広場にはメリーゴーラウンドも敷設されている。子どもたちが歓声を上げていて、親たちが嬉しそうにそれをカメラで撮影している。頭がくらくらするような遊園地状態。これが戦争をしている国か。

その光景をしばらく眺めていて、僕はとても強い自己嫌悪に陥りながら、考えてしまったのだ。この国の人々は、本当は民主主義なんか求めていないのではないか。独裁的な全体主義体制の方が、自分たちの威厳とか誇りとかプライドを維持してくれているのなら、それでいいじゃないか、と。帝政ロシア↓ソ連↓ロシア共和国という変遷を経ながらも、そこに住む国民とはそういう人々なのではないかと。いま現在のウクライナの方は、いきなり侵略されたことから、ナショナリズムに火がついて、人々は、祖国とか自由とか言っているけれども、僕はそれが心の奥底からの「民主主義への希求」というものかどうか本当のところは、わからない。同じ思いは日本という国に暮らしている僕ら日本人についても感じる。いま現在の日本国民は、政治にひどく無関心だとされている。確かに、公共＝コモンという概念がおそろしく希薄だ。そのような国づくりをこの10年あまり（安倍・菅・岸田政権のもとで）やってきたのではないか。それにどれだけ自分は抗ってきたというのか。目の前をメリーゴーラウンドが回っている。ロシアの子どもたちの歓声が聞こえる。

元日のレーニン廟前。誰もレーニン廟には目もくれていなかった。

さきほどからずっと小雨が降り続いている。体が冷えて来たので宿へ戻ることにする。これがモスクワの２０２３年の元日に僕がみた光景だ。フロントにクレームを言って、部屋のテレビを直してもらったが、日本のテレビと同じように新年用のロシア正教番組とか歌番組、愛国バラエティ番組（こうとしか言いようがない）ばかりでうんざりした。ベラルーシからやってきたとかいうコメディアンたちが大喝采を受けていた。歌番組は、日本の紅白歌合戦みたいにロシアの人気歌手とかが総出で、ロシア万歳！　みたいな歌ばかり歌っていて、見ていて気持ち悪くなってきた。なかでもやっぱりあのSHAMANという一見ロック歌手のようなシンガーには閉口した。まあ、日本のかつてのXジャパンとかみたいなものか。衣装のセンス、お化粧の仕方、金ぴかで、きのう今日と赤の広場周辺で見てきた飾り付けとひどく共通している。不思議なことにこのホテルでは、「ＢＢＣワールド」が見られる。新年にキーウが攻撃されたニュースもこの部屋では見られるのだ。だがもちろんロシアの元日の番組は、お祝いバカ騒ぎの連続だ（日本と似ている)。そしてもちろんロシアの一般国民は「BBCワールド」なんか見ていないだろうし、見たいとも思っていないのだろう。ロシア公共放送の『ヴェスチ』ではトップニュースが、プーチン大統領が軍人に囲まれての国民向け9分間の異例の長時間メッセージ、その後、新年を祝う各地の表情、ドネツクからの戦地特派員リポート。日本では絶対に見られない代物だ。ロシアテレビの記者たちはこんなふうになってしまっている。ロシアによる正義の「特別軍事作戦」の宣伝係に。戦時中の日本の従軍記者のように。注意深くロシアテレビの放送をみていたが「バイナー」(戦争)という単語は一度も使われていなかった。いまだに戦争ではなく「特別軍事作戦」という範疇でしか語ってはならないのだ。

日本からのニュースをチェックするなかで、編集者の矢崎泰久さんが年末に亡くなられたことを知る。筑紫哲也さんの本を書いた際に長時間取材をさせていただいた。まだガキの頃、僕自身が『話の特集』をよく読んでいた。何でもありのいい雑誌だったな。合掌。

1月2日(月)。ロシア正教のクリスマスは1月7日(土)なので、このカレンダーだと1月9日までこの国の人々はおそらく休む。働かないだろう。だんだん思い出してきた。この国の現実というものを。例によって時差調整に失敗して午前4時半に目が覚める。外をみると煌々とライトアップされている旧ウクライナホテルが目に入ってきた。モスクワに来てから初めての快晴。今日はいろいろと外に出てみることにする。30年ぶりに会った友人たちもいる。今回の旅は、半ばセンチメンタル・ジャーニーのような要素もあるのかもしれない。そのうちの1人の彼は、年齢ももう76歳だ。だが至って元気な様子。歯がもう1本しか残っていないと言って笑っていた。一緒に車で動いた。アルバート通りのヴィクトル・ツォイの壁。ロシアの地方からやって来たのであろうか、観光客らがしきりに記念写真を撮っている。アルバート通りを離れて、近くの大通りを歩いていたら、スターバックス撤退後、そのままノウハウをちゃっかりいただいて営業を継続している「スターズコーヒー」が近くにあった。モスクワ市内に複数の店舗があって結構賑わっていた。「ユニクロ」があったが現在休業中。だがインターネットで商品の購入が可能だと店頭に表示があった。移動して、ゴーリキー文学大学近くの本屋さんに入ってみる。何気なく書棚に並ぶジョージ・オーウェルの著作集。『1984年』や『動物農場』は、今のところロシアの人々に読み継がれているようだ。手に取ってみると装丁がなかなかいい。購入する。午後になってから街の人出は徐々に多くなってきている。この素晴らしいお天気のせいか。今の時期にしては、きのう今日と暖かいのだそうだ。ルイノク（自由市場）に行ってみると、もう営業していた。新鮮な食品で溢れかえっている。中央アジア系の売り子さんが多い。

東京から持参してきた自動翻訳機が非常に役に立って本当に助かった。今回は1人でモスクワに来たので、これがあるのとないのでは全く違ったように思う。さっそくこれを使って道行く人々に街録を試みた（ピャートニツカヤ通りにて）。「日本からやって来ました。ロシア語が下手なので、この翻訳機に助けてもらいながら、答えてくれませんか」と語りかけると、ほとんどの人が答えてくれた。非常に興味深かったのは、「テレビのニュースを信用していますか?」に対する答え。ほとんどの人が「ニエット」(信じていない)だ。また、「ロシア国旗を美しいと思いますか?」については、ほとんどの人が「ダー」(はい)、「2023年はよい1年になると思いますか?」についてもほとんどの人が、よい1年になると答えていたことだ。何の迷いも衒いもなく。若干躊躇がみられたのは「あなたは民主主義を信じていますか?」に対する答えだった点も面白い。

「丸亀製麺」が撤退した後のお店は「マル」という名前に変更になって、そのままうどん屋さんチェーン店として賑わっていた。せっかくなので入ってみた。大変な人気ぶりである。店員は中央アジア系の人々が多く混じっている。味もそんなにまずくない。今日の「観光」の締めくくりに、モスクワ大学の前の展望広場(雀が丘)に行ってみる。すごい数の人々が繰り出していた。高層ビジネスビル群の通称「シティ」がまぶしい。これは発展の姿なのだろうか。大体、人々はこのような高層ビル群を望んでいるのだろうか。僕には、新しい形のスターリン建築様式に見えるような気がする。だがこの展望広場にいる人々はそんな陰鬱な考えなど微塵もないように、家族、友人ら、恋人同士で、記念撮影に明け暮れている。戦争の影が一体どこにあるというのだ。あるのはロシア公共テレビのなかのニュース番組『ヴェスチ』や、愛国的な歌謡ショーに紛れ込んでいる歌手たち、司会者たちの振る舞いだけのようにさえみえる。そのことがかえっておそろしい。友人の1人が言っていた。モスクワの治安に関して言えば、チェチェン戦争の時の方がもっと危険だった。あの時はモスクワでは頻繁にテロ事件が起きていた。それに比べれば、今のところ、モスクワに関して言えば何の問題もない、と。本当だろうか。1932〜33年のホロドモール時代のモスクワの繁栄と、ウクライナで餓死者まで出ていた現実のことを、よくよく思い出すべきではないのか。パラレルワールドは、体制の信奉者たちによって創りだされたものだ。

1月3日（火）。朝、外をみると雪が降り続いている。まいったなあ。これでは追加でやろうと思っていた街録がむずかしいかも。朝食会場に行くとものすごく混んでいた。そうか、大体今頃から国内旅行が最も混みだすのだな、と納得。家族連れが多い。ロシア正教のクリスマスである1月7日にかけての休日をしっかり楽しむのだろう。ちょっと外に出てみたら、ほとんどみぞれに近い雪だ。傘をささないとびしょ濡れになる。まあ、モスクワ大学には一応行ってみるか。

おととい偶然に乗ったタクシーのタジキスタン人のドライバーが人懐こい人だったので、電話番号をもらっていたこともあり、電話してみたら、モスクワの郊外に住んでいるので時間がかかるけれどもいいか？　と言われ「ダー」と言ってしまう。結局、彼がホテル前に着いたのは13時になっていた。まいった。降り続く雪で道路の状態が悪い。両替ができる銀行を探すがみんな閉まっている。まいった。銀行の外で途方にくれていると、突然、クトゥゾフスキー大通りが閉鎖になった。ドライバーによると「プーチンが通る」のだという。警官が1人立っていて、一般車両（僕らのタクシーも含む）を止めている。あっという間にすごいスピードでクレムリン方向にＶＩＰ用の車両が通り過ぎた。いまだにこんなことをモスクワはやっているのか。変わっていないな、と実感。

モスクワ大学の周辺はこんな天気にもかかわらず、国内観光客がバスを連ねてやってきていた。タクシーから降りて、思い切って自動翻訳機を使ってインタビューを試みたが、手持ちのビデオカメラが途中で止まってしまった。寒いからか。考えてみればこのビデオカメラもオンボロで、僕がニューヨークに住んでいた時に買った安物なので、14年前のもので、いかれているのかもしれない。タジキスタン人のタクシー運転手は、何やら携帯電話に映像を映して、それに向かって話しかけながら運転している。誰かと訊いたら何とタジキスタンにいる奥さんと会話しているのだという。そうか。そういう時代なのか。タジキスタンの家族と毎日のように話しながら、モスクワで出稼ぎしているのだという。あと3カ月はモスクワで頑張って、それからタジキスタンに帰るのだという。2人の息子と1人の娘の3人を養っているので大変だと言って、笑っていた。以前、レバノンのパレスチナ人キャンプに取材に行った時、シリアからの難民が大勢いて、そのうちのひとり（女性）にインタビューをしていたら、おもむろに携帯電話を取り出して「夫です。今、ノルウェーの難民収容所にいるんです」と言って、携帯電話で話をはじめたので驚いた記憶がある。今という時代は、携帯電話とインターネットによって、

「生き別れ」という事態はほぼ消滅してしまったのではないか。むしろ社会的な理由によって、会わない、分断されている、ということの方が深刻なのではないか。何しろ、このタジキスタン人はとても人懐こい。そのまま、今夜行こうと決めていたエフゲニー・プルシェンコのアイスショー『雪の女王』が行われているＶＴＢアリーナへと向かう。ここでタジキスタン人とは別れた。さらば、お幸せに。

ＶＴＢアリーナは、これがバカでかい施設で、ショッピングセンターやジムも併設されている。時間がまだ早かったので、ＶＴＢプラザというショッピングセンターに入ったが、普通にものが溢れていて、フードコートも充実していた。ＫＦＣやバーガーキングもちゃっかり営業を続けていた。みると、何とベトナムのフォーの店まであるではないか。迷わず、食べてみたが美味（うま）い。４５０ルーブルだから結構高いが、日本円で８００円くらい。あと、本屋さんがあった。入ってみるとハリーポッター関連の本などがあったが、やはり目を引いたのは、売り場の結構いい書棚に、オーウェルの『１９８４年』が置いてあったことだ。しかもその本は挿絵入りで、かなりのリアリズムというか、ビッグブラザーはどうみてもスターリンの顔だ。１３５０ルーブル（日本円で２４００円余りでロシアではとても高い！）。女性の店員に聞くと、もう１つ別のバージョンの『１９８４年』を持ってきてくれた。まあまあ売れているとか。本当かな。ただロシア語には少なくとも４つのバージョンの『１９８４年』が出ていることは今回の旅で確認できた。

17時からのアイスショーの方は、ほぼ満席。350ルーブルだから、この普通席が6300円くらい。ちなみに、昨夜のボリショイ劇場の『くるみ割り人形』のチケットの値段を調べてもらったら、1000ドルから2800ドルって（13万円から36万円！）、うそだろう！　という値段。とんでもない高値がついている。アイスショーの方は、まあこれは家族向けのショーだけれども、プルシェンコが全然出て来なくて、1時間ほど過ぎてからやっと現れた。羽生結弦（はにゅうゆづる）さんもかつてあこがれたロシアスケート界のスターも、今は40歳。ウクライナ戦争以降、若い後継世代を育てる場を作ることと、国際舞台での活躍の場を奪われたロシア選手たちに、支援の場を提供する意味で、このアイスショーを続けているのだという。プルシェンコの父親は、ウクライナのドネック出身。心中はかなり複雑なのではないか、と勝手に思ってしまう。まあ、最後までみるような代物ではないなと悟り、会場を出て地下鉄へと向かう。

乗り換えの「革命広場」駅の構内でクラシック演奏のストリートミュージックをやっている2人組がいた。これがなかなかの腕前で、地下鉄構内はミニコンサート会場の趣（おもむ）きになっていた。乗客たちが次々に楽器ケースにルーブル札を投げ入れていた。こりゃあ、プルシェンコよりずっといいや。

ホテルに戻るが、喉がなんだかいがらっぽくて痛い。風邪を引いたかな。あのモスクワ大学の前でずぶ濡れになったからなあ。早めにベッドに入るが、2時間あまりのあいだに何だかとても不条理かつ不快な夢をみた。なぜか僕がJAGATARAを讃（たた）えるラップをやるように促されているのだった。ステージがすでに目の前に用意されていた。僕はこんな絶不調でラップなんかできるわけがないし、そもそもラップなんかあんまり好きじゃないと本音では思っているのだが、もうしっかりとステージが設営されていてラップをやらざるを得ないのだった。それで無理に声を振り絞ってラップをしだすと、途中で喉が激しく痛くなって「これ以上はもうできない」と懇願する羽目になってしまう。すると主催者のなかに親しい人がいて駆けよってきてくれて「もうこれ以上無理ですよね」と言ってくれたのだが、他の若い主催者グループは、「なぜここまで準備したのにできないんだ」と詰問してくるのだった。その詰問の仕方が有無を言わせないほど厳しくて、僕は「ＪＡＧＡＴＡＲＡだから引き受けたんだ」と必死に抗弁しているのだった。ひどく寝汗をかいていた。モスクワでこんな夢をみるなんて。

1月4日（水）。絶不調。喉が痛い。今日はロシア連邦軍主聖堂（Главный храм Вооружённых сил Российской Федерации）に出かける。友人のサーシャが車を用意してくれた。本当に助かる。持つべきものは、国籍・信条・言語を問わず「友」だ。これが近郊電車（エレクトリーチカ）を使うとなれば、とんでもない手間がかかる。戦争と宗教がどんなふうに結びついているのか。まあ、「ロシアの靖国（やすくに）神社」のような存在なのか。観光コースになっているというので、是非とも行ってみたいと思ったのだ。

道がまだ空いていて、午前9時過ぎにモスクワを出発して、ほぼ1時間かからないうちに、お目当てのロシア連邦軍主聖堂に到着した。何じゃこれは。教会なのにカーキ色だ。濃い緑色の教会なんて見たことがない。その異容たるや……。すでに観光バスからたくさんのロシア人たちが降り立って、大聖堂をめざしている。子どもの姿が多いことに少し驚く。凱旋門(がいせんもん)のようなものが無理やり作られ、その後ろに高さ95メートルのカーキ色の大聖堂が聳(そび)え立っている。中に入ってみてさらに驚く。その豪華なことに。２０２０年の６月に出来上がったが、総工費60億ルーブルだったという。

圧巻は２階に上がってからだった。何じゃこれは。天井の大ステンドグラスは主キリストの顔。正面上空に巨大な黄金色の神様ハリストス（キリスト）が空を飛ぶように祀(まつ)られているではないか。新年のミサのようなことが行われていたが、聖歌隊は軍服の男性たちである。ロシアテレビの取材チームが何やら取材をしていた。ドキュメンタリーか何かを作っているのだろうか、ある特定の家族を大型カメラで撮影していた。女性のディレクターのような人物がすぐそばにいた。僕はスマホで動画を撮る。いくつかの大型モザイク画は、戦争で勝利したロシア軍の兵士たちを上空から神が見守っている構図になっている。というか、これほど戦争の守護神としてのロシア正教を赤裸々に語っているモザイク画はない。なかには、キエフ、ベラルーシ、バルト三国での戦闘勝利を讃える神の姿や、軍国主義日本に勝利したロシア軍兵士たちを見守る守護神のモザイク画もあった。１９４５年の８月９日のソ連参戦のことなのだろう。このモザイク画は、日本の人たちはちゃんと見た方がいいと思う。今、ウクライナに攻め込んでいる人々の国は、こんなモザイク画を崇(あが)め奉っているのだということを知った方がいい。今回のモスクワ「観光」訪問のなかでの大収穫だった。ロシアの今度のウクライナ侵攻について、ロシア正教が果たしている役割をもっときちんと知っていた方がいい。統一教会どころではない。ロシア人の建国精神に直接関わっている拠り所の1つになっていることを知るべきではないか。社会主義、共産主義とは対極の、神に祝福された偉大なるロシア。

この大聖堂を取り囲むように博物館がある。「勝利までの1418歩」と銘打って、主として対独戦争の初めから終わりまでを展示しているのだが、これをどんなに駆け足でみても1時間以上はかかる。まさに「ロシアの靖国神社」の真髄だと僕は思った。スターリンもがんがん登場して来ていた。今、ロシアではスターリンの再評価が進んでいるというのを耳にしていたが、目の前でそれが確認された。考えてみれば、ソ連、ロシアという国は、徹底的な敗北を近代になってから喫した経験がない（日露戦争当時の日本軍の相手は帝政ロシアだ）。戦争をしてはいけない、などとは微塵も考えていないことで一貫している。その意味で、ここの展示は、アウシュビッツのホロコースト展示博物館とは対極のものではないか。これだけで一本のドキュメンタリー映画ができると思う。観客たちの反応も含めて。是非ともセルゲイ・ロズニツァ監督にこそ作って欲しいものだ。いや、ダメなら僕ら自身が作ればいいじゃないか。

喉の痛みがおさまらない。ルスラン・ハズブラートフ元ロシア最高会議議長がきのう亡くなったというニュースを知る。夕刻、市内のレストランで食事。とにかく西側のクレジットカードが使えない、というのはかなり困った状況だが、ロシアの人々はロシアでだけ使えるクレジットカードのようなもの（プリペイドカードのようなものか）を持っている。スーパーマーケットに入ってみると、品数も充実していて、品質のいい黒パンは、一斤56ルーブル（100円くらい）だった。ウクライナの現下の状況とは比べようがない。この戦争は長引く。そして長引けば長引くほど、ロシアは頑なになる。取り返しのつかない状況になる前に、停戦を実現することだ。互いの面子を保ちつつ、とにかく殺し合いをやめさせることだ。

1月5日（木）。とうとうモスクワでの最終日を迎えた。喉の痛みがおさまらないうえ、胸の上部にも何だか違和感を覚え、かつ微熱が出て来た。そろそろ限界かな、このモスクワ「観光」も。外をみると、朝7時の段階（まだ真っ暗だ）では、今日は、雪は降っていない。飛行機が飛ばないことが一番の心配事なのだ。それだけは避けたい。

今回、久しぶりにモスクワを訪れてみて実感したのは、まああらためて言うまでもないけれども、ロシアという国は、国柄も国民も政治も文化もメディアも、いわゆる西側諸国の影響下にある日本などの国の価値観とは全く異なる空気の下で存在している、という冷徹な現実の一端を垣間見ることができたことだ。西側世界のフィルターの強い影響下にある日本の国際報道では、このロシアという国の、ある意味での「モンスターぶり」がなかなか伝わってこないのだ。少なくとも、モスクワにいる限り、ロシア人はウクライナ戦争など、局地的な紛争で、何とかおさまるとでも思っているのではないか。

「加害者」という意識など微塵もない。そういうことを感じ取れる感性を持ったロシア人はすでに国外に出ているか、強いられた沈黙の中でじっと耐えている。だが圧倒的多数派であるごく普通のロシアの人々は、戦争の「加害者」になっているという意識は、ほぼゼロだ。そういう時代に、マスメディア、ジャーナリズムの役割は何か、ということをいやがおうにも考えさせられる。

ただ、ロシアと日本のメディアに共通していることがひとつある。それは、言葉の重みが全くなくなっているということだ。言葉はおびただしい分量で発せられるが、誰もその言葉が真実を語っているとは思っていないのだ。「口舌の徒」という言葉がある。いわゆるオールドメディアにおいても、ネット世界でも、残念ながら下品な「口舌の徒」が跋扈(ばっこ)する世界になってしまった。見たまえ、ロシアの公共放送に登場してくる自称ジャーナリスト、コメンテーターたちの多弁なこと。「真理の語り手」とは対極の位置にいるそれらの「口舌の徒」たちをみて、悪罵を投げつけるのはもはや時間の無駄というものだ。具体的に人と会って、現場をみて、知見を得ること。ありていに言えば、取材すること。このことをいやというほど痛感させられた。

ロシア以外の国ではルーブル札は紙くず同然なので、真向いのホテルに行ってドルに換えておく。これからルーブルの価値はもっともっと下がるだろう。モスクワではお土産用に買うものがほとんどない。チェックアウトの時間をギリギリまで延長してもらって午後2時にフロントデスクに降り立つと、チェックアウトのための長蛇の行列ができていた。全くひどいシステムだと思う。荷物をストーレージに預けて、1階に降りようとしたら、時代遅れの毛皮の（つまり動物の皮をそのまま剝いだような、毛がふさふさの）コートを着た女性がエレベーターに飛び乗って来た。「どこから来たのですか？」と聞くと「ドネック。人民共和国から来ました」と、その女性は確かに答えた。えぇっ？　驚いて訊き返すと、「息子が今日結婚式をあげるので、そのためにやって来た。時間がないので失礼」と言ってあたふたと外に出て行ってしまった。あとを追ったが無駄だった。大体、ドネック人民共和国から、ここモスクワまでどのようにして（交通手段は？）やって来れたのだろう。

ＴＢＳモスクワ支局長が家族とともにホテルに見送りに来てくれた。ありがたいことだ。彼はこの困難な状況のもとで、家族（奥様と2人の息子さん）とともにモスクワで暮らしている。お子さんがまだ小さいので学校とかも大変だと思う。モスクワの日本人学校というのがあるが、専任の教師はとっくに日本に引き上げているそうだ。それでも絶対に他の人では知り得ない貴重な体験というものがある。何と奥様が、30年以上前に僕らがモスクワに住んでいた頃の「プレス夫人会」のノート（実物）を持参してきてくださった。驚きだ。こんなものがこの世にまだ残っていたとは。１９９１年12月10日の項に、家人が当番になって記録をつけていた。奥様もきっとさまざまな、濃密な関係の中で生きておられるのだろう。ちなみに、２０２３年1月現在、ロシアへの日本からの郵便は全く届かないようだ。日本郵便のＨＰによれば、航空便も船便もその他の方法での郵便も、対ロシアへの郵便は完全に停止されていた。またロシアからの郵便も同様となっている。そんなことになっていようとは、僕は正直知らなかった。ちなみにＤＨＬなどの海外輸送専門の業社も「ただいま一時的に、ロシアへの輸出およびロシア国内での輸送サービスを停止しております」と記されていて、要するに物の流通は完全に遮断されているのだ。これでは本当に大変だろう。ソ連の末期に、日本に里帰りした際に、成田空港で段ボールに野菜や米を積み込んで行った時代を思い出してしまった。

ブヌコボ空港に着いたのは、午後5時45分過ぎだった。車でここまで送って来てくれたサーシャに「ありがとう」とお礼を言った。76歳で歯が1本しかないサーシャを見ていて、何だか涙が出てきた。次にまたサーシャと会えるだろうか、と。

トルコ航空のチェックインはスムーズで、その後に陰鬱なパスポートコントロールが待ち構えていた。その若い男は、パスポートをパラパラめくって「お前はロシア語が話せるか」と聞いてきて、さらに「何でウクライナに行ったんだ？」と言ってきた。僕は正直に「今回は個人旅行だが、ウクライナとベラルーシはジャーナリストとして行った」と答えたら、彼はどこかに電話をしだした。こりゃあ、最悪の場合は別室＝拘束かな、と思っていたら、電話の相手が出ないようだった。その男はとうとうあきらめたのか、パスポートにスタンプを押して「行け」と言った。よかった。僕は別に何ら悪いことなんかしていないのに、救われたような気分になったのだから本当に不思議なものだ。無事20時10分発のイスタンブール行きのトルコ航空便に乗ったら、ロシア人だらけだった。彼らは国外で流れている自分たちの国に関する情報をどんな気持ちで受け止めているのだろうか。それこそが今本当に知りたいところだ。

風邪をひいたことは間違いないな、これは。鼻水が止まらない。咳も出ている。高熱がないのがせめてもの救いだ。でもまあ不調であることは否定しようがない。自分の年齢と体力と好奇心のバランスを少しは考えてみろよと言われているような気がする。でも、ごめんだな。調整しながら用心深く生きるのなんか。

モスクワからイスタンブールへの便で隣り合った女性は、ハンガリー人だった。多国籍企業に勤務していて、ロシアから事業を撤退するためにモスクワに滞在していたのだという。英語を流暢に話す。これからロシアは大変なことになるでしょうと、言っていた。以降は、鼻水とのたたかい。イスタンブールのラウンジでトイレットペーパーを一捲き入手して、それで鼻をかみ続けた。

1月6日（金）。午前2時50分発の東京羽田行きのトルコ航空は満席、ぎゅうぎゅう詰めでまいった。これから11時間あまり、この席で耐える。まいった。鼻水とのたたかい。機内のテレビをみていたら「BBCワールド」が、プーチン大統領が1月6日から36時間のクリスマス休戦（ロシア正教では1月7日がクリスマス）を提案したことを報じていた。ゼレンスキーはこれを拒否。BBCの記者は、キーウからの中継で、プーチンの休戦提案を「シニカルな提案だ」と一蹴していたが、何の何の、プーチンは案外大まじめに、クリスマス休戦をロシア正教のお祝いの日にちなんで兵士らのためにやってやるんだ、と考えているのだろう。となりのトルコ人男性はあまりフレンドリーな人ではなさそうだった。けれどもやたらと威厳だけは保っている。とにかく鼻水とのたたかい。この苦しい時間を何とかまぎらわすためには、音楽か映画か読書だ。本の方は日本を出る時に持ってきた本が1冊だけ。重田園江氏の『真理の語り手　アーレントとウクライナ戦争』（白水社）。この本では『報道特集』で行ったガルージン前駐日大使へのインタビューについても言及されていたので、読んでみようと思った本だったが、読み甲斐があった。副題にハンナ・アーレントだけがあげられていたが、内容を読むと、「アーレントとロズニツァ」の方がふさわしい。それくらいウクライナの映画監督セルゲイ・ロズニツァに触発され書かれた文章が多く、この点でも大いに共感した。まともな学者さんがまだ生き残っている。

　機内で読了したが、まだまだ時間がある。それで一度見た映画だが『サマー・オブ・ソウル（あるいは、革命がテレビ放映されなかった時）』をもう一回みることに。いい映画だ。とても励まされる。マヘリア・ジャクソンやメイヴィス・ステイプルズらのゴスペル、スライ&ザ・ファミリー・ストーンのカッコよさ（I'm everyday people とか Higher! の歌に魅了される）そして何と言ってもこの映画での大収穫は、ニーナ・シモンだ。こんなすごいシンガー&アジテーターだったとは。

　羽田空港に到着してからが大変だった。とにかく乗客は歩かされるのだ。ここはエルドアン空港じゃないはずなのに、防疫システムが人間にではなく、建物に合わせてつくられているので、飛行機から降り立った乗客は延々と歩かされる。僕は4回コロナワクチンの接種を受けているので、スムーズに行くかと思いきや、延々と歩かされて閉口した。最後の最後の税関チェックポイントで、パスポートを見せたら、スーツケースを開いて見せろと言われる。おそらくロシアに行っていたことが記録されているのだろう。それで帰国の際も「開扉検査」というわけだ。ロシア以上に徹底している。スーツケースの中は、衣服類のほかは、モスクワで買ったジョージ・オーウェルの『1984年』、『動物農場』の本以外には、ウォッカ2本（いただきもの）くらいしかないのに。

新横浜行きのバスに乗って、あとは駅から自宅にタクシーで移動。いやはや何とか無事に帰宅できた。それとともに体調の方は絶不調に向かいつつある。

今回の短いモスクワ滞在で、はっきり浮かび上がって来た問いがある。それは、「ソ連とは何であったか」という問いだ。それはフランスの思想家ジャック・アタリがウクライナ侵攻直後に言っていた「今起きていることは冷戦終焉の最終章だ」という指摘にも通じるものだ。「ソ連とは何であったか」という問いは、より大きな問い、つまり「ロシアとは何か。スラブ民族とヨーロッパとの関係とは何か」におそらく包摂される関係にあるのだろうと思う。ウクライナ戦争の行方を取材しながら、この大きな問いに自分なりの答を出すことを、今年の大テーマとしたいものだ。

エピローグ：それぞれの人生、それぞれの足跡――ノスタルギーア

あれから30年以上の歳月が流れた。僕がＴＢＳモスクワ支局長を離任した際に（1994年6月）、支局の現地スタッフだったロシア人の仲間たちが贈ってくれた「宝物」がある。モスクワ支局のスタッフ9人の写真をセロテープで縦に無造作につなぎ合わせただけのものだ。「宝物」に写っていた人たちは、その後どうなったのだろうか。

今でもコンタクトが何とかとれている人は、写真に写っている人だけで言えば、わずか2人ほどだ。アンドレイ・フェシュン、マリーナ・クズネツォーワ。なかには行方がわからなくなった人もいる。おそらく亡くなった人もいるだろう。それぞれの人が、それぞれの人生を歩んでいる。一期一会。一回きりの人生のなかで、たまたま知り合った人々と、それ相応の影響を与え合った。「宝物」の写真に写っていた人々のその後の消息を、遠く離れた日本の地から探るのは容易なことではない。ましてや、今は日本とロシアの二国間関係は、２０２２年2月24日以降のロシアによるウクライナ侵略戦争の影響をもろに受けて、互いに非友好国扱い、はっきり言えば敵同士になってしまった。２つの国を民間人が自由に行き来すること自体が困難になっている。実はあまり語られて

いないが、日本とロシアの間では、民間人が郵便や海外宅配便などの手段で手紙やモノを自由に送ることも不可能な状態が続いている。

ガーリャさん。ガリーナ・フミチョーバさん。1975年以来、TBSモスクワ支局に在籍した「支局の母」のような存在だった。今でもあの独学で身につけた日本語＝「ガーリャ語」なる独特の日本語を時々思い出す。僕は、運転していた支局車のカーステレオに当時見た映画『バグダッド・カフェ』のテーマ曲『コーリング・ユー』を入れてよく聴いていた。ガーリャさんはこの曲が大層お気に入りで、流れるたびにガーリャ語に翻訳して「私は呼びします。私は呼びします」と独り言を言っていたのを思い出す。また当時のロシア大統領エリツィンについても、「金平さん、エリツィンはきっと日本に、行きします。私も一緒に、行きします」。エリツィン大統領の訪日が実現する際には自分も日本に（取材のために）連れて行ってくれないか、という願望の遠回しな表現なのだった。

ガーリャさんは、モスクワ大学ではあのゴルバチョフの3期下だった（1934年生まれ）ので、ご存命ならば、もう90歳近くになっているはずだ。随分前に、旦那様が亡くなられたという知らせがモスクワから伝わってきた。その後、ガーリャさんとモスクワ支局の交流も自然に途絶えてしまったという。ご存命であれば、今もモスクワに住んでおられるのだろうか。あるいは娘さんのいる（かもしれない）ポーランドに移ったのだろうか。娘さんはポーランド人男性と結婚して、お子さんも生まれたが、その後離婚したと聞いた。どうにか行方がわからないものかと調べてみたが、残念ながら消息は不明だった。どうか長生きしておられますように。

ガーリャさんは天真爛漫（てんしんらんまん）なところがあり、一度だけ、旅行で日本を訪れて来たことがあった。２０００年前後だっただろうか。家人らが千葉県の宿をお世話して一緒に泊まったが、モスクワでは海を見ることが稀（まれ）なので、海を見て感激したガーリャさんは、その場でいきなり服を脱ぎだしてシュミーズ姿のまま海に入って泳ぎ出したそうだ。ガーリャさんについてはいい思い出が尽きない。

マリーナ・クズネツォーワ。彼女はとても聡明（そうめい）な女性で、お父様がソ連時代の外交官及び記者だった。お父様が日本で勤務していた時には彼女も日本で暮らしていた。マリーナは日本語も英語も完璧に話す。その彼女は、実は今、日本に住んでいる。福島大学の教員として日本で活躍しているのだ。１９９６年に福島にやって来たので、かれこれ四半世紀以上、もう日本にいることになる。その福島県で２０１１年、あの東日本大震災を経験した。福島第一原発の炉心溶融事故による放射線汚染の影響を怖（おそ）れて、早い段階で埼玉県に緊急避難したこともあった。彼女はソ連時代のチェルノブイリ原発事故（１９８６年）の知識をもっていたので、放射能汚染の恐ろしさというものを熟知している。とっさに「これは危ない！」と思ったという。そのマリーナも今では週の大半を福島市内で過ごす。「福島の原発事故も、私が想像していた最悪の事態よりは、辛うじて酷（ひど）くはならなかったようです。原子炉建屋内で水素爆発を起こした時には、もう終わりだと思っていましたから、最悪の事態にまでは至らなかったようですね」。彼女に、ウクライナへの侵略以降の現下のロシアの事情を聞いても、もうかなりの部分、日本社会になじんでしまっているので、あまり意味がないかもしれない。実際、これだけ日本に長く暮らしていると、ロシアのゆくえよりも日本がこれから将来どうなってしまうのかの方が心配になるという。

アンドレイ・フェシュン。文字通り、支局を支えてくれた右腕のような存在だった。強い信念の持ち主で、とても頑強だ。僕も頑固なので、何度か「衝突」した苦い思い出がある。旧ソ連のウクライナで生まれた。2022年の年末にモスクワで再会した。すっかり貫禄十分の初老の大学教授になっていた。モスクワ大学東洋学部の副学部長のポストに就いていた。日本文学や日本文化を教えている。日本について学びたい学生はまだまだ多い。最近では女性が圧倒的に多いそうだ。

歳月が流れた。彼とはもう考え方や人生観が随分と異なる間柄になったかもしれない。けれども、彼と知り合って本当によかった。あんな濃密な経験を共有したことなど、他の人との間ではなかなかないことだ。ロシアという国がこれからどのような運命を辿っていくのか、僕にはわからない。ロシアも日本も今後どんな国になろうとも、彼とは意見を交換できるようになっていたいものだ。

最近では、ゾルゲ事件に関するアンドレイの著書が日本でも出版され（元時事通信の名越健郎・陽子夫妻が翻訳した。みすず書房刊『ゾルゲ・ファイル　1941―194

5』）、研究者たちのあいだではちょっとした評判になった。何を隠そう、本書338ページに記載があるように、1992年にモスクワ支局での仕事として、僕はロシア政府の公文書館でゾルゲ事件や岡田嘉子さん関連の公文書、さらには関東軍731部隊関係の資料を入手すべく動いた。その時の動きがアンドレイの強い意思によって継続されていたのだ。ゾルゲ事件の最大のストーリーは、ドイツ人記者リヒャルト・ゾルゲの入手した機密情報によって、スターリンが日本軍部の南進方針を知り、ナチス・ドイツとの独ソ戦争に戦力をさくことができた、という事実だ。昭和天皇が臨席した御前会議での決定事項を尾崎秀実（おざきほつみ）経由でゾルゲが入手していた事実を、アンドレイの緻密な作業が裏付けた形だ。アンドレイは、科学文化担当参事官として駐東京ロシア大使館に勤務していたこともある。その際、わずかな回数だが会ったことがあった。クラシック指揮者のゲルギエフ評を語り合った記憶がある。その後、彼はモスクワ市内で大学教授として働いていたが、2018年から3年半、ロシア外務省のカラチ駐在文化センター長としてパキスタンに勤務していた。波乱に飛んだ人生を歩んできたようだ。

アンドレイととても親しかった元時事通信モスクワ支局のアンナ・メリニコワという優秀な女性ジャーナリストがいた。アンナは、時事通信モスクワ支局退職後にリア・ノーボスチという政府系通信社に転職して、そこで活発な記者活動をしていた。政府要人にも随分食い込んでいたという。そのアンナが、自宅のバルコニーから転落して半身不随になり車椅子生活を余儀なくされたという話をモスクワからの風の噂（うわさ）で知った。一体何があったのか。全くのミステリアスな話だった。2021年の2月頃、そのアンナが亡くなっていたことを僕は去年（2022年）になって知った。ひどく衝撃を受けた。彼女はシングルマザーで一人娘がいらしたそうだ。知らなかった。車椅子生活で母親と一緒に暮らしていたモスクワ市内のアパートを訪ねた日本人がいるが、かなり重い障害を負っている印象だったという。晩年のことは誰も話してくれない。彼女とはウクライナの片田舎を一緒に訪ねた楽しい記憶が残っている。

セルゲイ・マチュールスキー。モスクワ支局を辞めたあと、彼は、オーストリアに一時住んでいたが、その後、単身で中国の北京に8年間住んでいたそうだ。端整な顔立ちで、とにかく女性にモテていた記憶がある。ロシア人女性↓イラン人女性↓オーストリア人女性↓ロシア人女性と何度か結婚し、何度か離婚し、現在はモスクワ郊外に住んでいるそうだ。仕事は外資系の建設会社だという。ロシア中国国境のアムール河沿いの街ブラゴヴェシチェンスクにも数年住んでいたという話も聞いた。年齢を重ねてそれなりの貫禄が備わったらしい。今ではお酒もワインをたしなむ程度だとか。機会があれば是非とも会ってみたいものだ。

お昼の給食をつくってくれたマーシャ。彼女は僕が帰国してからすぐに支局から去り、モスクワ市内のチェコ系の大使館の給食をつくっていたという話が最後の消息だ。今はどちらにいるのかわからない。彼女のつくるスープは美味しかったなあ。運転手のアンドルーシャ。彼は僕が帰国したあと支局をすぐに去って、その後料理人になったという話を聞いた。もうひとりの運転手のサーシャ。彼はもともと中日・東京新聞のモスクワ支局に雇われていた運転手だった。それ以前は英語圏の国のメディアのモスクワ支局の運転手をしていたという。だから英語を少しばかり話せる。雨の日も風の日も、雪の日も彼はドライバーとしてせっせと働いた。ガソリンの補給に常に気をつけ、駐車場のスペースの雪かきをし、車の移動が常に可能な状態になるように気遣っていた。だから支局の特派員のご婦人連、家族たちにとても好かれていた。そのサーシャに2022年の年末、ほぼ30年ぶりにモスクワで再会した。大柄でいつもにこにこしているのはちっとも変わっていない。歴代のTBSモスクワ支局長の名前と奥方の名前を今でもほとんど全部覚えていた。笑うと、歯が1本しか残っていなかった。もうそこそこの後期高齢者の年齢に達している。彼は、自分はロシア人としての愛国心は持っていて、そのことでは自分の人生は一貫していると話していた。また、いつか再会したいものだ。

モスクワ支局勤務当時、僕はモスクワ大学の学生たちを夜間の時間だけのアルバイトとして雇っていた。のべで4人くらいはいただろうか。そのうちの1人のサーシャこと、アレクサンドル・クラーギン。彼は何と今もモスクワ支局で働いていて、プロデューサーをやっている。支局の大黒柱になっている。もうひとりのモスクワ大学生だったワジムは、現在は北海道新聞のモスクワ支局で働いていると聞いた。驚き。日本人社会と接点を持ったモスクワ大学の学生たちは、その後もその接点を維持していた。

カメラマンだったミーシャこと、ミハイル・コレトビーノフは、完全に仕事をリタイアして、今は年金生活者だ。モスクワ郊外のダーチャに暮らしているそうだ。1948年生まれだからもう正真正銘の高齢者になっているはずだ。もともとはゴステレ（ソ連時代の国営テレビ）の国際部（ブルガリア部門）でカメラマンの仕事をしていたが、1990年前後の冷戦終焉後の東欧の激変で失職し、TBSモスクワ支局のカメラマンとなった。彼はロシア語以外は一切話さないので、僕は彼からロシアの諺、慣用句、スラングをたくさん習った。今でも覚えているのは、Я начальник ты дурак, ты начальник Я дурак. 直訳すると、「おいらが上司ならば、あんたはバカ、あんたが上司なら、おいらはバカ」。理不尽な絶対服従の人間関係のことをからかった言い方だ。2022年にベラルーシのルカシェンコ大統領に単独会見した際の交渉の非公式の場で、うろ覚えのこの言葉を話したら、その場が笑いに包まれたことがあった。ロシアの諺、言い回しはホンネに届くものが多く、「魚は頭から腐る」「モスクワは涙を信じない」などは今でも十分に通用する。

エンジニアだったヴォロージャこと、ウラジミール・カルポフは今でも元気で、ごくまれにアンドレイらとウォトカを酌み交わすという。ヴォロージャは性格温厚で支局のショック・アブソーバーのような存在だった。ミーシャ、ヴォロージャとは、2012年頃、一度モスクワで再会して、したたかお酒を飲んだ記憶がある。よき仲間たちだった。

＊　＊　＊

僕のテレビ記者としての経歴のなかで、ソ連、ロシアと関わった3年半を超える時間は、自分にとって特別に濃密なものだった。ロシアがウクライナに侵攻して戦争が続いている今だからこそ、なおのことそう思わされる。こうして文章を記していると、過去に関わったあれらのロシアの人々、ウクライナの人々と無性に再会したい気持ちに陥ってしまった。少なくない数の人々はもうこの世にいない。ロシア語でいうノスタルギーア＝郷愁に近い感情だ。人の人生は有限で短い。けれども郷愁の舞台となっている時空は、とても長い持続＝歴史を持っている豊かな場所だったように思う。考えてみれば、それこそが僕らが生きていることの意味を見つけ出す場所なのかもしれない。だから、殺し合いをやめて欲しい。殺し合いを応援するのもやめて欲しい。独立と自尊を求めるウクライナもいい。偉大なるロシアの幻影を求める人々がいてもいい。だが、お互いに殺し合いをするのはやめて欲しい。国家とか民族とか、それがなんぼのものなのか。2023年の今、つくづくそう思う。ロシアへ愛をこめて。ウクライナへ愛をこめて。

文庫版あとがき

光陰矢の如し。時間は人類がつくったものではない。時間の数え方こそ、権力者の意思や宗教、文化、人々の知恵などの違いによって時々刻々と変わってきたが、そんなことはお構いなしに、時は流れ、人はまた去る。そして新しく人々がやってくる。時間は止まらない。

統治とは権力の行使だ。一定の統治のもとで人々の生活が営まれている。どのような統治者も有限な人間のひとりにすぎない。統治のありようも必ず変わる。

月並みで、元も子もないメッセージだが、この世界が前よりも、よりよくなりますように。ジョン・レノンが歌った歌の歌詞のように、忌野清志郎が翻案して日本語で歌ったように、僕なりに翻案して、ロシアの、ウクライナの、日本の人たちと、共有したい。

国家や国境や民族のために　人々が血を流さない世界が　いい
宗教がなくても　お互いに信じあう　神様ではなく　人間を信じる世界が　いい
誰かを憎んでも　派閥をつくっても　頭の上には　ただ空があるだけで　いい
偉い人も　ダメな人も　お金持ちも　貧しい人も　結局はみんな同じで　いい
社会主義も　資本主義も　お金と幸福を結びつけない仕組みが　いい

きっと　よりよい世界が　つくれるなら　いい
夢かもしれない　でもその夢をみているのは　ひとりじゃなければ　いい

本書の出版にあたっては、集英社文庫編集部の信田奈津さんにお世話になりました。遅筆に遅筆を重ねた筆者を叱咤激励していただかなかったならば、この文庫は存在しませんでした。解説をお書きいただいた井上ユリさんにも感謝致します。1995年の単行本化の時は、旦那様の故・井上ひさしさんに帯文を書いていただいたことが、つい昨日のようです。本書に登場した方々、あるいは青臭い手紙をモスクワから一方的に送りつけていた方々が、先立って逝かれました。ご冥福を祈ります。

井上ひさし　米原万理　常石敬一　李水香　堤清二　長井勝一　榎本陽介　坂本龍一
忌野清志郎　筑紫哲也　立花隆　ボリス・ニコライエヴィチ・エリツィン　ミハイル・セルゲーエヴィチ・ゴルバチョフ　ピョートル・ニコライエヴィッチ・マモーノフ

ロシアとウクライナに関わった以上、これからも、この国に住む人々がどのような道筋を歩むのか、ひとりの人間としてともに進みたいと思います。

2023年8月

解説

井上ユリ

一九七九年秋、調理師学校で働いていたわたしは、料理の取材で、ソ連と東欧諸国を回った。あのころソ連に行った人は覚えているだろうが、外国人の旅は国営のインツーリストという旅行社がすべて仕切っていた。

コーカサスの取材を終え、次のウズベキスタンに向かうため昼すぎにグルジア（現ジョージア）のトビリシ空港に行った。ところが出発の時間が来ても搭乗案内がない。どうも飛行機が遅れているらしい。さんざん待たされた挙句、夜になってようやく翌朝まで飛ばないとアナウンスがあった。ホテルも取れず、空港ロビーの粗末な椅子に寝た。

一日遅れでタシュケントに到着。ウズベキスタンでは、タシュケントとサマルカンドを回る予定だった。

「もう信じられないくらいきれいなんだから」

当時添乗員の仕事をしていた姉、米原万里(よねはらまり)はシルクロードのオアシスとして栄えた古都サマルカンドを絶賛していた。だからこの旅で一番楽しみにしていたのだが、旅程がずれてしまいあきらめなければならない。がっかりしながら手続きに行くと、インツーリストのデスクは、十ドル払え、という。なぜ？　サマルカンドへの往復旅費も宿泊費も支払い済みなのに？

「予定のルートを変更した罰金だ」

変更は私の意志ではない。飛行機を遅らせたアエロフロートの責任だろう。そもそも変更したことでインツーリストに何の損害があったというのだ。わけわからない。インツーリストが付けたガイド兼通訳くん（あのころ西側の旅行者には必ずスパイ兼任のガイドが付いた）はこういうやっかいな場面ではそばからすっといなくなる。わたしは忘れかけていたロシア語が怒りとともによみがえり、

「そんな国は世界中どこにもない！」と声を荒げると、

「ここにある」と相手はまるで動じない。

「来年のモスクワオリンピックで恥をかくがいい！」

捨てぜりふを吐いて十ドルをたたきつけた。

金平さんはそんな理不尽なソ連、のちロシアに一九九一年三月から九四年六月までTBSモスクワ支局長として駐在した。この本はその滞在記である。

姉もこの時期、TBSの通訳の仕事でモスクワに何度か出張し、金平さんと一緒に働いている。以来二人の交流はずっと続いた。人懐こい金平さんはまるで弟のように万里になついていた（とわたしには見えた）。夫の井上ひさしも金平さんの取材を何度も受

けていた。

今回、解説という荷が重い役目をわたしが引き受ける羽目になったのはそんな縁からだ。

金平さんがモスクワに滞在した時期の主な出来事を年表から抜き出してみた。（近くの図書館にあった吉川弘文館『世界史年表・地図』より）

一九九〇～九一　大統領ゴルバチョフ
一九九一・七　ロシア共和国大統領エリツィン就任
　　　　八　保守派によるクーデター失敗
　　　十二　ソ連邦消滅
　　　　　独立国家共同体創設
　　　　　ゴルバチョフ辞任、エリツィン大統領ほぼ継承
一九九三・十　モスクワ流血騒乱　大統領、最高会議派を制圧

一九一七年の社会主義革命以来、二十世紀の世界を二分した片方の旗頭があっけなく無くなってしまう、その現場にいたわけだから、滞在記が面白くないはずがない。

金平さんは、最初は手紙形式で、途中からは日記の体裁でこの本を書いた。だからい

わゆる記者の現地報告とは趣が少し異なる。

支局の運営にまつわる金銭や人事のこと、働いている人たちとの、ときにはシビアなやりとり、買物事情、好きな音楽、読んだ本、観た舞台等々、取材したことだけでなくモスクワ生活の中で起こるさまざまな出来事がここに丸ごと詰め込まれているのだ。

後に年表に太字で記されるような事態のさなかであれ、そこに暮らす人にはこまごました日常がある。食べなければならないし、働かなければならない。生活の実感抜きに、大きな動きだけを見ても真実は伝わらないと金平さんは考えたのだろう。

だから、モスクワの日常がおぼろげながら見えてきたところで読む九三年十月、モスクワ騒乱の時々刻々はとても生々しく感じられる。時代に取り残され、貧しくなるばかりの、ソ連復活を望む高齢者たち、あんな時代への逆戻りはとんでもないと集まるエリツィン支持者たち、正義を見つけられない中での武力鎮圧には胸が痛む。

そんな大事の真最中だというのに、支局で働くガーリャさんは、孫が生まれたからと、ポーランドにいる娘に会いに行ってしまう。

このように事件と日常が交錯するのだ。

モスクワは常に物不足だ。計画経済だから物が溢れることはないし、競争が無いから品質も良くないものが多い。この時期は資本主義への移行期で、その混乱もあっただろう。市民は何を買うにも長時間行列しなければならない。金平さんたち外国人は、ドルで買い物ができる店があるから行列に並ぶ苦労はしないで済むけれど、そもそも物が無い。ルーブルの価値は下がるばかりだから、ドルを持っている日本人は何かと高値をふっかけられるし、物を盗まれる。それも予想もつかない大きなものまで。

支局車のセドリックの前部座席を盗まれるくだりで、そういえばソ連を旅行したときに、トイレの便座がよくはずれていたことを思い出した。椎名誠がエッセイに、「ロシアになぜか便座だけを狙う大盗賊団でもいるのではないか」と書いていたが、便座だけを盗んで一体何に使っていたのだろう、今もって謎だ。誰か解明してほしい。

理不尽なことも次々に起こる。駐車場の中に突然仕切りが出来て、法外な駐車料金を請求されるとか、ルーブル紙幣が短すぎる切り替え期間で使えなくなるとか、取材を申し込んだ高官に堂々と賄賂を要求されるとか、数え上げるときりがない。金平さんは、『原初的蓄積』と書いているけれど、商取引のルールが整っていないままなのだ。そこに歴史的に蓄積された強固な官僚制が加わって、とんでもないことになっている。

冒頭に書いたわたしの理不尽体験の何とささやかなことか。この本に出てくる不条理の数々を抜き出すだけで別冊が編めてしまうかも。

文庫化にあたって、金平さんはウクライナ戦争勃発時のウクライナ日記と、二〇二二〜二三年をまたぐ年末年始のモスクワ訪問記を加えている。昨年二月、ロシアが侵攻するかもしれない中でウクライナ取材を決め、トルコからキーウ（キエフ）に向かうまさにその日に戦争が勃発した。空路ではウクライナに入れなくなったので、翌日ルーマニアから陸路で入国し、現地からいち早くニュースを伝えている。すごいジャーナリストだ。

金平さんは書きながら悩み、考える。

基本的機能が整っていない社会で民主主義は実現可能なのだろうか？
社会主義革命はなんだったのか？
ソ連の崩壊はなんだったのか？
そもそも国、社会が変わるとはどういうことなのか？

九一年八月、保守派がクーデターを起こしたとき、市民は「スバボーダ！　スバボーダ！（自由！　自由！）」と叫びながらロシア最高会議ビル、通称ホワイトハウスを取り囲んだ。感動的な場面だ。しかし、そのあとルーブルの価値は下がり続け、貧富の差は広がるばかり。年金生活者の暮らしは立ち行かなくなり、ストリートチルドレンが目立つようになる。

プーチンは当初、天然資源の高値という追い風はあっただろうが、経済を立て直し、人々の暮らしは少し安定した。そこからは強権で、あらゆる手段を使って反対派を抑え込み――不可思議な死に方をしたジャーナリスト、毒を盛られた反体制派政治家は記憶に新しい――独裁を敷いた。

そして行きついたのが今回の戦争だ。

読みながらわたしも考える。

自由と平等は両立できないのか？

ロシアを考えながら、日本を考える。

戦後、新しい憲法で民主主義国家の体裁は出来たけれども、その民主主義は根付いたのだろうか？　お殿様の時代のように世襲される議席が年々増え、法案は議論が深まらないまま成立していく。戦争をしないと誓ったのに、防衛予算は、今戦争をしているロシアを抜いて、世界三位になろうとしている。どうすればよいのか？

自分が生活する場で何ができるのか、考える。


建前と現実の乖離(かいり)がやたらに大きい不条理の中で生きてきたからなのか、姉によると「ロシア人は悪魔と天使を同時に内包」しているそうだ。

ロシア生活の理不尽に怒り、「何よりもダメなロシア」とつぶやきながら、金平さんはオリンピックになるとつい旧ソビエトの選手を応援する。支局のロシア人たちに、無茶な要求（この権利意識はやはり社会主義の成果かも）をされながらも彼らを深く愛している。ロシアの文学に、音楽に、芸術にすっかり参っている。だから他人がロシアの悪口を言うと、怒りに震える。わたしも同じだ。ロシア人の、天使のように人を信じる愛情深さを知っているから。

だからこそ、ダメなロシアが戦争＝殺戮(さつりく)を起こしていることへの絶望と怒りが深まるばかりなのだ。

（いのうえ・ゆり　料理研究家）

本書は、一九九五年三月、筑摩書房より刊行された『ロシアより愛をこめて　―モスクワ特派員滞在日誌１９９１‐１９９４』を『ロシアより愛をこめて　あれから30年の絶望と希望』と改題したものです。
文庫化にあたり再編集し、新たに「補章　ウクライナより愛をこめて」を追加しました。

初出
「ウクライナより愛をこめて」
「論座」二〇二三年三月掲載
（「漂流キャスター日誌　ウクライナより愛をこめて①～④」改題）
「ソ連の亡霊どもが彷徨っているロシア　――金平茂紀のモスクワ日記」
「現代ビジネス」二〇二三年一月掲載
（「金平茂紀のモスクワ日記(1)～(3)」改題）

ＪＡＳＲＡＣ 出 ２３０６４２６‐３０１

本文デザイン／織田弥生（801studio）

集英社文庫　目録（日本文学）

- 加藤実秋　チョコレートビースト インディゴの夜
- 加藤実秋　ホワイトクロウ インディゴの夜
- 加藤実秋　Dカラーバケーション インディゴの夜
- 加藤実秋　ブラックスローン インディゴの夜
- 加藤実秋　ロケットスカイ インディゴの夜
- 加藤実秋　学園王国（スクールキングダム）
- 加藤実秋　渋谷スクランブルデイズ インディゴ・イヴ
- 上遠野浩平 荒木飛呂彦・原作　恥知らずのパープルヘイズ ―ジョジョの奇妙な冒険より―
- 金井美恵子　恋愛太平記1・2
- 金子光晴　金子光晴詩集 女たちへのいたみうた
- 金原ひとみ　蛇にピアス
- 金原ひとみ　アッシュベイビー
- 金原ひとみ　AMEBICアミービック
- 金原ひとみ　オートフィクション
- 金原ひとみ　星へ落ちる
- 金原ひとみ　持たざる者
- 金原ひとみ　アタラクシア
- 金原ひとみ　パリの砂漠、東京の蜃気楼
- 金平茂紀　ロシアより愛をこめて あれから30年の絶望と希望
- 加野厚志　龍馬暗殺者伝
- 加納朋子　月曜日の水玉模様
- 加納朋子　沙羅（さら）は和子（わこ）の名を呼ぶ
- 加納朋子　レインレイン・ボウ
- 加納朋子　七人の敵がいる
- 加納朋子　我ら荒野の七重奏（セプテット）
- 壁井ユカコ　2.43 清陰高校男子バレー部①②
- 壁井ユカコ　2.43 清陰高校男子バレー部 代表決定戦編①②
- 壁井ユカコ　2.43 清陰高校男子バレー部 春高編①②
- 壁井ユカコ　空への助走 福蜂工業高校運動部
- 鎌田實　がんばらない
- 鎌田實 高橋卓志　生き方のコツ 死に方の選択
- 鎌田實　あきらめない
- 鎌田實　それでもやっぱりがんばらない
- 鎌田實　ちょい太でだいじょうぶ
- 鎌田實　本当の自分に出会う旅
- 鎌田實　なげださない
- 鎌田實　たった1つ変わればうまくいく 生き方のヒント幸せのコツ
- 鎌田實　いいかげんがいい
- 鎌田實　がんばらないけどあきらめない
- 鎌田實　空気なんか、読まない
- 鎌田實　人は一瞬で変われる
- 鎌田實　がまんしなくていい
- 神永学　イノセントブルー 記憶の旅人
- 神永学　浮雲心霊奇譚 赤眼（せきがん）の理
- 神永学　浮雲心霊奇譚 妖刀（ようとう）の理
- 神永学　浮雲心霊奇譚 菩薩（ぼさつ）の理
- 神永学　浮雲心霊奇譚 白蛇（はくじゃ）の理
- 神永学　浮雲心霊奇譚 呪術師（じゅじゅつし）の宴

集英社文庫　目録（日本文学）

神永学　浮雲心霊奇譚　血縁の理
神永学　火車の残花　浮雲心霊奇譚
加門七海　うわさの神仏　日本闇世界めぐり
加門七海　うわさの神仏　其ノ二　あやし紀行
加門七海　うわさの神仏　其ノ三　江戸TOKYO陰陽百景
加門七海　うわさの人物　神霊と生きる人々
加門七海　怪のはなし
加門七海　猫怪々
加門七海　霊能動物館
香山リカ　NANA恋愛勝利学
香山リカ　言葉のチカラ
香山リカ　女は男をどう見抜くのか
川内有緒　空をゆく巨人
川上健一　宇宙のウインブルドン
川上健一　雨鱒の川
川上健一　ららのいた夏

川上健一　翼はいつまでも
川上健一　四月になれば彼女は
川上健一　渾身
川上弘美　風花
川上弘美　東京日記1+2　卵一個ぶんのお祝い。／ほかに踊りを知らない。
川上弘美　東京日記3+4　ナマズの幸運。／不良になりました。
河﨑秋子　鯨の岬
河﨑秋子　土に贖う
川西政明　決定版評伝　渡辺淳一
川西蘭　ひかる、汗
川端康成　伊豆の踊子
川端裕人　銀河のワールドカップ
川端裕人　今ここにいるぼくらは
川端裕人　風のダンデライオン　銀河のワールドカップ　ガールズ
川端裕人　雲の王
川端裕人・三島和夫　8時間睡眠のウソ。日本人の眠り、8つの新常識

川端裕人　天空の約束
川端裕人　エピデミック
川端裕人　空よりも遠く、のびやかに
川村二郎　孤高　国語学者大野晋の生涯
川本三郎　小説を、映画を、鉄道が走る
姜尚中　在日
姜尚中・森達也　戦争の世紀を超えて　その場所で語られるべき戦争の記憶がある
姜尚中　母―オモニ―
姜尚中　心
神田茜　ぼくの守る星
神田茜　母のあしおと
木内昇　新選組　幕末の青嵐
木内昇　新選組裏表録　地虫鳴く
木内昇　漂砂のうたう
木内昇　櫛挽道守
木内昇　みちくさ道中

集英社文庫　目録（日本文学）

木内　昇　火影に咲く
木内　昇　万波を翔る
木崎みつ子　コンジュジ
樹島千草　太陽の子 GIFT OF FIRE
樹島千草　スケートラットに喝采を
樹島千草　映画ノベライズ耳をすませば
岸本裕紀子　定年女子 これからの仕事、生活、やりたいこと
岸本裕紀子　定年女子 60を過ぎて働くということ
喜多喜久　真夏の異邦人 超常現象研究会のフィールドワーク
喜多喜久　リケコイ。
喜多喜久　マダラ 死を呼ぶ悪魔のアプリ
喜多喜久　青矢先輩と私の探偵部活動
北　杜夫　船乗りクプクプの冒険
北大路公子　石の裏にも三年 キミコのダンゴ虫的日常
北大路公子　晴れても雪でも キミコのダンゴ虫的日常
北大路公子　いやよいやよも旅のうち

北方謙三　逃がれの街
北方謙三　弔鐘はるかなり
北方謙三　第二誕生日
北方謙三　眠りなき夜
北方謙三　逢うには、遠すぎる
北方謙三　檻
北方謙三　あれは幻の旗だったのか
北方謙三　渇きの街
北方謙三　牙
北方謙三　危険な夏―挑戦Ⅰ
北方謙三　冬の狼―挑戦Ⅱ
北方謙三　風の聖衣―挑戦Ⅲ
北方謙三　風群の荒野―挑戦Ⅳ
北方謙三　いつか友よ―挑戦Ⅴ
北方謙三　愛しき女たちへ
北方謙三　破軍の星

北方謙三　群青 神尾シリーズⅠ
北方謙三　灼光 神尾シリーズⅡ
北方謙三　炎天 神尾シリーズⅢ
北方謙三　流塵 神尾シリーズⅣ
北方謙三　林蔵の貌（上）（下）
北方謙三　そして彼が死んだ
北方謙三　波王の秋
北方謙三　明るい街へ
北方謙三　彼が狼だった日
北方謙三　罅・街の詩
北方謙三　戦・別れの稼業
北方謙三　草莽枯れ行く
北方謙三　風裂 神尾シリーズⅤ
北方謙三　風待ちの港で
北方謙三　海嶺 神尾シリーズⅥ
北方謙三　雨は心だけ濡らす

集英社文庫　目録（日本文学）

北方謙三　風の中の女
北方謙三　水滸伝一～十九
北方謙三・編著　替天行道 —北方水滸伝読本
北方謙三　魂の岸辺
北方謙三　棒の哀しみ
北方謙三　君に訣別の時を
北方謙三　楊令伝一 玄旗の章
北方謙三　楊令伝二 辺烽の章
北方謙三　楊令伝三 盤紆の章
北方謙三　楊令伝四 雷霆の章
北方謙三　楊令伝五 猩紅の章
北方謙三　楊令伝六 徂征の章
北方謙三　楊令伝七 驍騰の章
北方謙三　楊令伝八 箭激の章
北方謙三　楊令伝九 遥光の章
北方謙三　楊令伝十 坡陀の章

北方謙三　楊令伝十一 傾暉の章
北方謙三　楊令伝十二 九天の章
北方謙三　楊令伝十三 青冥の章
北方謙三　楊令伝十四 星歳の章
北方謙三　楊令伝十五 天穹の章
北方謙三・編著　吹毛剣 楊令伝読本
北方謙三　岳飛伝一 三霊の章
北方謙三　岳飛伝二 飛流の章
北方謙三　岳飛伝三 嘶鳴の章
北方謙三　岳飛伝四 日暈の章
北方謙三　岳飛伝五 紅星の章
北方謙三　岳飛伝六 転遠の章
北方謙三　岳飛伝七 懸軍の章
北方謙三　岳飛伝八 龍蟠の章
北方謙三　岳飛伝九 曉角の章
北方謙三　岳飛伝十 天雷の章

北方謙三　岳飛伝十一 烽燧の章
北方謙三　コースアゲイン
北方謙三　岳飛伝十二 飄風の章
北方謙三　岳飛伝十三 蒼波の章
北方謙三　岳飛伝十四 撃撞の章
北方謙三　岳飛伝十五 照影の章
北方謙三　岳飛伝十六 戎旌の章
北方謙三　岳飛伝十七 星斗の章
北方謙三・編著　盡忠報国 岳飛伝・大水滸読本
北方謙三　傷痕 老犬シリーズⅠ
北方謙三　風葬 老犬シリーズⅡ
北方謙三　望郷 老犬シリーズⅢ
北上次郎　勝手に！文庫解説
北川歩実　金のゆりかご
北川歩実　もう一人の私
北川歩実　硝子のドレス

集英社文庫　目録（日本文学）

北川悠仁　まいんち　ゆずマン
北村　薫　元気でいてよ、R2-D2。
北森　鴻　メイン・ディッシュ
北森　鴻　孔雀狂想曲
城戸真亜子　ほんわか介護
木下昌輝　絵金、闇を塗る
樹原アンミツ　東京藝大　仏さま研究室
木村元彦　誇り　ドラガン・ストイコビッチの軌跡
木村元彦　悪者見参
木村元彦　オシムの言葉
木村元彦　蹴る群れ
木村元彦　新版　悪者見参　ユーゴスラビアサッカー戦記
木村元彦　争うは本意ならねど　日本サッカーを救った我那覇和樹と彼を支えた人々の美らゴール
木村友祐　幼な子の聖戦
京極夏彦　どすこい。
京極夏彦　南極。

京極夏彦　文庫版　虚言少年
京極夏彦　文庫版　書楼弔堂　破曉
京極夏彦　文庫版　書楼弔堂　炎昼
清川　妙　人生のお福分け
桐野夏生　リアルワールド
桐野夏生　I'm sorry, mama.
桐野夏生　I N
桐野夏生　バラカ(上)(下)
久坂部羊　嗤う名医
久坂部羊　テロリストの処方
久坂部羊　怖い患者
櫛木理宇　赤と白
久住昌之　野武士、西へ　二年間の散歩
工藤直子　象のブランコ　——とうちゃんと
工藤律子　マラス　暴力に支配される少年たち
窪　美澄　やめるときも、すこやかなるときも

久保寺健彦　ハロワ！
久保寺健彦　青少年のための小説入門
熊谷達也　ウエンカムイの爪
熊谷達也　漂泊の牙
熊谷達也　まほろばの疾風
熊谷達也　山背郷
熊谷達也　相剋の森
熊谷達也　荒蝦夷
熊谷達也　モビィ・ドール
熊谷達也　氷結の森
熊谷達也　銀狼王
雲田康夫　豆腐バカ　世界に挑み続けた20年
倉本由布　ゆめ結び　むすめ髪結い夢暦
倉本由布　迷い子の櫛　むすめ髪結い夢暦
倉本由布　夢に会えたら　むすめ髪結い夢暦
栗田有起　ハミザベス

集英社文庫　目録（日本文学）

栗田有起　お縫い子テルミー
栗田有起　オテル モル
栗田有起　マルコの夢
黒岩重吾　黒岩重吾のどかんたれ人生塾
黒川祥子　誕生日を知らない女の子　虐待——その後の子どもたち
黒川祥子　心の除染　原発推進派の実験都市・福島県伊達市
黒川祥子　8050問題　中高年ひきこもり、七つの家族の再生物語
黒川博行　桃源
黒木あるじ　掃除屋　プロレス始末伝
黒木あるじ　葬儀屋　プロレス刺客伝
黒木あるじ　小説　ノイズ【noise】
黒木瞳　母の言い訳
桑田真澄　挑む力　桑田真澄の生き方
桑原水菜　箱根たんでむ　駕籠かきゼンワビ疾駆帖
源氏鶏太　英語屋さん
見城徹　編集者という病い

小池真理子　恋人と逢わない夜に
小池真理子　いとしき男たちよ
小池真理子　あなたから逃れられない
小池真理子　悪女と呼ばれた女たち
小池真理子　双面の天使
小池真理子　無伴奏
小池真理子　妻の女友達
小池真理子　ナルキッソスの鏡
小池真理子　倒錯の庭
小池真理子　危険な食卓
小池真理子　怪しい隣人
小池真理子　律子慕情
小池真理子　会いたかった人　短篇セレクション サイコ・サスペンス篇Ⅰ
小池真理子　ひぐらし荘の女主人　短篇セレクション 官能篇
小池真理子　泣かない女　短篇セレクション ミステリー篇
小池真理子　夢のかたみ　短篇セレクション ノスタルジー篇

小池真理子　肉体のファンタジア
小池真理子　柩の中の猫
小池真理子　夜の寝覚め
小池真理子　瑠璃の海
小池真理子　虹の彼方
小池真理子　午後の音楽
小池真理子　熱い風
小池真理子　律子慕情
小池真理子　怪談
小池真理子　夜は満ちる
小池真理子　水無月の墓
小泉喜美子　弁護側の証人
河野啓　デス・ゾーン　栗城史多のエベレスト劇場
河野美代子　新版　さらば、悲しみの性　高校生の性を考える
河野美代子・永田由紀子　初めてのSEX　あなたの愛を伝えるために
古沢良太　小説版　スキャナー　記憶のカケラをよむ男

集英社文庫　目録（日本文学）

小島環　泣き娘
小嶋陽太郎　放課後ひとり同盟
五條瑛　プラチナ・ビーズ
五條瑛　スリー・アゲーツ
小杉健治　絆
小杉健治　二重裁判
小杉健治　最終鑑定
小杉健治　検察者
小杉健治　不遜な被疑者たち
小杉健治　それぞれの断崖
小杉健治　水無川
小杉健治　黙秘　裁判員裁判
小杉健治　疑惑　裁判員裁判
小杉健治　覚悟
小杉健治　質屋藤十郎隠御用
小杉健治　冤罪

小杉健治　からくり箱　質屋藤十郎隠御用　二
小杉健治　贖罪
小杉健治　赤姫心中　質屋藤十郎隠御用　三
小杉健治　鎮魂
小杉健治　恋飛脚　質屋藤十郎隠御用　四
小杉健治　失踪
小杉健治　観音さまの茶碗　質屋藤十郎隠御用　五
小杉健治　逆転
小杉健治　質草の誓い　質屋藤十郎隠御用　六
小杉健治　最期
小杉健治　大工と掏摸　質屋藤十郎隠御用　七
小杉健治　生還
小杉健治　九代目長兵衛口入稼業
小杉健治　結願
小杉健治　御金蔵破り　九代目長兵衛口入稼業　二
小杉健治　邂逅

小杉健治　陰の将軍、烏丸検校　九代目長兵衛口入稼業　三
小杉健治　奪還
小杉健治　獄門首に誓った女　九代目長兵衛口入稼業　四
小杉健治　連鎖
古関裕而　鐘よ鳴り響け　古関裕而自伝
古処誠二　ルール
古処誠二　七月七日
児玉清　負けるのは美しく
児玉清　人生とは勇気　児玉清からあなたへラストメッセージ
木原音瀬　捜し物屋まやま
木原音瀬　ラブセメタリー
木原音瀬　捜し物屋まやま2
木原音瀬　捜し物屋まやま3
木原音瀬　吸血鬼と愉快な仲間たち
木原音瀬　吸血鬼と愉快な仲間たち　2
小林エリカ　マダム・キュリーと朝食を

集英社文庫

ロシアより愛(あい)をこめて　あれから30年(ねん)の絶望(ぜつぼう)と希望(きぼう)

2023年9月25日　第1刷　　定価はカバーに表示してあります。

著　者　金平茂紀(かねひらしげのり)
発行者　樋口尚也
発行所　株式会社　集英社
東京都千代田区一ツ橋2-5-10　〒101-8050
電話　【編集部】03-3230-6095
【読者係】03-3230-6080
【販売部】03-3230-6393(書店専用)
印　刷　大日本印刷株式会社
製　本　大日本印刷株式会社

フォーマットデザイン　アリヤマデザインストア　　マークデザイン　居山浩二

ISBN978-4-08-744567-1 C0195